# LIBERTÉ POUR LES OURS !

# Du même auteur

AUX MÊMES ÉDITIONS

Le Monde selon Garp
*roman, 1980*
*Coll. « Points Roman », n° 44*

L'Hôtel New Hampshire
*roman, 1982*
*Coll. « Points Roman », n° 110*

Un mariage poids moyen
*roman, 1984*
*Coll. « Points Roman », n° 201*

L'Œuvre de Dieu, la Part du Diable
*roman, 1986*
*Coll. « Points Roman », n° 314*

Une prière pour Owen
*roman, 1989*
*A paraître dans la coll. « Points Roman » en juin 1991*

*JOHN IRVING*

# LIBERTÉ POUR LES OURS !

roman

TRADUIT DE L'AMÉRICAIN
PAR JOSÉE KAMOUN

*ÉDITIONS DU SEUIL*
*27, rue Jacob, Paris VI^e^*

Ce livre a été édité
sous la direction d'Anne Freyer

Titre original : *Setting free the Bears.*
Éditeur original : Random House, New York.
ISBN original : 0-394-44496-5.


ISBN : 2-02-012756-3.

PREMIÈRE PARTIE

# Siggy

# Un Viennois qui vivait de régime

Je savais le trouver tous les midis, assis sur un banc dans le parc de l'Hôtel de Ville, un petit sachet bourré de radis de serre sur les genoux et une bouteille de bière à la main. Il apportait toujours sa salière et il devait en avoir une quantité, parce que je ne me souviens d'aucune en particulier ; d'ailleurs elles n'avaient rien d'extraordinaire et, une fois, il en avait même enveloppé une dans le sachet vide pour la balancer après usage dans une des poubelles du parc.

Tous les midis, toujours le même banc, celui qui avait le moins d'échardes, dans le coin du parc proche de l'université. Il lui arrivait d'avoir un carnet et il était toujours vêtu de la même veste de chasse en velours, avec des poches de côté et un carnier dans le dos. Les radis, la bouteille de bière et la salière, le carnet parfois, il tirait tout de ce long carnier ventru ; et il se baladait les mains libres puisque son tabac et ses pipes – il en avait au moins trois – passaient dans ses poches de côté.

Je me disais qu'il devait être étudiant, comme moi, mais enfin je ne l'avais jamais rencontré à l'université même, toujours au parc de l'Hôtel de Ville, les midis du jeune printemps. Souvent je venais m'asseoir sur le banc qui se trouvait en face du sien pendant qu'il déjeunait. Je prenais mon journal parce que c'était un fameux poste d'observation quand les filles passaient sur la promenade, leurs genoux décolorés par l'hiver, leurs os d'adolescentes saillant sous la soie diaphane de leurs corsages. Mais lui ne les regardait pas. Il se perchait avec la vivacité d'un écureuil pour croquer son sachet de radis et par les interstices du banc le soleil lui faisait des zébrures.

Je le voyais comme ça depuis plus d'une semaine quand je lui ai découvert une autre habitude. Il griffonnait des choses sur le sachet et il fourrait tout le temps des petits papiers dans ses poches ; mais le plus souvent, il écrivait dans le carnet.

Une fois, je le vois faire la chose suivante : il empoche un petit bout de sachet griffonné, s'éloigne du banc, descend quelques mètres dans l'allée, puis retire le papier de sa poche pour le relire ; après quoi il le jette. En le ramassant, voici ce que je lis :

*Il est impératif de cultiver les bonnes habitudes jusqu'au fanatisme.*

Plus tard, lorsque j'ai eu entre les mains ses fameux carnets — sa Poésie, comme il disait — je me suis rendu compte que cette petite note ne s'était pas tout à fait perdue mais qu'il avait simplement dépoussiéré la formule :

*Les bonnes habitudes valent bien qu'on les cultive jusqu'au fanatisme.*

Mais au temps du parc et des lambeaux de sachet, je ne pouvais pas me douter qu'il était poète et faiseur de maximes ; j'étais simplement curieux de faire sa connaissance.

## Les temps sont durs

Sur la Josefgasse, derrière le Parlement, il y a un coin bien connu pour son écoulement singulièrement rapide de motos d'occasion. Ce coin, c'est au Doktor Ficht que je dois de l'avoir découvert parce que je venais juste de rater son examen quand mon humeur m'a poussé à varier mes habitudes méridiennes.

J'étais passé sous de petites arcades où ça sentait la vase, j'avais longé des boutiques en sous-sol qui vendaient des vêtements moisis et je débouchai sur un quartier de garages. On y vendait des pneus, des pièces détachées ; des types en combinaisons tachées de cambouis roulaient des trucs sur le trottoir avec un bruit de ferraille. Tout d'un coup je tombe sur une vitrine sale, où un carton annonce Faber ; c'est toute la réclame pour la maison, si l'on excepte le bruit qui s'exhale par la porte ouverte. Il sort de la fumée noire comme un nuage d'ouragan, on entend une pétarade à faire sursauter et derrière la vitre j'aperçois deux mécanos en train de faire tourner les moteurs de deux motos à pleins gaz. Sur la plate-forme la plus proche de la vitrine, il y a d'autres engins bien astiqués, au repos, ceux-là. Sur le sol de béton, noyés sous les gaz d'échappement, je discerne des outils variés, des bouchons de réservoir à essence, des bouts d'essieux et de jantes, de garde-boue et de câble — et puis ces deux mécanos concentrés sur leurs cycles ; ils ouvrent et ferment les gaz ; des musiciens en train de s'accorder avant le concert n'auraient pas l'air plus sérieux ni l'oreille plus tendue. Moi, dans l'encadrement de la porte, je respire l'esprit du lieu.

A deux pas de moi, il y a un type qui me regarde, un bonhomme grisâtre, avec de larges revers huileux ; ses boutons sont encore la partie la moins luisante de son costume. Près de lui, sur le sol, gît une grande roue à pignon, lune dégringolée, si lourde d'huile qu'elle absorbe la lumière et me rayonne un sourire en dents de scie.

— Herr Faber lui-même, dit le type en se désignant du pouce.

Il me raccompagne à la porte et sort avec moi. Dans la rue, loin du vacarme, il m'étudie avec un tout petit sourire couronné d'or.

— Ah, ah, on sort de l'université ?

— Un jour, si Dieu veut, mais ça en prend pas le chemin...

— Les temps sont durs, hein ? Et vous auriez voulu quoi comme genre de moto ?

— Moi ? mais j'aurais rien voulu...

— Ah là là, c'est jamais facile de se décider !

— C'est rien de le dire.

— J'en sais quelque chose, hein ! Faut dire qu'il y a des motos, c'est des bêtes, hein, mais des vraies bêtes à tenir. Y a des gars, c'est ça qui les fait rêver, c'est ça qu'ils cherchent !

— Rien que d'y penser, j'en ai le vertige !

— Mais oui, mais oui ; je sais ce que c'est, va. Il faut en parler avec Herr Javotnik. Il est étudiant comme vous ; il est allé déjeuner, mais il va pas tarder. Il est fantastique pour le conseil, ce petit, c'est un virtuose de la décision !

— Pas possible !

— Bah, c'est mon bâton de vieillesse, oui, vous allez voir.

Et Herr Faber penche de côté son chef visqueux pour tendre une oreille affectueuse au *brat brat brat* de la boutique.

## En selle sur la bête

Je reconnais Herr Javotnik à sa veste de chasse, avec les pipes qui dépassent de la poche de côté. A en juger par sa mine, son déjeuner lui a laissé un petit goût salé et piquant.

— Ah, Herr Javotnik, dit Faber en esquissant deux petits pas de côté comme s'il allait nous danser quelque chose, ce jeune homme a une décision à prendre.

— Ah, bon ! Voilà pourquoi je t'ai pas vu dans le parc !

— Tiens, vous vous connaissez, couine Herr Faber.

— Et comment, répond Javotnik, je veux, oui. Et je peux vous dire que ça va être une décision très personnelle ; alors si vous voulez bien nous laisser, Herr Faber...

— Mais, certainement, certainement, dit Faber en s'éclipsant, absorbé par les gaz d'échappement.

— Quel rustre ! commente Herr Javotnik. Tu es pas acheteur, je suppose ?

— Mais non, je passais.

— Ça m'a fait drôle de pas te voir dans le parc.

— Les temps sont durs.

— Ah, t'as raté lequel ?

— Celui de Ficht.

— Celui de Ficht ? Moi, je pourrais t'en dire sur Ficht. Il a les gencives pourries. Entre deux cours, il se les frotte avec une petite brosse et une saleté de produit marron qu'il tire d'un pot. Il a une haleine de rhinocéros. Pour lui aussi, les temps sont durs.

— Ça fait toujours plaisir.

— Mais tu t'intéresses pas aux motos, toi ? Moi si, parce que mon idée, c'est d'en monter une et de quitter la ville avec. Ça vaut rien, Vienne au printemps, je trouve. Seulement voilà, les motos qu'il y a ici, j'ai tout juste les moyens de m'en payer la moitié d'une.

— Moi c'est pareil.

— Ah bon ? Comment tu t'appelles ?

— Graff, Hannes Graff.

— Écoute, Graff, il y a une moto particulièrement chouette, ici, si ça te dit de prendre le large.

— D'accord, mais j'ai tout juste de quoi en payer la moitié et toi, avec ton boulot, tu as l'air plutôt coincé.

— Coincé, moi ? Jamais.

— Mais c'est peut-être une question d'habitude. Faut pas mépriser les habitudes, tu sais.

Il se campe un instant sur ses talons, tire une pipe de sa veste, la fait claquer contre ses dents et déclare :

— Je n'ai rien contre un bon petit caprice non plus. Je m'appelle Siggy. Siegfried Javotnik.

S'il n'a pas consigné cette réflexion sur le moment, il l'a ajoutée à ses carnets par la suite ; après la ligne concernant les habitudes et le fanatisme et on la retrouve sous la forme suivante :

*Au bonheur de l'urgence, ton guide.*

Mais cet après-midi-là, sur le trottoir, il n'avait peut-être ni carnet ni sachet, et la présence de Faber devait lui peser, qui regardait si intensément dans notre direction, dardant la tête comme un serpent sa langue par la porte du garage enfumé.

— Viens avec moi, Graff, je vais te mettre en selle sur une bête.

Le sol du garage était glissant ; nous nous sommes dirigés vers la porte du fond, celle qui avait une cible dessus. La porte et la cible étaient de guingois toutes deux. La cible était presque en bouillie, le mille invisible au milieu des petites mottes de liège. On aurait dit qu'elle avait été attaquée à coups de clef anglaise en guise de fléchettes, ou même à coups de dents, par des mécanos fous furieux.

Nous sommes sortis dans une cour, derrière le garage.

— Dites-moi, Herr Javotnik, vous croyez vraiment... ? dit Faber.

— Tout à fait.

Elle était appuyée contre le mur du garage, recouverte d'une bâche noire brillante. Le garde-boue arrière était épais comme mon doigt ; c'était une montagne de chromes, gris sur les bords, où ils avaient pris la couleur des crampons fixés du pneu ; entre pneu et pare-chocs, il y avait l'espace idéal. Siggy a retiré la bâche.

C'était une vieille moto ; elle avait un aspect cruel parce que ses lignes étaient plus définies que les nouvelles, moins compactes aussi. Entre ses différentes parties, on voyait le jour, il y avait des espaces où un carrossier aurait pu faire passer une caisse à outils ; et puis un petit triangle ouvert entre le moteur et le réservoir à essence, larme noire effilée, comme une tête trop petite pour la masse du corps ; elle avait la beauté prédatrice de certaines armes à feu : cette évidence de sa vilaine fonction dans ses parties les plus visibles. Elle était lourde, oui, et elle semblait retenir son souffle comme un chien efflanqué à l'arrêt dans l'herbe haute.

— C'est un virtuose, ce garçon ! C'est mon bâton de vieillesse, dit Herr Faber.

— C'est une Anglaise, dit Siggy. De chez Royal Enfield. Il y a quelques années, ils les carrossaient comme les fauves qu'elles sont. 700 centimètres cubes ; des chaînes et des pneus neufs, l'embrayage a été refait. Comme neuve.

— Qu'est-ce qu'il l'aime cette vieille machine ! dit Faber. Il travaille dessus pendant toutes ses heures de loisir. Elle est comme neuve.

— Neuve, oui, pas *comme* neuve, dit tout bas Siggy. J'ai tout commandé à Londres, l'embrayage, les pistons, les segments. Lui, il croit que c'était pour les autres bécanes. Il a aucune idée de ce qu'elle vaut, ce vieil arnaqueur.

— Montez-la, dit Herr Faber, mais si, montez-la. Vous allez sentir la bête.

— Fifty-fifty, chuchote Siggy. Tu la prends, tu la paies, et moi je te rembourse sur mon salaire.

— Mets-la-moi en route.

— Ah ça, dit Faber, on peut peut-être pas la mettre en route comme ça, hein, Herr Javotnik ? Je sais pas s'il y a de l'essence.

— Si, si, elle devrait démarrer au quart de tour, répond Siggy. Il se glisse à côté de moi et se met à pomper sur le kick. Il y a peu de faux mouvements — il titille le carburateur, il actionne le levier d'avance à l'allumage, puis il se redresse et pèse de tout son poids sur le kick. La machine inspire et souffle, le levier revient, mais il le repousse une fois, deux fois, plus vite, et voilà que ça démarre. Elle ne fait pas le même bruit que les motos de l'intérieur ; le sien est plus grave, *brop brop brop,* plus régulier, ample comme celui d'un tracteur.

— Vous entendez ça, dit Faber, qui vient de se mettre à tendre l'oreille lui-même, tête penchée sur le côté, et qui passe et repasse sa main sur sa bouche, comme s'il s'attendait à entendre battre une soupape ou le ralenti gripper un peu — et comme ça ne vient pas, du moins pas nettement, il penche un peu plus la tête.

— C'est un virtuose ! conclut-il.

On dirait qu'il commence à y croire.

## Faber et la bête

Le bureau de Herr Faber se trouvait au deuxième étage de ce bâtiment qui avait tout juste la hauteur nécessaire pour en avoir un premier.

— C'est pimpant comme un urinoir, dit Siggy, dont les manières commencent à mettre Herr Faber mal à l'aise.

— On avait fixé son prix ? demande-t-il.

— Et comment ! on avait dit deux mille cent schillings, Herr Faber.

— Mais..., c'est un très bon prix, commente Herr Faber, d'une voix mal assurée.

Je paie.

— Et pendant que vous y êtes, Herr Faber..., demande Siggy.

— Quoi ? fait l'autre d'une voix plaintive.

— Si c'était pas trop vous demander, vous pourriez me donner mon compte ?

— Mais voyons, Herr Javotnik...

— Voyons, Herr Faber, vous pourriez bien, non ?

— Courir après l'argent d'un vieillard, espèce de chacal !

— Oh, allez, hein, je vous ai fait faire des affaires d'or.

— Petit salaud d'arnaqueur !

— Tu vois, Graff ? Ah, Herr Faber, Herr Faber, je crois qu'une vilaine bête se cache dans votre bon cœur.

— Allez vous faire frotre, braille Faber. Je tombe que sur des gangsters !

— Si ça ne vous fait rien de me payer ce que vous me devez, je vous en demande pas plus et je m'en vais avec Graff ici présent. Il nous faut réaliser des accords subtils.

— Ah, s'écrie Faber, elle a pas besoin d'un bain, cette moto !

## Des accords subtils

Alors nous sommes allés passer la soirée au café du Volksgarten. On avait vue sur le jardin de rocaille et les arbres au-delà, vue sur les pièces d'eau rouge et vert qui reflétaient les lampions de la terrasse. Toutes les filles étaient dehors. Derrière les arbres, le frisson inattendu de leurs voix nous parvenait ; dans les villes, les filles comme les oiseaux arrivent toujours précédées du bruit qu'elles font : talons qui retentissent sur la promenade, voix pleines d'assurance quand elles se disent leurs petites histoires.

— Ça, Graff, c'est la fleur des nuits.

J'étais bien d'accord ; c'était la première nuit capiteuse de printemps, avec dans l'air une chaleur moite, presque oubliée, et les filles qui montraient de nouveau leurs bras nus.

— On va faire un voyage du tonnerre, Graff ; ça fait longtemps que j'y pense et je sais comment il faut faire pour pas que ça foire. D'abord, pas de projets précis, pas d'itinéraire établi à l'avance, pas de délais. Il suffit de penser aux choses très fort. Tu penses à des montagnes, mettons, ou à des plages. Tu penses à des veuves riches et des petites paysannes et puis tu tends le doigt dans la direction où tu penses les trouver et tu choisis les routes de la même manière, tu les choisis pour les côtes et les virages ; c'est le deuxième point, ça, choisir les routes qui vont plaire à la bête. Et la moto, elle te plaît, au fait ?

— Elle est géniale.

Nous étions seulement allés de chez Faber au Volksgarten en passant par Schmerlingplatz, mais j'avais déjà senti que nous montions là une belle machine sonore et palpitante ; elle bondissait au départ comme un fauve à l'affût et, même au ralenti, les abjects piétons n'arrivaient pas à en détacher les yeux.

— Tu la trouveras encore plus géniale quand on sera dans les montagnes. On va aller en Italie ! On voyagera léger, c'est le troisième point, ça. J'emporte mon gros sac à dos, on met toutes les affaires dedans et on roule les duvets tout en haut. Rien d'autre, à part des cannes à pêche. On va se nourrir de pêche jusqu'en Italie et frot pour le Doktor Ficht.

— Qu'il aille se faire frotre !

— Que ses dents tombent toutes !

— En plein opéra.

— Qu'il aille se faire frotre un bon coup ! Dis donc, Graff, ça t'ennuie pas trop d'avoir échoué, hein ? parce que c'est pas si grave, au fond...

— Comment tu veux que ce soit grave ?

Et c'était vrai, un soir pareil, l'air sentait la chevelure de fille.

Les jeunes pousses des arbres lourds s'inclinaient sur le jardin de rocaille, leur bruissement couvrait le clapotis des pièces d'eau.

— Demain à la première heure, on charge la bête et en route ! Tu entends d'ici le bruit qu'on va faire. On va passer devant l'université à tous berzingues avant même que le vieux Ficht se soit enduit les gencives, et on aura quitté Vienne le temps qu'il dévisse son pot d'onguent. On passera par le palais, on réveillera tout le monde ! Ils vont croire que c'est un *Strassenbahn* ou un hippopotame qui s'est échappé.

— Un hippopotame qui pète.

— Une armée d'hippopotames qui pètent ! Et puis à nous les côtes et les virages. On aura des arbres au-dessus de nos têtes et les criquets viendront se cogner à nos casques.

— J'en ai pas, moi, de casque.

— Mais moi, j'en ai un pour toi, a dit Siggy, qui était fin prêt.

— Qu'est-ce qu'il me faut d'autre ?

— Des lunettes. J'en ai aussi. Des lunettes de pilote de la Guerre de quatorze – ça te fait des yeux de grenouille avec des lentilles jaunes ; elles sont terrifiantes. Et puis des chaussures de marche ; j'ai des vrais godillots pour toi.

— On devrait aller faire les bagages.

— Si on finissait nos bières, d'abord, non ?

— Après on y va.

— Sur les chapeaux de roue. Et demain soir on boira à une rivière de montagne, ou bien à un lac... On dormira dans l'herbe et c'est le soleil qui nous réveillera.

— Avec de la rosée sur les lèvres.

— Et des petites paysannes auprès de nous – si Dieu veut.

Alors nous avons descendu nos verres, avalant le murmure des voix de la terrasse et les visages des consommateurs voisins qui montaient tournoyer à la surface de nos bières.

Et puis on a pompé sur le kick, il y a eu le bruit de succion lointain des pistons – on aurait dit qu'ils se trouvaient à des kilomètres au-dessous du moteur – le grognement du démarrage et le roulement lent et régulier du ralenti. Siggy a laissé chauffer un peu ; derrière les haies, j'ai regardé les consommateurs. Nous ne les agacions pas ; simplement, nous faisions taire les mur-

mures et tourner les têtes. Le tempo lent de notre machine était à l'unisson des premières bouffées capiteuses de printemps.

Et il y avait une bosse de plus dans le carnier de Siggy ; en regardant la table que nous venions de laisser, j'ai vu que la salière avait disparu.

## Dieu se manifeste

Siggy conduisait. Nous sommes arrivés sur la place des Héros par une arche ; j'ai renversé la tête en arrière pour voir les pigeons traverser les toits ; les petits cupidons baroques du palais du gouvernement me toisaient de toutes leurs fossettes. Derrière mes fameuses lunettes de pilote de la Guerre de quatorze, le matin semblait encore plus doré qu'il n'était. Sur la Mariahilferstrasse, une vieille aux joues creuses poussait une voiture des quatre-saisons pleine de fleurs. Nous nous sommes arrêtés à sa hauteur pour lui acheter des crocus jaune safran, à mettre dans les trous d'aération de nos casques. Et la sorcière ramollie des gencives de marmonner : « Ils vont en faire de belles, ces deux-là ! »

Nous sommes repartis ; nous balancions nos fleurs aux filles qui attendaient l'autobus. Leurs foulards avaient glissé de leurs têtes et flottaient au vent sur leurs gorges ; la plupart d'entre elles avaient déjà des fleurs.

Il était de bonne heure ; nous croisions les voitures à chevaux qui venaient au Naschmarkt, avec leurs légumes et leurs fruits, et puis leurs fleurs, aussi. Nous avons rencontré un cheval que la circulation avait sonné et il s'est cabré devant notre moto. Sur leurs sièges bringuebalants, les conducteurs s'interpellaient, d'humeur joviale ; certains avaient amené leur femme et leurs enfants tellement il faisait beau.

Le palais de Schönbrunn paraissait esseulé ; pas de cars de touristes, pas de foule, pas d'appareils photo. Une brume fraîche planait sur les jardins ; c'était un voile ténu qui enveloppait les haies bien taillées et passait comme une tortue au ras des pelouses vert cru. Le long de la route le paysage affluait et refluait.

Les jardins du palais donnaient sur les faubourgs de Hietzing, et c'est là que nous sont parvenus les premiers effluves du zoo.

A un feu rouge, la trompette d'un éléphant a couvert notre ralenti.

– On a bien le temps, hein ? a dit Siggy. C'est vrai quoi, moi je trouve qu'on a tout le temps qu'on veut.

– Et puis ce serait dommage de quitter Vienne sans voir les effets du printemps sur le zoo.

Le zoo de Hietzing, oui. Porte de pierre, tickets délivrés par un crapaud à bajoues qui porte une visière verte de joueur professionnel. Siggy est passé sous les arbres pour aller garer la moto loin des éventuelles coulées de résine, tout contre la guérite au toit arrondi du joueur, par-dessus laquelle la tête de la girafe dodelinait au bout du grand mât de son cou. Sa silhouette dégingandée s'inscrivait dans le prolongement de son cou et ses pattes aux sabots tout droits essayaient de tenir debout. Comme elle s'était grattée sur la haute palissade, il y avait une zone pelée à vif sur son menton étroit.

Par-dessus la palissade, elle regardait les serres des jardins botaniques, leurs longues vitres encore tout embuées de rosée. Il était trop tôt pour que le soleil tape, nous étions les seuls à regarder la girafe. Dans l'allée pavée qui passait entre les bâtiments et les cages, il n'y avait qu'un employé du service d'entretien, affalé sur son balai avachi.

Le zoo était de création récente, mais les bâtiments, eux, étaient aussi vieux que Schönbrunn ; ils faisaient partie de ses dépendances ; aujourd'hui, ils étaient totalement dégradés, ils avaient perdu leur toit et un de leurs murs, et des barreaux ou des grillages bouchaient les trous. Les animaux avaient hérité des ruines.

Le zoo s'éveillait et se faisait entendre. Le morse rotait dans sa mare trouble. Sur le bord, on voyait les vieux poissons raides morts qu'il avait envoyés valdinguer ; il avait des écailles plein les moustaches. La mare aux canards parlait déjeuner, et au bout de l'allée, un animal ébranlait sa cage.

La Volière des Oiseaux rares nous a accueillis dans le vacarme : dames, petites et grandes, chapeaux de carnaval, voix cassées de choristes ; seigneurs de la volière, des condors en habit terne trônaient, démesurés, sur les restes des colonnes et se perchaient sur le buste en ruine d'un grand Habsbourg. Ils avaient annexé le piédestal des statues et jetaient des regards furieux au grillage tendu au-dessus d'eux. Une carcasse de mouton fendue gisait sur l'herbe de la cage ; un condor des Andes à l'envergure terrifiante avait de vieux bouts de viande dans les plumes de sa gorge ; les mouches passaient directement du mouton à lui, et lui claquait du bec, un bec piqueté, couleur de corne.

— Nos amis les petits oiseaux, a dit Siggy.

Et nous sommes allés voir qui pouvait bien faire trembler sa cage comme ça.

C'était le Célèbre Ours noir d'Asie. Tapi au fond de sa cage, il se balançait un peu de côté pour taper des fesses contre les barreaux. Il y avait un petit historique, avec une carte du monde sur laquelle l'aire de répartition de l'espèce avait été grisée ; un point rouge marquait également l'emplacement où le spécimen avait été capturé — quelque part dans l'Himalaya — par un certain Hinley Gouch. La cage de l'Ours noir d'Asie tournait le dos à celle des autres, disait l'historique, parce qu'il devenait « furieux » à la vue de ses congénères. C'était un ours d'une grande férocité et des barreaux de fer scellaient les trois faces de sa ruine parce que creuser dans du béton ne lui aurait pas fait peur.

— Je me demande bien comment il l'a eu, ce Gouch, a dit Siggy.

— Au filet peut-être ?

— A moins qu'il l'ait baratiné pour lui faire voir Vienne.

Mais il ne nous semblait pas que Hinley Gouch devait être viennois. C'était plus probablement un de ces Anglais du genre globe-trotter impénitent. Il devait être de mèche avec une centaine de sherpas robustes qui avaient fait tomber l'ours dans une chausse-trappe.

— Ce serait marrant d'organiser les retrouvailles entre lui et Gouch, a dit Siggy.

Et nous ne sommes pas allés voir les autres ours.

Il y avait des gens qui descendaient l'allée derrière nous à présent ; un groupe regardait la girafe se gratter le menton. Le bâtiment que nous avions en face de nous était celui des petits mammifères ; c'était une ruine restaurée, avec quatre murs plus ou moins d'origine, un toit et des fenêtres condamnées. On y trouverait, annonçait la pancarte, des animaux nocturnes, qui sont toujours « endormis et anonymes » dans les autres zoos. Ici, au contraire, installés dans des cages de verre épais éclairées à l'infrarouge, ces animaux se comportaient tout à fait comme s'il avait fait nuit. Nous, nous pouvions les voir dans une lueur pourpre, mais pour eux le monde extérieur était noir et ils vaquaient à leurs occupations nocturnes sans se douter qu'on les observait.

Il y avait un aardvark ou oryctérope du Cap qui se dépouillait de ses piquants dans une planche rugueuse pendue devant lui à cet effet. Il y avait des fourmiliers géants qui léchaient la vitre pour y attraper des insectes et un rat arboricole du Mexique. Il y avait un otocyon et un lémur catta, ainsi qu'un paresseux à deux doigts qui semblait, tête en bas, suivre les mouvements des visiteurs : ses petits yeux noirs, un peu moins grands que ses narines, paraissaient nous suivre vaguement dans le monde extérieur qui n'était pas tout à fait noir pour lui. Mais pour les autres, écureuil volant marsupial, loris lymphatique, le monde s'arrêtait à la vitre opaque ; peut-être qu'il en allait de même pour le paresseux ; peut-être que c'était seulement sa position tête en bas qui lui donnait le vertige et qui faisait que ses yeux roulaient.

Il faisait noir entre les cages, mais nos mains ressortaient violettes et nos lèvres vertes. Il y avait une pancarte spéciale devant la cage du fourmilier ; une flèche indiquait l'emplacement d'un petit canal, au bas de la vitre, qui menait à la tanière de l'animal. Si on y mettait le doigt il venait le lécher. Sa longue langue passait à travers le labyrinthe qui empêchait le monde de parvenir jusqu'à lui et quand il trouvait un doigt dans le noir, ses yeux changeaient d'expression. Mais sa langue léchait comme toutes les autres et nous nous sommes sentis un peu plus proches des animaux nocturnes et de leur comportement.

— Oh là là ! s'est exclamé Siggy.

Les gens avaient découvert le Pavillon des petits mammifères, à présent. Des enfants piaillaient dans les couloirs éclairés à l'infrarouge ; ils avaient les cheveux mauves et les yeux rose vif ; leurs langues vertes allaient bon train.

Alors nous avons quitté l'allée principale par un sentier de terre battue ; des ruines, on en avait assez vu. Nous sommes arrivés devant un espace à ciel ouvert où se trouvaient les Divers Animaux de la savane, dont les Antilopes assorties. C'était déjà mieux. Il y avait des zèbres qui suivaient la palissade du bout du museau, se donnaient des coups de hanche, se soufflaient dans l'oreille. Leurs rayures étaient à contresens des hexagones du grillage, on y voyait trouble à force de les regarder bouger derrière.

Et puis voilà que de notre côté de la palissade court vers nous un petit garçon échevelé qui tousse et se tient l'entrejambe à deux mains. Il nous dépasse, il s'arrête, plié en deux comme s'il venait de recevoir un coup de pied. Il laisse retomber ses mains arrondies entre ses genoux et il brame : « La vaaache, ces couilles ! » Puis il remet ses mains en position et détale le long du sentier.

A tous les coups il vient de voir l'oryx, l'antilope sabre, avec ses longues cornes presque droites, torsadées à la base et prolongeant la ligne du front ridé et du nez noir luisant. A tous les coups il vient de voir notre ami l'oryx sous l'ombre chiche de son arbre, tavelé par le soleil qui joue sur son dos, une expression douce et humble dans ses grands yeux noirs. Un beau mâle, oui : vaste carrure et cou plissé. Son échine en déclivité relie la bosse de son cou à la base de sa queue. Et alors, depuis les fesses jusqu'aux genoux osseux, pas d'erreur, c'est bien un mâle.

— La vache, Siggy, tu crois qu'il les a grosses comment ?

— C'est les plus grosses du monde.

Comme elles sont trop grosses pour son bassin étroit, elles pendent en louchant l'une vers l'autre.

Nous avons lu l'histoire de l'oryx d'Afrique australe, le représentant « le mieux armé » de toutes les antilopes.

– C'est pas Hinley Gouch qui aurait eu les couilles de faire ça, a dit Siggy.

Et de fait, nous avons lu que l'oryx était né au zoo de Hietzing ; ça, c'était vraiment déprimant.

Alors nous avons repris le sentier sur le chemin du retour. Nous sommes passés sans nous arrêter devant tous les écriteaux des pachydermes, et nous nous sommes contentés d'un regard au petit wallaroo le « kangourou des collines, célèbre pour son agilité ». Affalé sur le flanc, en appui sur un coude, il se grattait la hanche avec le poing. Il faisait une tête de six pieds de long et nous a lancé un coup d'œil blasé.

Nous avons dépassé la pancarte de fauves, le reflet de la visière du joueur, sa guérite prise d'assaut par les hordes humaines, nous avons dépassé les têtes tournées vers les feulements embrumés qui marquaient le réveil du lion, et les têtes en l'air pour saluer la girafe.

Devant le zoo, il y avait deux filles qui admiraient notre moto. L'une des deux l'admirait même tellement qu'elle était montée dessus, et serrait le réservoir à essence entre ses cuisses. C'était une fille charpentée et mamelue ; son pull-over noir remontait sur son ventre, ses hanches ballottaient chaque fois qu'elle s'arrimait à notre joli réservoir en goutte d'eau.

L'autre était debout devant la bécane ; elle tripotait les câbles de l'embrayage et du frein avant. C'était une maigrichonne ; ses côtes faisaient plus de volume que ses seins. Elle avait un teint cireux et une bouche bien fendue, mais triste. Ses yeux étaient aussi doux que ceux de l'oryx.

– Alors là, Siggy, c'est Dieu qui se manifeste !

A même pas dix heures du matin.

## Les voies du Seigneur sont impénétrables

— Graff, me dit Siggy, moi, la grosse, j'en veux pas.

Mais, en nous approchant, nous voyons que la maigrichonne a les lèvres violettes, comme si elle avait pris froid en restant dans l'eau trop longtemps ; alors Siggy me suggère :

— Elle a pas l'air en très bonne santé, la maigrichonne ; tu pourrais peut-être la retaper, toi ?

Quand nous arrivons à leur hauteur, la grosse dit à sa camarade :

— Qu'est-ce que je te disais ? c'est deux garçons en balade.

Elle se trémousse sur la selle et bat des cuisses contre le réservoir.

— Alors, dit Siggy, tu voulais partir avec ?

— Mais non ! N'empêche que je saurais la conduire si je voulais.

— Je te crois, dit Siggy.

Il tapote le réservoir et pianote sur le genou de la fille.

— Tiens-le à l'œil, dit l'autre.

Elle a un tic bizarre au menton et elle n'arrête pas de tripoter les câbles ; à force de les tortiller, elle en a fait un brouillamini sous le guidon.

— Dis, Graff, chuchote Siggy, tu crois qu'elle est contagieuse, la maigrichonne ? Finalement tu peux la prendre, si tu la veux. Moi, je me contenterai de la grosse, va.

Et la grosse en question nous lance :

— Dites, les garçons, vous nous payez une bière ?

— Il y a un endroit où ils en servent dans le zoo, complète son amie.

— Mais on en vient, nous, du zoo ! je dis.

— C'est la rage, Graff, chuchote Siggy. Elle a la rage.

— Oui, mais vous y êtes pas allés avec une fille au bras,

dit la grosse. Et puis je parie que vous êtes pas passés par le Tiroler Garten. Il y a plus d'un kilomètre de mousse et de fougères, là-bas, et on peut marcher pieds nus.

— Alors, Graff, qu'est-ce que tu en dis ? demande Siggy.

— Il en meurt d'envie, s'écrie la grosse.

— Graff ?

— Allez, d'accord, on est pas pressés.

— C'est le destin qui nous guide.

Alors nous sommes allés au *Biergarten*, qui se trouvait au milieu des ours. Ils nous regardaient tous, à l'exception du Célèbre Ours noir d'Asie, dont la cage tournait le dos à toutes les autres, ainsi qu'au *Biergarten*. Les ours polaires étaient assis dans leur piscine, essoufflés par la chaleur ; de temps en temps, ils lapaient un grand coup, lentement. Les ours bruns tournaient en rond et frottaient leur fourrure contre les barreaux ; le museau rivé au sol, ils mimaient le qui-vive comme le leur dictait leur instinct ancestral décalé. A quelques pas de notre table sous son parasol Cinzano, un couple d'Ours des Andes à lunettes, espèce rarissime, était accroupi à l'étroit dans la chaleur de sa cage ; l'air nous rabattait son odeur forte. C'étaient « des ours de dessins animés », disait le panneau. Ils avaient une tête à s'être fait expulser de l'Équateur pour cause de ridicule.

Siggy était tout déconfit de ne pas trouver de radis au *Biergarten*. La grosse brune s'appelait Karlotta ; elle a pris une pâtisserie avec sa bière, et la maigrichonne, qui s'appelait Wanga, n'a rien voulu d'autre qu'un bock au sirop. Siggy palpait sa grosse Karlotta sous la table ; la main de ma Wanga était sèche et fraîche.

— Oh, il leur faudrait de la glace aux ours polaires ! a dit Wanga.

Et moi, j'ai pensé : Toi, en revanche, tu as ta dose.

— Siggy, ça lui ferait pas de mal, a dit Karlotta.

Sous la table, ses mains le cherchaient à tâtons. Elle avait une frange de bouclettes noires, luisantes et moites sur le front.

Les Ours à lunettes avaient une tache blanche qui allait du front au nez et s'agrandissait sur la poitrine. Ils avaient les yeux soulignés de noir comme par des masques de bandits, du même poil hirsute que le reste de leur toison ; on aurait dit qu'on avait dormi sur leur fourrure ; elle ressemblait à une chevelure pleine d'épis. Ils tambourinaient sur le ciment avec leurs longues griffes.

La pauvre Wanga passait légèrement sa langue sur ses lèvres comme pour trouver où ses gerçures lui faisaient mal.

– C'est la première fois que tu pars ?

– Moi, je suis allé partout !

– Même en Orient ?

– J'ai fait tout l'Orient.

– Tu es allé au Japon ?

– A Bangkok.

– C'est où, Bangkok ?

Elle avait parlé si bas que j'ai dû me pencher vers elle.

– En Inde. Bangkok, ville des Indes.

– Ah ! les gens sont très pauvres là-bas.

– Oui, très.

Elle touchait sa longue bouche du bout des doigts, elle cachait ses lèvres minces derrière sa main pâle.

– Hé toi ! là, lui fais pas de mal, m'a dit Karlotta. Tu me le dis, Wanga, s'il te fait du mal ?

– On discute, a dit Wanga.

– Bon, c'est un type bien, a dit Karlotta en me donnant un petit coup de pied du bout de ses orteils crochus.

Les Ours à lunettes étaient affalés l'un contre l'autre ; il y en avait un qui avait laissé retomber sa tête sur la poitrine de l'autre.

– Graff, a dit Siggy, tu crois pas que l'oryx plairait à Karlotta ?

– Moi, je veux voir l'hippopotame et le rhinocéros, a dit Karlotta.

– Karlotta voit les choses en grand, a dit Siggy. Karlotta, tu vas pas résister à l'oryx.

– On vous retrouve derrière la cage de l'hippopotame, j'ai dit.

Je ne voulais pas que la frêle Wanga voie l'oryx. Comme Siggy l'a écrit dans son carnet :

*Il y a des limites à tout.*

— Karlotta, avec l'oryx, tu vas en prendre plein la vue, a dit Siggy.

En se frottant le ventre avec la paume de la main Karlotta s'est écriée :

— Ah, tu parles !

Et les Ours à lunettes, espèce rarissime, se sont dressés pour nous regarder.

## Chez l'hippopotame

Il y avait des douves doublées d'une palissade autour du domaine du rhinocéros. S'il essayait de défoncer la palissade, il se cassait les pattes en tombant dans le fossé ; les genouillères de sa carapace étaient craquelées comme de l'argile au soleil. Il avait un parc plan, mais tout de même un peu surélevé, un plateau dur et sec où trotter, et l'herbe était rase de ses courses. Son domaine était borné par celui de l'hippopotame et par les hautes grilles de fer du Tiroler Garten. Allongé par terre dans le jardin, on voyait les rameaux d'arbre à l'envers, jusqu'au parc Maxing. Assis dans les fougères, on voyait le dos du rhinocéros, le haut de sa tête qui ressemblait à du bois flottant et le bout de sa corne. Il faisait trembler le sol sous lui quand il courait.

Wanga et moi, nous étions couchés dans les fougères, à chercher du coin de l'œil Siggy et la grosse Karlotta.

— Et où tu vas cette fois-ci ?

— Jusqu'au pôle Nord.

— Oh ! J'aimerais bien venir, c'est-à-dire si tu partais tout seul, quoi. Je t'aurais demandé si je pouvais venir avec toi.

— J'aurais dit oui.

Mais quand j'ai frotté mon nez sur le duvet de son bras, elle s'est redressée pour chercher Siggy et Karlotta.

On entendait Siggy saluer le rhinocéros en trompette ; tout d'abord on ne l'a pas vu ; mais j'ai reconnu sa voix de barde. Il beuglait quelque chose vers le parc du rhinocéros ; Karlotta pouffait. Ils sont arrivés bras dessus bras dessous derrière chez l'hippopotame par la grille du Tiroler Garten. La lueur de folie dans les yeux de Karlotta montrait bien qu'elle était désormais des nôtres, marquée à vie par l'image de l'oryx.

— On se cache ? j'ai dit en tirant Wanga dans les fougères.

Mais elle avait le regard inquiet ; elle restait allongée sur le dos, les bras refermés sur son buste ; elle a crié « Karlotta ! »

— Dis donc, toi, qu'est-ce que tu lui fais ?

— On discute, a dit Wanga. Mais on est là.

Ils sont arrivés vers nous le long de la palissade, Siggy fouettant les hautes fougères au passage, son autre main glissée sous le pull-over de Karlotta, autour de sa taille épaisse.

— Tu sais, Graff, il lui a fait une forte impression, l'oryx, à ma Karlotta.

— On en est tous là, j'ai dit.

— Mais qu'est-ce qu'il a de si impressionnant ? a demandé Wanga.

— Rien, rien, ma puce. » Puis, se tournant vers moi, Karlotta a ajouté : « T'es mignon, toi, tu sais. C'est pas un spectacle pour Wanga.

— C'est un spectacle tout public, a dit Siggy.

— Va te faire, a répondu Karlotta, en l'entraînant sur un autre sentier au milieu des fougères.

Quand nous étions tous allongés, nous ne pouvions pas nous voir. Au ras du sol, il y avait un courant d'air qui nous enveloppait dans l'odeur généreuse d'un fumier de bête sauvage.

— A mon avis, c'est de la crotte de rhinocéros, a lancé Siggy.

— Ou d'hippopotame, j'ai dit.

— Quelque chose de vaste et de prolifique, a suggéré Siggy.

— Les hippopotames sortent jamais de l'eau, a dit Karlotta.

— Il faut bien pourtant, a répondu Siggy, sinon je vois mal comment ils...

Wanga s'est blottie au creux de mon bras, les genoux repliés bien serrés, sa main froide sur ma poitrine. On entendait bouger Siggy et Karlotta ; deux fois il a sifflé comme un oiseau de la forêt.

Enfin, comme nous l'apprennent sagement les carnets :

*Le temps passe, Dieu merci.*

Et puis la voix de Karlotta s'est fait entendre :

– Y a des fois où t'es moins marrant, tu vois.

En levant les yeux j'ai vu le bras de Siggy brandir le panty en dentelle noire de Karlotta comme un pavois au-dessus des fougères.

– Espèce d'enfrotté, va ! criait Karlotta, son pied nu jaillissant au-dessus des fougères. Tu peux pas être sérieux cinq minutes, espèce de pitre. T'es cinglé, y a pas de doute.

Siggy s'est relevé en ricanant ; il lorgnait de notre côté, coiffé du vaste panty. Karlotta lui a balancé une motte d'herbe et il est venu vers nous en dansant.

Elle le suivait sur le sentier de la guerre, son soutien-gorge de dentelle noire à nœud rose en bandoulière ; un des deux bonnets était plein de terre. On aurait dit une fronde de petit voyou à son poignet.

– Voilà la tueuse de géants, a annoncé Siggy.

Les seins de Karlotta tombaient sur son ventre flasque. Comme son pull-over remontait, j'ai aperçu un téton brun.

Wanga s'est échappée de mes bras ; elle s'est mise à courir vers les grilles ; elle suivait la clôture dans sa course irrégulière – on aurait dit une feuille aux quatre vents – et s'est retrouvée à l'intérieur du zoo.

– Wanga, hé Wanga ! je l'appelais.

– Laisse-la-moi, laisse-la-moi, je l'attrape, a dit Siggy.

Il a jeté sa culotte à Karlotta et il s'est mis à courir.

– Non, Siggy, je vais y aller !

Mais comme je disais ça, Karlotta s'était approchée de moi ; j'essayais de me lever, mais elle m'a fait retomber dans les fougères d'un coup de hanche.

– Laisse-le faire le pitre, si ça l'amuse, va. » Elle s'est

agenouillée près de moi : « Mon petit minou, t'as de la moralité, toi, t'es pas du tout comme lui.

J'essayais bien de me relever, mais elle m'étouffait dans sa culotte et elle m'empêchait de bouger. Et puis elle m'a regardé sous le glorieux panty, et elle m'a donné un baiser de ses lèvres de pêche en me faisant « Chut, chut ! » tout en m'enfonçant dans le sol humide. Nous avons roulé bien cachés dans notre verdure, au milieu de l'odeur de fumier ; les sons du zoo se mêlaient en une rumeur et se perdaient dans le bruissement des fougères ; le rhinocéros faisait trembler la terre.

Quand nous avons entendu les oiseaux de nouveau, ils criaient rauque, d'une voix pressante. Les fauves feulaient. Ils voulaient leur viande. Ils voulaient la révolution.

– C'est l'heure où ils les nourrissent, a dit Karlotta. Et moi qui ai même pas vu l'hippopotame !

Alors je me suis levé à tout hasard et elle m'a suivi pour me faire prendre la direction de chez l'hippopotame. C'était un grand cuveau au creux d'une serre, avec un garde-fou autour pour ne pas que les enfants tombent dedans. Au début, on n'a vu que de la vase dans le cuveau.

– Oh, il va sortir d'une minute à l'autre », a dit Karlotta. Elle se grattait en me reluquant. « Mon nichon gauche me démange. J'ai un wagon de terre dans mon soutien-gorge.

Elle se tortillait et me faisait des croche-pieds. Des fruits flottaient sur l'eau jaunâtre, de grosses branches de céleri surnageaient. Tout d'un coup, des bulles sont apparues.

On a d'abord vu les narines, deux trous béants sans fond, et puis les lourdes paupières. Sa tête montait, montait ; sa longue bouche rose s'ouvrait, s'ouvrait. J'ai vu la naissance d'une invraisemblable luette. Cette bouche béante et putride sentait la jardinière de géraniums en décomposition. L'hippopotame la posait sur le bord de la fosse. Les enfants y jetaient de la nourriture : cacahuètes, guimauve, pop-corn caramélisé. Ils y jetaient des sachets en papier, des souvenirs du zoo, le journal d'un vieux monsieur, une minuscule espadrille rose. Quand l'hippopotame en avait assez, il retirait sa tête du bord et changeait sa piscine en océan. Il nous aspergeait et disparaissait dans son cuveau.

— Il va ressortir, a dit Karlotta. Oh la vache, il pourrait m'avaler tout entière !

Sur sa jambe robuste apparaissait l'empreinte d'une fougère, fossile fidèle sur le mollet brun fléchi. J'ai quitté les bords du cuveau en douce, laissant Karlotta chez l'hippopotame.

## Des limites à tout

— Je sais pas comment tu aurais pu. Quel mauvais goût tu as, Graff !

— Où est passée Wanga ?

— Je l'ai semée. Tout ce que je voulais, c'était me débarrasser de l'autre grosse.

— On est allés chez l'hippopotame. Il va faire nuit dans quelques heures.

— La faute à qui ? Honnêtement, je sais pas comment tu aurais pu ! C'est vrai, quand même, on réfléchit !

— Si on part tout de suite, on sera dans la campagne avant la nuit.

— Karlotta ! J'arrive même pas à l'imaginer ! Elle doit être grasse comme de la boue. A ta place, je me sentirais contaminé.

— T'es qu'un goujat, tiens, à te mettre sa culotte sur la tête pour venir danser comme un bouffon.

— Mais moi j'ai mes limites. Pour ça, oui.

Et il a commencé à tripoter la moto.

— Et tu te crois malin, espèce d'enfrotté ? Eh bien, figure-toi que c'était pas si mal ; c'était pas mal du tout !

— J'en doute pas. On en trouve plus d'expertes que de belles.

En plus sentencieux et plus empesé, ça donne dans ses notes :

*Le savoir-faire ne saurait remplacer l'amour.*

Quand nous sommes arrivés à la porte du zoo, il m'a ignoré superbement ; il s'est dressé sur le kick et l'a actionné de tout son poids.

– T'es un accapareur doctrinaire, Siggy, je lui ai dit.

Mais le moteur démarrait ; il ouvrait et diminuait les gaz, en suivant leur musique de la tête. J'ai sauté en selle derrière lui et nous avons bouclé nos casques. Et puis à moi mes lunettes d'aviateur de la Guerre de quatorze – pour me faire voir la vie en jaune et m'aiguillonner les méninges. Je l'ai appelé, mais il ne m'a pas entendu.

Il nous a sortis de la place. Derrière nous, les lions rugissaient. Ils voulaient leur viande. Ils voulaient la liberté. Et dans son admiration, je l'imaginais sans peine, Karlotta s'employait à la tâche délicate de s'offrir en pâture à l'hippopotame.

## Les cavaliers de la nuit

Cela faisait maintenant plusieurs villes que nous n'avions pas vu de *Gasthaus* éclairée. Il y avait bien des fermes avec une toute petite lumière qui brûlait encore tel un phare – très probablement au grenier où on la laissait toute la nuit comme pour dire : Attention ! les rôdeurs, il y a encore quelqu'un debout. Et il y avait sûrement un chien, bien réveillé, lui.

Mais les villes étaient toutes noires ; nous les traversions dans un rugissement sans voir personne ; si, une fois, nous avons vu un type qui pissait dans une fontaine. Le faisceau de notre phare et la clameur de notre engin l'ont pris par surprise. Il s'est jeté au sol en se la tenant encore, comme si nous étions la bombe H larguée dans la nuit. Ça se passait à Krumnussbaum. Juste avant Blindenmarkt, Siggy s'est arrêté. Il a coupé le moteur, éteint le phare et le silence des bois a scellé la route.

– Tu as vu ce type, là-bas ? Tu as vu ces villes ? Ça devait être comme ça pendant le black-out.

Nous y avons réfléchi une minute. Pendant ce temps, les bois se remettaient avec circonspection à faire leurs bruits nocturnes, et des choses de la nuit sortaient nous regarder.

Quand Siggy a rallumé le phare, on aurait dit que les arbres faisaient un bond en arrière ; des veilleurs de nuit de toujours retrouvaient furtivement leurs cachettes : furets, chouettes, fantômes des sentinelles de Charlemagne.

— Un jour, a dit Siggy, j'ai trouvé un très vieux casque dans les bois ; un casque à pointe, avec une visière.

Sa voix faisait taire les bruits de la nuit. Nous avons entendu la rivière pour la première fois. J'ai demandé :

— Elle est devant nous ?

Alors il a actionné le kick et nous a conduits au ralenti. A la sortie de Blindenmarkt, nous avons traversé la Ybbs et, sur le pont, Siggy a fait faire un quart de tour de côté à la moto. Au-delà du faisceau de notre phare, la rivière semblait une feuille de papier noir froissée par le vent. Mais le cercle défini par la lumière paraissait à sec ; la rivière était transparente et peu profonde ; on voyait les galets de son lit comme s'il n'y avait pas eu d'eau.

Un sentier de bûcheron longeait la rive ; il y avait encore de la neige dans la fraîcheur des bois, des plaques entières jaunissaient sous notre phare et se dentelaient aux aiguilles noires des sapins. Il y avait des marques à la craie de couleur sur les arbres à abattre ; le sentier serpentait avec la rivière.

A un certain endroit, la rivière s'éloignait dans son méandre et la berge s'élargissait. Nous nous sommes déportés du milieu du chemin pour nous glisser sur l'herbe mouillée à la recherche d'un bout de berge bien plan. Il y avait des grenouilles et des mulots dans l'herbe.

Je tendais l'oreille pour entendre des aboiements ; s'il y avait eu une ferme alentour, nous aurions sûrement entendu un chien. Mais on n'entendait que la rivière et le vent qui faisait craquer le pont sur la grand-route, le vent qui passait sur les forêts denses, furtif comme des citadins qui se glissent dans des penderies : rien à voir avec un bruit de soldats ferraillants.

La Ybbs coulait avec un roulement étouffé ; elle avait des centaines de filets d'eau. Nous avons déchargé la moto en parlant à voix basse, pour ne pas perdre un mot de la nuit.

Lorsque nous avons étalé notre couverture, il nous a fallu déloger les mulots qui étaient dessous. Nous apercevions encore le pont, mais, tout le temps que nous sommes restés éveillés, il n'y est passé personne. La ligne du pont contre le ciel constituait toute la géométrie au-dessus de la rivière ; les seuls autres dessins étaient les rides brisées de l'eau et la crête noire et irrégulière des arbres, contre le gris plus clair de la nuit. Près des piles du pont, il y avait des trous d'eau entre les rochers et le ressac renvoyait sa phosphorescence à la lune.

Siggy était assis dans son sac de couchage ; je lui ai demandé ce qu'il voyait.

– Des girafes, qui se glissent sous le pont.

– Ce serait sympa !

– Et comment ! Et l'oryx ? Tu l'imagines en train de barboter dans la rivière, à faire faire trempette à ses prodigieuses couilles ?

– Il se les gèlerait !

– Jamais ! Cet oryx-là, rien ne peut l'atteindre.

## La vie sauvage

Il y avait un bloc de rocher sous le pont, et ça faisait une minuscule cascade pour nettoyer nos truites. Nous faisions couler l'eau dans la fente de leurs ventres ballants, elle rinçait leurs jolies côtes et les remplissait jusqu'à leur haut sternum flexible. On fermait la fente du ventre entre deux doigts, on appuyait sur le ventre et l'eau ressortait par les ouïes, rose d'abord, puis transparente.

A nous deux, nous avions pris douze truites, dont nous avions fichu les boyaux sur le rocher. Assis près de la moto, nous regardions les corbeaux descendre en piqué sous le pont pour les récupérer, et nettoyer le rocher. Lorsque le soleil est sorti de l'eau, et qu'il s'est trouvé au niveau du pont, nous avons songé à trouver une ferme pour y négocier un petit déjeuner.

La route était molle, nous ne parvenions pas à nous maintenir au milieu et nous glissions dans les ornières. Siggy roulait lentement, nous nous tenions un peu en arrière pour ne rien perdre des parfums de l'air : résine des pins dans les bois, foin suave et luzerne ensuite. Les bois s'éclaircissaient, faisant place ici et là à l'arrondi des champs. La rivière était plus profonde, son courant plus rapide ; elle formait une crête blanche en son milieu et rejetait une fine mousse sur ses rives en déclivité.

Puis la route s'est mise à monter un peu et la rivière, qui descendait, s'est éloignée de nous. Un village est apparu, un village-rue avec des maisons massives tassées les unes contre les autres et une église trapue avec son clocher à bulbe. Mais avant le village il y avait une ferme, et Siggy a tourné.

Le chemin qui y menait n'était qu'un chenal de boue, malléable comme de la pâte, et notre roue arrière s'y est enfoncée jusqu'à la chaîne. Nous nous vautrions dans de l'éponge. Il y avait une chèvre sur le bord du chemin ; nous nous sommes dirigés droit sur elle en appuyant sur les repose-pied. Dès que nous avons réussi à nous tirer de là, la chèvre a décampé ; nous sommes passés devant un enclos où se trouvaient des cochons ; les petits gambadaient comme des chats, et les adultes couraient comme de grosses dames sur des talons aiguilles. Au fur et à mesure que nous roulions, les crampons s'ébrouaient, mitraillant leur boue dans notre sillage. En décampant, la chèvre avait réveillé le fermier et sa femme.

Herr Gippel était la jovialité même ; lui et sa femme, Frau Freina, ne demandaient pas mieux que de nous offrir du café et des pommes de terre en échange de nos truites – du café tout frais, avec de beaux grains noirs.

Frau Freina clignait ses yeux pâles comme pour nous dire : « Venez donc voir comme j'ai une belle cuisine. » Elle avait une gorge dodue, fière et maternelle, qui évoquait un peu la pintade.

Quant à Gippel, il n'avait pas son pareil pour déguster les poissons.

– Vous au moins vous avez la technique, lui a fait remarquer Siggy.

— C'est qu'on en mange beaucoup, des truites.

Il les pinçait par la queue et vous dégageait proprement toute la chair. Il avait un petit tas de grosses arêtes bien net sur le bord de son assiette.

— Mais là, il y en a tellement, a dit Freina.

— Et on commence à peine, a dit Siggy. C'est la vie sauvage, le retour à la nature et à ses lois simples.

— Allons bon, dit Gippel ! Vous aviez besoin de me parler de *lois* ?

— Quand on a fait un si bon repas ! soupire Frau Freina.

— Mais il a fallu qu'on parle des lois, mon amie. Et à eux deux ils ont pris douze truites.

— Je sais bien, mais on n'aurait jamais si bien mangé s'il n'y en avait eu que dix.

— Cinq par personne. C'est la loi. Mais ma femme a raison, ça n'aurait jamais été aussi bon.

— C'est affreux, je trouve, dit Frau Freina en sortant sur le pas de la porte.

— Herr Siggy, dit Gippel, c'est malheureux que vous ayez parlé de ça.

— Mais de quoi ?

— Des lois. C'est vous qui m'y avez fait penser.

Là-dessus, Freina rentre par la porte-moustiquaire et donne un papier vert à Siggy, côté imprimé dessous.

— C'est quoi, ça ? je demande.

— C'est notre amende, répond Siggy.

— Oh, quelle espèce d'homme suis-je donc ? se lamente Gippel.

— Mais oui, au fait, vous êtes quoi ici ? crie Siggy.

— Je suis le garde-pêche.

— C'est affreux, dit Frau Freina en ressortant.

— Mais c'est très bien au contraire, réplique Siggy, je dis toujours qu'il faut être ami avec le garde-pêche.

— Oui, c'est toujours ça, dit Gippel. Comme ça ce sera seulement cinquante schillings.

— Cinquante schillings ?

— Je ne peux pas vous demander moins, répond Gippel en

allant vers la porte-moustiquaire. Si vous voulez bien m'excuser un instant, j'ai tellement honte.

Et le voilà qui sort tristement devant la porte.

— Ah, le brigand, l'enfrotté ! Elle est garée loin, la bécane ?

— Je vais te dire, Graff, elle est garée à cinquante centimètres de l'endroit où Gippel s'est assis pour consoler sa tendre moitié.

— Cinquante schillings, Sig !

Mais Siggy sort le billet de sa veste de chasse :

— Va leur porter ce petit réconfort, Graff ; je fais un tour dans la maison, j'en ai pour une minute.

Je m'en vais donc remonter le moral à ces braves gens et nous regardons leur écervelée de chèvre s'en prendre à la moto, histoire de s'entraîner à tenir tête à son premier bouc.

Puis Siggy ressort, étouffé par le chagrin lui-même. Il n'en faut pas plus pour faire repartir Frau Freina. La voilà qui se met à pleurnicher qu'on est « adorables, adorables ».

— Très, très sympathiques ! La loi est scélérate, tonne Gippel. Des garçons bien, comme ça, on devrait en tenir compte !

— Allons, allons, dit Siggy — son avant-bras dessine une panse bien remplie — avec tout ce qu'on s'est mis, ça valait bien cinquante schillings !

Là, nous sommes tous bien étonnés. Frau Freina se reprend et retrouve son regard pâle et vigilant. Le pauvre Gippel a la gorge nouée par l'émotion.

Alors ils nous regardent remonter sur la moto. Cette fois nous ne nous approchons pas de la chèvre et nous gardons bien de reprendre le chemin. Les cochons se sont mis à courir comme des fous.

— Tu me la copieras avec tes échanges », dis-je à Siggy. Mais je sens quelque chose de dur sous sa veste, contre son ventre. « Qu'est-ce que tu as là ?

— La poêle à frire de Frau Freina, plus un briquet, un ouvre-bouteilles, un tire-bouchon et une salière.

Seulement nous sommes coincés par la clôture en approchant de la route, bien obligés de reprendre un bout du chemin. Mais cette fois nous avons de l'élan et nous sortons sans encombre. Gippel nous fait au revoir avec des signes frénétiques des deux bras. La poitrine de Frau Freina se soulève, elle nous envoie des baisers du bout des doigts. Les pneus dérapent dans les ornières et, de nouveau, se débarrassent de la boue du chemin, qui postillonne *pft pft pft* derrière nous.

— Il y a des investissements à faire pour vivre la vie sauvage, conclut Siggy. Sous sa veste, la poêle est encore tiède.

## La demeure des morses

Comme le disent les carnets :

*Il y a des investissements à faire.*

Et donc il était l'heure de déjeuner quand nous sommes arrivés à Ulmerfeld, où nous avons acheté deux bouteilles de bière. Nous étions à la sortie du village quand Siggy a vu une jardinière à la fenêtre du premier étage, dans une *Gasthaus*.

— Des radis ! J'ai vu leurs petites feuilles vertes montrer le bout de leur nez !

Nous nous arrêtons sous la fenêtre, je tiens la moto et il se juche sur le réservoir ; il doit se mettre sur la pointe des pieds pour passer la main par-dessus le rebord.

— Je les sens ; on vient de les arroser ; c'est des petits bébés bien tendres, tout pleins de sève.

Il les fourre dans sa veste de chasse et nous sortons d'Ulmerfeld en suivant toujours la Ybbs. A deux ou trois kilomètres du village nous coupons à travers champs pour rejoindre le bord de l'eau.

— Après tout, Graff, la journée nous devait bien encore quelque chose pour nos cinquante schillings.

C'est sur ce bénédicité que nous décapsulons nos bières à l'aide de l'ouvre-bouteilles de Frau Freina, et que nous salons nos radis avec sa salière — un miracle de fluidité. Les radis sont croquants et humides ; Siggy plante les feuilles.

— Tu crois qu'elles vont pousser ?

— Tout est possible, Siggy.

— Oui, tout.

Nous balançons ce qu'il reste de nos radis grignotés dans la rivière. Les queues surnagent et tourbillonnent sur la crête du courant, comme des moulins à vent sur les calots de petits garçons qui se noient.

— En amont, je suis sûr qu'il y a un barrage.

— Ah, les torrents de la montagne ! Tu imagines, pêcher au-dessus du barrage !

— Je suis sûr qu'il y a des poules d'eau, Sig.

— Et des morses, Graff.

Nous nous allongeons de nouveau dans l'herbe en sifflant dans le goulot de nos bouteilles. En aval, revoilà les corbeaux qui décrivent des cercles autour de nos restes de radis.

— Tu crois qu'il y a un seul truc que les corbeaux mangent pas, Sig ?

— Du morse. Ça peut pas manger un morse.

— Tu m'étonnes !

La terre a encore l'humidité du printemps, mais l'herbe drue semble capter le soleil et me le garder. La torpeur me ferme les yeux. J'entends les corbeaux invectiver la rivière ; les criquets jouent de la scie dans les champs, Siggy fait tinter le goulot de sa bouteille contre ses dents.

— Graff ?

— Hm.

— Graff ?

— Présent !

— C'est terrible ce qu'on a vu au zoo. Il vaudrait mieux les amener ici.

— Qui ça, les filles ?

— Mais non, pas les filles. Les animaux, je te parle. Tu crois pas qu'ils s'amuseraient bien ici ?

Je vois ça les yeux fermés. Les girafes grignotent les jeunes pousses du haut des arbres ; les fourmiliers gobent des insectes aquatiques sur la fine dentelle de mousse des rives.

— Les filles ! Non, mais quel enfrotté débile tu peux être, Graff !

Alors le soleil et la bière règlent notre sommeil. Les Ours à lunettes s'embrassent en chuchotant, et l'oryx chasse de la prairie tous les petits enfrottés débiles. Sur la Ybbs violacée comme une meurtrissure, le morse descend en canot ; il rame avec ses nageoires, se fait dorer les défenses au soleil et décolorer la moustache ; il ne voit pas l'hippopotame embusqué dans un trou d'eau près de la rive – il s'est déguisé avec un voile de mousse et il a la gueule béante, prête à engloutir le morse, corps et biens.

Je me suis réveillé pour avertir le morse. Les girafes avaient brouté la prairie jusqu'au soleil pour le faire descendre. Il brillait de ses derniers feux, au ras de l'herbe, accrochait la moto et étirait l'ombre de ses roues et de son moteur par-dessus la rivière ; elle, elle roulait sous la moto comme une route qui file, violacée.

– Il est temps de mettre les voiles, Siggy.

– Tout doux. Je les regarde sortir de leurs cages. Ils sont libres, comme nous.

Alors je l'ai laissé regarder un moment, et moi j'ai regardé le soleil aplatir la prairie rouge, et la rivière s'éteindre. J'ai jeté un coup d'œil en amont, mais on n'apercevait pas encore les montagnes.

## Nulle part

En quittant la vallée et les insectes nocturnes, la route se couvrait de goudron, puis de nouveau de terre ; maintenant la rivière nous était toujours cachée par un épais tunnel de sapins. Le lourd gargouillement du moteur palpitait contre la forêt, et l'écho de notre course venait s'écraser sur les bords du chemin comme si d'autres motards avaient réglé leur allure sur la nôtre et roulaient, invisibles, à travers la forêt.

Puis nous avons quitté les sapins ; la nuit était raide : on ne pouvait la respirer qu'à petits coups. Nous percevions de nouveau les grands espaces, pleins de silhouettes surgies vaguement menaçantes – une grange noire branlante, dont le vent faisait claquer les portes, des triangles de fenêtres qui nous renvoyaient notre phare, tête sans corps ; quelque chose qui quittait la route en traînant les pieds, jetait un œil féroce par-dessus son épaule – boule de poils comme un ours, boule de feuilles – ; une ferme frissonnant dans son sommeil ; un chien qui jappait en nous emboîtant le pas un instant – par-dessus mon épaule, ses yeux rétrécissaient et disparaissaient dans la danse rouge de notre feu arrière ; et du côté de la vallée, plongeant au-dessous de nous, les petits pics des arbres étaient tendus comme autant de tentes le long de la route.

– Je crois qu'on a perdu la rivière, a dit Siggy.

Il rétrogradait en fonction de la pente ; il est passé en seconde en mettant pleins gaz. Nous laissions derrière nous un sillage de poussière noire poudreuse. Je me penchais en avant, la poitrine contre son dos. J'arrivais à sentir ses réflexes avant que la moto se penche et je suivais les virages – je ne faisais qu'un avec lui, j'aurais pu être son sac à dos.

Et puis nos roues ont quitté la route ; notre phare n'a plus éclairé que la nuit ; l'élan du moteur nous transportait en plein ciel. Quand le pneu avant a retrouvé le sol, nous descendions un pont de bois à tombeau ouvert. Siggy est passé en première, mais même comme ça, il lui a fallu freiner. La roue arrière rattrapait la roue avant ; nous avons passé le pont de planches en crabe.

– C'est la rivière, a dit Siggy.

Et nous avons fait demi-tour pour jeter un coup d'œil.

Il a rétréci le faisceau du phare en projetant son rayon sur la rivière ; mais de rivière, point. Alors il a coupé le moteur et nous l'avons entendue ; nous avons entendu le vent faire gémir le pont de planches et nous avons senti le parapet humide d'écume. Mais le phare n'éclairait qu'une gorge qui sombrait dans l'obscurité. Les sapins penchés qui s'accrochaient aux parois de la gorge tendaient les bras pour appeler à l'aide sans oser regarder en bas.

La rivière avait pris un raccourci. Elle sciait la montagne en deux. Il n'y aurait pas de poisson au matin, sauf si nous tentions des acrobaties sans filet avant le déjeuner.

Nous avons donc trouvé un emplacement assez plat pour étaler la couverture, et assez éloigné de l'immense gorge. Il faisait si froid que nous avons fait tout un raffut pour nous déshabiller dans nos sacs.

— Hé, Graff, si tu te lèves pour pisser, va pas te tromper de chemin.

Nos vessies ont dû l'entendre, ou écouter trop longtemps le chuintement de la rivière : plus tard dans la nuit, nous avons dû nous lever l'un et l'autre. Bon sang qu'il faisait froid, tout nus et pas très rassurés dans le champ !

— Comment il se la tient au chaud, l'oryx ? m'a demandé Siggy.

— Je réfléchissais, au fait, tu crois pas que c'est peut-être une maladie ?

— Allez, Graff, ça serait plutôt un excès de santé.

— Il doit se sentir très vulnérable.

Et nous sommes rentrés en nous attrapant par l'épaule pour danser une gigue vulnérable. Nos sacs étaient restés chauds ; nous nous sommes recroquevillés ; sous la couverture, le champ grouillait de mulots. A croire que la nuit était si froide qu'ils étaient tous venus se musser contre nous pour dormir au chaud.

— Graff, moi aussi j'ai réfléchi.

— Mais c'est bien, ça.

— Non, je te parle sérieusement.

— Et alors ?

— Tu crois qu'il y a un veilleur de nuit au zoo de Hietzing ? Tu crois qu'il passe toute la nuit sur place ou qu'il va juste faire une ronde ?

— Pour communier avec l'oryx ? Lui demander son secret ?

— Non, pour rester sur place. Tu crois qu'il y a quelqu'un toute la nuit ?

— Sûrement.

— C'est bien ce que je me dis aussi.

Je voyais le gardien grogner avec les ours, poser la question décisive à l'oryx ; aux petites heures du matin, il avait adopté la démarche du gorille, il se balançait de cage en cage et entreprenait chaque animal dans son patois.

— Graff, tu te rappelles avoir vu des portes fermées dans le Pavillon des petits mammifères ? Il y avait quelque chose qui ressemblait à un cagibi ?

— Un cagibi à infrarouge ?

— Il faut bien que le gardien ait son coin à lui. Pour s'asseoir boire un café, pour accrocher les clefs.

— Mais dis, Siggy, tu nous mijotes le casse du zoo ?

— Ça serait pas génial ? Ça serait pas grandiose ? Les libérer, comme ça.

— Génial, oui.

Je voyais tout un troupeau d'ours patauds sortir par la porte principale, entraînant avec eux la guérite des tickets où l'homme à la visière criait grâce. Mais j'ai dit :

— Sauf qu'il faudrait retourner à Vienne et ça, ce serait moins génial, c'est bien la dernière chose que j'aie envie de faire.

En ouvrant les yeux j'ai vu la beauté des pâles étoiles au-dessus de ma tête ; les sapins rachitiques se haussaient désespérément pour sortir de la gorge. Siggy s'était assis.

— Et c'est quoi la première chose que tu aimerais faire ?

— Tu as déjà vu la mer ?

— Seulement au cinéma.

— Tu as vu *Tant qu'il y aura des hommes* ? C'est un film américain avec Burt Lancaster et Deborah Kerr. Il la roule dans le ressac.

— Oh ! toi, c'est pas la mer qui t'a intéressé, dans l'histoire.

— Quand même, ça serait génial. Camper sur une plage quelque part, en Italie peut-être.

— Je l'ai vu, moi aussi, ce film. Je me suis dit qu'ils devaient avoir du sable où je pense.

— Moi, j'aimerais bien voir la mer, et pêcher encore un peu dans les montagnes.

— Et rouler Deborah Kerr dans le ressac ?

— Pourquoi pas ?

— Et te faire tout un troupeau de petites paysannes, Graff ?

— Pas tout un troupeau.

— Rien qu'un beau spécimen, une belle petite qui te change un peu la vie ?

— Je dis pas non.

— Tu dis pas non, mon salaud. Rêveur, va, romantique de mes deux !

— Et toi alors, qu'est-ce que tu aurais envie de faire ?

— Mais vas-y, frotte tant que tu veux.

Il s'est recouché, mains croisées derrière la tête ; ses bras nus avaient la pâleur des étoiles dans le froid piquant de la nuit. Il a dit :

— Il va nulle part, ce zoo, comme ça.

J'ai lancé un coup d'œil aux sapins de la gorge, mais ils n'avaient pas encore réussi leur rétablissement. Siggy ne bougeait plus ; ses cheveux retombaient sur l'oreiller improvisé de sa veste de chasse et touchaient l'herbe brillante. J'étais sûr qu'il s'était endormi, mais, avant que je sombre dans le sommeil moi-même, il m'a chantonné une petite berceuse envapée :

*C'est la mère Gippel qui a perdu sa poêle.*
*Et jamais ne la trouvera.*
*Au cul elle a des dents pas des poils,*
*Le père Gippel ça le dérange même pas.*

## Quelque part

Au matin il avait gelé, et l'herbe reflétait mille prismes de soleil ; du côté des gorges, la prairie ressemblait au parquet d'une salle de bal qui renverrait le dessin d'un lustre tarabiscoté. Couché sur le côté, je plissais les yeux pour voir la paroi des gorges entre les herbes hirsutes de gel. La couverture était fraîche contre ma joue, et les lances de l'herbe semblaient plus grosses que les arbres ; le dégel faisait des flaques brillantes entre les lances. Un criquet venait vers moi, des brins d'herbe en guise d'échasses pour enjamber les gouttes, grandes comme des lacs à son échelle. Ses articulations étaient raidies par le froid, il semblait dégeler au fur et à mesure qu'il avançait.

Le regard au ras du sol on peut trouver un criquet redoutable – c'est un arthropode géant qui avance courbé dans la jungle et enjambe des océans. J'ai poussé un grognement dissuasif et il s'est arrêté.

Puis j'ai entendu des cloches, qui ne devaient pas être bien loin.

– Des cloches à vaches, a dit Siggy ! On va se faire piétiner, ah, on va se faire précipiter dans les gorges !

– C'est des cloches d'église. On doit être près d'un village.

– Autant pour moi, alors, a dit Siggy en pointant le nez hors du duvet.

Mais mon criquet avait disparu.

– Qu'est-ce que tu cherches ?

– Un criquet.

– C'est pas méchant, un criquet.

– Oui, mais celui-là il était très gros.

Il n'était pas sous la couverture, alors je suis sorti de mon duvet et j'ai marché sur l'herbe raidie par la gelée.

Or voilà que la rosée m'a fait danser, et avec l'à-pic vertigineux, je me suis plus intéressé à ma danse qu'au criquet. Mais Siggy m'observait d'un œil froid et il n'a pas tardé à s'extirper de son sac en soufflant pour faire une sorte de danse du scalp autour de la couverture – tout à fait autre chose.

– Tu avais bien le temps de te lever !

– Te voir nu, c'est pas tout ce qu'il y a de recommandé.

– Attention où tu mets les pieds, tu vas écraser mon criquet !

Mais il avait réussi à m'embarrasser bizarrement.

– Allons prendre un peu de café et puis on cherchera un meilleur endroit pour pêcher, il a suggéré comme un enfrotté de chef scout.

J'ai oublié le criquet – probablement piétiné d'ailleurs – et je l'ai regardé charger la moto comme un enfrotté d'adjudant.

Et nous sommes partis pour la ville la plus proche.

C'était Hiesbach ; elle se trouvait à un kilomètre plus haut, à flanc de colline avec ses vieilles maisons de pierre grise arrondies, entassées comme des cagettes à œufs et sa classique église à bulbe dominant l'ensemble, ramassée sur le bord de la route comme un vieux lion édenté qui n'attaquera plus jamais.

A notre arrivée, la messe était finie. Des familles empesées et tirées à quatre épingles se pressaient sur les marches de l'église et faisaient crisser leurs chaussures dominicales. Les petits garçons se sont rués vers une *Gasthof* en face de Saint-Bulbe : *La Vieille Gasthof de Frau Ertl.*

En entrant, Siggy a donné du poing sur l'enseigne en chuchotant : « Gaffe à la Ertl ! » si bien que nous sommes arrivés avec le fou rire.

– Bonjour, soyez les bienvenus, a dit la grosse Frau Ertl.

– Merci, merci beaucoup, a répondu Siggy.

– Il y a du café ? j'ai demandé. Chaud ?

– Il y a un endroit où on pourrait se laver les mains ?

– Mais certainement (elle nous désignait la porte du fond), seulement je crois bien que l'ampoule est grillée.

A supposer qu'il y en ait jamais eu une : le *pissoir** est une étable derrière la *Gasthof*, à côté d'un enclos tout en longueur pour les chèvres. Les chèvres nous regardent actionner la pompe ; Siggy s'asperge la nuque ; quand il s'est ébroué, elles viennent bêler à la claie.

– Mes pauvres biques, leur dit-il en leur tirant doucement la barbiche.

Ah ! il leur plaît beaucoup, ça se voit à l'œil nu.

– Graff, rentre donc voir s'il vient personne.

A l'intérieur, ça se remplit ; les familles sont d'un côté, avec leur café et leurs saucisses, et les hommes seuls de l'autre, à une longue table, avec leur bière.

– Ah ! dit la mère Ertl, j'ai mis vos cafés près de la fenêtre.

Siggy arrive et nous allons nous installer – à côté d'une famille qui a pour chef un grand-père à la mine acariâtre. Le benjamin de cette famille, un petit garçon, nous observe par-dessus sa saucisse et son petit pain, et il en a le menton qui tombe dans son manger.

– Petit dégoûtant, lui dit Siggy tout bas, en lui faisant une grimace.

Le gamin cesse de manger et nous regarde avec des yeux

* En français dans le texte (*N.d.T.*).

ronds. Siggy le menace : il fait mine de piquer l'air avec sa fourchette. Le gamin tire l'oreille de son grand-père. Mais, dès que le vieux nous regarde, nous sommes en train de boire notre café délicatement ; nous le saluons d'un signe de tête : le grand-père pince le gamin sous la table.

— Et mange, lui dit-il.

Alors le petit regarde par la fenêtre et c'est lui qui aperçoit les chèvres le premier.

— Les chèvres sont échappées, il crie.

Et le grand-père le pince une fois de plus en disant :

— Les petits garçons qui ont des visions devraient tenir leur langue.

Mais d'autres têtes se sont tournées vers la fenêtre et le grand-père voit les chèvres à son tour.

— J'avais fermé la claie, dit Frau Ertl, je les avais enfermées avant la messe !

Des garçons plus grands font les malins et sortent en se poussant de la *Gasthof* ; les chèvres se sont timidement attroupées près de l'église. Le grand-père aux doigts lestes se penche vers nous :

— Frau Ertl est veuve, il lui faut quelqu'un pour tenir son enclos fermé.

Sur quoi il avale sa bouchée de travers et manque s'étouffer.

Les chèvres se regardent en hochant la tête. Elles montent et descendent les marches de l'église en perdant l'équilibre. Les garçons les ont rassemblées près de la porte, mais il n'y en a aucun qui ose monter les chercher, de peur d'abîmer ses habits du dimanche.

Nous sortons regarder. Les cloches d'un autre village se font entendre ; elles sonnent le jour du Seigneur à toute volée, chaque carillon faisant taire l'écho du précédent.

— C'est les cloches de Saint-Léonard, dit une femme. On a pourtant nos cloches, nous autres, j'aimerais bien savoir pourquoi elles ne sonnent pas le dimanche.

Voilà le problème sur le tapis ; d'autres voix enchaînent :

— Notre sonneur prend son petit déjeuner.

— Il arrose son petit déjeuner, oui.

— Ce vieux soiffard !

— Les enfants n'en manquent pas une.

— Puisqu'on a notre église et nos cloches, c'est quand même malheureux d'être obligé d'entendre celles des autres.

— Ça, c'est des fanatiques, chuchote Siggy.

Mais lui s'intéresse aux chèvres. La foule essaie de les chasser des marches en leur faisant peur.

— Allez chercher le sonneur, dit une femme.

Mais le sonneur a eu vent du complot. Il est sur les marches de la *Gasthof*, une bière à la main, son nez bourgeonnant froncé dans le soleil.

— Mesdames, mes bonnes dames, dit-il, je ne pourrais jamais viser (il réprime un rot qui lui fait pleurer les yeux) la maestria que mon concurrent de Saint-Léonard a (le rot lui échappe, vigoureux et sonore), a atteinte, achève-t-il en rentrant dans l'auberge.

— Il faudrait que quelqu'un d'autre s'y mette, dit une femme.

— Oh, dit le grand-père aux doigts lestes, c'est pas sorcier.

— Trop sorcier pour vous, toujours, répond la femme. Autrement vous y seriez déjà, vous savez pas quoi faire de votre temps.

Une fille au visage dur tourne son derrière ferme et insolent au nez du grand-père : elle passe devant lui, le frôle du duvet de son bras et prend la tangente en laissant presque sa jambe derrière elle, pointe du pied tendue, jupe troussée à mi-cuisse. Son petit mollet cabriole haut par-dessus sa cheville.

— Plus bon à rien, lui dit-elle.

Et elle sort dans la rue en sautillant.

— Regarde-moi ces chèvres ! dit Siggy. Qu'est-ce qu'elles attendent pour décamper ? Elles devraient décamper sous le nez de cette marmaille. Allez, ouste !

Le grand-père nous regarde et vient s'asseoir à côté de nous sur les marches.

— Qu'est-ce que vous venez de dire, là, tout de suite ?

— C'est un cri de chevrier ; des fois ça marche.

Mais le grand-père nous regarde de trop près. Il fait claquer ses dents. Il attrape la main de Siggy et lui dit :

— Vous êtes une drôle de canaille. » Il ajoute, tout bas : « Je vous ai vu.

Siggy dégage sa main. Je demande où sont Saint-Léonard et ses fameuses cloches.

— De l'autre côté de la montagne. C'est pas une montagne extraordinaire, d'ailleurs ; mais à entendre ceux d'ici, on croirait que c'est les Alpes. L'église non plus n'a rien d'extraordinaire ; ni les habitants ; mais à entendre ceux d'ici... C'est rien du tout de sonner leurs fichues cloches !

— Qui vous empêche ? dit Siggy.

— Je serais pas en peine.

— Qui vous empêche ? Sonnez-les ces bon Dieu de cloches. Faites sortir toute la ville dans les rues, les mains sur les oreilles.

— Je pourrais pas monter l'escalier, dit le grand-père, j'ai pas assez de souffle.

— On va vous porter, si c'est ça.

— Mais qui êtes-vous ? » demande le grand-père. Et il me chuchote : « Je l'ai vu. Il a pris la salière sur la table, la salière de Frau Ertl, et il l'a fourrée dans sa drôle de poche.

— Mais qu'est-ce qu'elles attendent, Graff ?

Un marmot en a attrapé une par une patte ; elle bêle et se débat, mais elle descend tout de même les marches, en glissant.

— Vous croyez en savoir long sur les chèvres. C'est vous qui les avez fait sortir, hein ? Vous êtes bien le genre de cinglé à faire ça.

Pendant ce temps ils ont réussi à faire descendre la chèvre.

— Tirons-nous, Graff.

— Je vais le répéter, dit le grand-père en rougissant. La veuve Ertl pense que je suis un vieux gaga qui connaît rien à rien.

— Elle le pensera encore plus s'il répète, hein, Graff ?

— Oh ! mais je lui dirai seulement quand vous serez partis.

— Ah ! Graff, ça en prend des risques, les vieux gagas.

Quand nous nous sommes mis en route, ils avaient fait descendre une deuxième chèvre. La première était sur ses pattes, mais une grosse gamine lui avait passé un carcan et sa barbiche était salement tirée. La chèvre avait la bouche ouverte, elle devait bêler, mais le bruit de la moto nous empêchait de l'entendre nous appeler à l'aide.

Les carnets le disent :

*Les chèvres refusent de décamper, mais ce sont des animaux domestiques.*

*Haut les cœurs, animaux sauvages !*

## Une folle et une fée

Lorsque nous sommes arrivés à Saint-Léonard, le sonneur était encore à l'ouvrage ; il faisait trembler l'église.

– Quel boucan ! Bong ! Bong ! Bong ! braille Siggy au clocher.

Une gamine maigre nantie d'un bâton de réglisse le voit brailler et lève les yeux vers l'église comme si elle s'attendait à ce que le battant se décroche pour nous tomber sur le coin de la figure.

– Bong ! lui dit Siggy.

Et nous entrons dans une *Gasthof*.

La messe est finie depuis un moment, et la *Gasthof* est presque vide. Un type soigné, le geste un peu trop vif, regarde notre moto par la fenêtre. Chaque fois qu'il lève sa bière, on dirait qu'il va la renverser par-dessus son épaule ; il est debout, un pied sur l'autre ; de temps en temps il perd l'équilibre et se remet d'aplomb en faisant un saut et deux petits pas.

Derrière le bar, l'aubergiste, le *Wirt*, a l'air fatigué ; il lit le journal étalé sur le comptoir. Nous achetons deux bouteilles de bière fraîche, une miche de pain et une motte de beurre à deux schillings.

Le *Wirt* flapi me demande si on les veut dans le même sachet, et je réponds que oui.

– Je vais vous donner deux sacs, parce que j'en ai pas d'assez grand pour fourrer tout ce bazar.

L'excité de la fenêtre se retourne si brusquement qu'il nous fait sursauter.

— Mettez-vous les bouteilles dans le cul, et le pain dans un autre sac ! il crie.

— Non mais ! allez vous faire frotre ! dit Siggy.

— Hein ? dit le type en recommençant à sautiller devant nous. Hein ? que j'aille me faire frotre ?

Il gueule comme s'il s'était coincé quelque chose en travers du gosier.

— Faites attention à lui, dit le *Wirt*.

— Et comment, répond Siggy.

— Non, parce qu'il va vous faire un procès.

— Un procès ?

— C'est un spécialiste.

Le spécialiste nous lance :

— Mettez vos culs dans le même sac.

— Hé, vous, ça commence à bien faire, dit Siggy.

Mais le *Wirt* retient son bras.

— Faites attention, il va vous laisser le frapper et puis il vous fera un procès. Il ira dire qu'il peut plus respirer à cause de sa mâchoire, il dira qu'il a des maux de tête quand il mange. Ah ! il passe pas beaucoup d'étrangers par ici, mais chaque fois il est après eux.

— Je vais te mettre la raclée de ta vie, gueule le maniaque des procès.

Il nous refait son petit pas en secouant le verre de bière qu'il tient au creux de sa main.

— Je vous préviens, il veut pas se battre, c'est juste pour vous attaquer en justice !

— C'est incroyable, je dis.

— Oui, je sais, c'est incroyable, conclut le *Wirt* comme s'il s'endormait là-dessus. Le plus fort c'est qu'il s'en sort toujours.

— Comment il fait ? dit Siggy.

Nous le regardons tous les trois ; un pied posé sur l'autre, il perd l'équilibre et se tortille comme un gosse qui essaie de ne pas mouiller sa culotte. Mais il n'y a rien d'enfantin dans ce visage. Maintenant le voilà qui ouvre sa braguette et verse sa bière dans son pantalon.

— Il est un peu *spécial*, en plus, commente le *Wirt*.

Il recommence sa petite danse, mais il n'est plus du tout si pimpant ; il ouvre et ferme son pantalon et la mousse de la bière lui coule le long de la jambe. Il fait un clin d'œil à Siggy en lui bredouillant : « Vou, vou, vouou. »

— Il va vous faire un procès, crie le *Wirt*.

Mais cette fois il n'a pas le temps d'arrêter le bras de Siggy.

Car Siggy a déjà raflé son casque sur le comptoir ; il enroule la mentonnière autour de son poignet et le tient à bout de bras ; avec deux tours complets, il vous le balance entre les jambes de l'excité et le déséquilibre. Le type dégringole les quatre fers en l'air et se met à hurler.

— Il va vous faire un procès, ça c'est sûr !

— Vous êtes complètement taré, dit Siggy. Et puis vous avez qu'à lui dire qu'on est partis dans l'autre direction.

— Ah ben, oui, ça c'est vrai, convient le *Wirt* maussade. Ça je peux bien, les gars.

Si bien que nous sortons sans traîner, et sans sac du tout finalement. Nous laissons derrière nous le *Wirt* le plus débile que j'aie jamais connu, sa *Gasthof* et l'autre fou avec ses cris de souris cramée.

Arrivé à la moto, je fourre les provisions dans la veste de chasse de Siggy.

— La vache, Sig ! Tu lâches les chèvres, tu cognes les pédés !

— Plus qu'à aller me faire, quoi !

— T'en fais pas, les deux font la paire, je dis sans réfléchir.

Mais il se retourne, ahuri, et il se met à hurler d'une voix à faire sursauter la moto elle-même :

— Ah ! tu crois, Graff ; eh ben, y a du beurre pour la poêle, de la chapelure pour les truites. Y a de la bière pour ma braguette et si je m'étrangle avec une arête, t'auras plus qu'à traîner le reste de la journée comme un malpropre.

— Oh, la vache, Sig !

Juste comme il embraye, la petite maigrichonne, sortie d'on ne sait où, s'approche de nous et touche légèrement la main de Siggy avec le bout de son bâton de réglisse, comme si c'était la baguette magique de la Bonne Fée. Les carnets le racontent à leur manière poétique :

*Les délires et les désirs,*
*C'est une affaire personnelle*
*Tout ce qu'il y a de personnel.*
*Mais pour se les passer,*
*Il faut passer*
*Par la place publique*
*Et toute la clique*
*Alors, Dieu nous aide, Graff.*
*Grande Ourse, Grand Chariot,*
*Aide-nous toi aussi.*

Ce qui est sûrement un de ses plus mauvais poèmes.

## Dieu se manifeste dans sa grande bonté

Après Saint-Léonard, la route descend sec et elle croise des montagnes russes, chemins sablonneux entre deux hauts talus, qui mènent dans la direction de Waidhofen, où la Ybbs jaillit de la montagne. Le sable était peu épais et on s'y enfonçait ; nous essayions de tenir le milieu du chemin ; notre roue arrière nous déportait, et nous roulions sans nous asseoir vraiment sur la selle, en appui sur les repose-pied.

Le premier verger a commencé à un peu plus d'un kilomètre après Saint-Léonard. C'était un verger de pommes. Les rangées de pommiers s'étendaient de chaque côté de la route, les jeunes arbres flexibles au vent, les vieux noueux trapus et inébranlables. Entre les rangées, le foin coupé roulé en meules dégageait un parfum d'une douceur écœurante. Les bourgeons de pommier allaient fleurir.

Nous appuyions sur les repose-pied pour laisser la moto s'ébrouer sous nous comme un cheval ; ça c'était de la route ; ses descentes, ses tournants nous valaient un instantané des arbres, tantôt à droite, tantôt à gauche ; les sauterelles éraillées surgissaient des fossés, les merles nous fonçaient dessus à la limite de la collision.

Au bruit de notre moto, la fille a tourné la tête et s'est jetée sur le bas-côté si vite que sa natte nous a presque giflés. C'était une grosse natte auburn, jusqu'à la taille. Le bout chatouillait son petit derrière haut perché qui se balançait. Dans sa jupe, le vent faisait plus de volume que ses hanches. Le gravier était trop léger pour freiner, si bien que tout ce que nous avons vu d'elle a été l'image de ses longues jambes brunes et de ses longs doigts qui s'étaient posés sur ses genoux pour empêcher sa jupe de s'envoler. En regardant par-dessus mon épaule, je l'ai vue qui détournait la tête en secouant sa natte, que le vent maintenait en l'air en une danse serpentine. J'aurais presque pu l'attraper, mais le vent l'a déposée sur son épaule et elle l'a rabattue vigoureusement contre sa joue. C'est tout ce que j'ai vu d'elle, avec le sac à linge qui pendait à son bras. Elle a tiré sur sa veste en cuir aussi vigoureusement qu'elle avait tiré sur sa natte et elle a disparu dans la montagne russe.

– T'as vu sa tête, Siggy ?

– Parce que tu regardais sa tête, toi, peut-être ?

– Si, je me suis retourné, mais elle me l'a cachée.

– Ah ! c'est qu'elle se sent coupable. Mauvais signe, Graff !

Mais j'ai essayé d'en voir plus le long de la route, comme si les filles avec une natte si auburn et si opulente se trouvaient, comme les sauterelles et les bourgeons de pommier, à tous les coins de verger.

## Grande Ourse, Grand Chariot, impénétrables sont tes voies

Or, sous les arbres, il y avait du bois mort et des souvenirs de la taille de l'hiver qui avaient échappé aux glaneurs. Basses branches, couvertes de bourgeons et de fleurs ; ruches posées sur des cageots de pommes, maisons des abeilles peintes en blanc et dressées bien haut pour que les tracteurs ne renversent pas les essaims en rentrant dedans. Tout le travail était pour les abeilles, à cette saison dans le verger ; elles ouvraient les bourgeons des pommiers, de fleur en fleur, les abeilles pollinifères, amies des fleurs et de la fécondation.

— C'est pas génial, la fécondation ? a dit Siggy.

Sous les arbres, le bois mort était facile à mettre en petits morceaux qui nous faisaient du bon bois d'allumage ; nous avons aspergé les braises pour faire baisser la flamme et puis nous avons posé la poêle sur les gros cailloux brûlants et jeté notre beurre. Siggy a émietté la croûte du pain et nous avons roulé les truites humides dedans jusqu'à ce qu'elles soient toutes hérissées de miettes.

Le mince filet d'un ruisseau à truites traversait la route et les vergers pour suivre la pente de la montagne, où nous irions voir Waidhofen après déjeuner.

Le ruisseau était si étroit que nous avions failli le manquer, le pont si frêle que nous avions failli passer à travers les planches. Mais les truites n'avaient pas fait de façons pour lever la tête et maintenant elles crépitaient dans la poêle en harmonie avec le bourdonnement des abeilles au verger.

Une abeille faisait passer le ruisseau à une fleur de pommier, mais tout à coup le vent lui a manqué ; elle s'est mouillé les ailes, la voilà qui pagaie sur un pétale. Elle était plus à l'aise dans les airs. La truite géante jaillit de la rive, s'élance et gobe l'abeille et sa fleur — n'en reste qu'un rond dans l'eau.

— Une de perdue.

— Une qui aurait bouffé ta canne à pêche toute crue, dit Siggy.

Nous ne mangeons pas très proprement nous-mêmes ; nous piquons les poissons à la pointe du canif jusqu'à ce qu'ils aient refroidi assez pour les prendre à la main. Bien sûr, nous avons laissé la bière au frais dans la rivière, elle attend son heure, comme la pipe d'après déjeuner.

Ventre au soleil, au milieu du bourdonnement des abeilles. Depuis le verger, je ne vois pas la route, mais seulement le parapet du pont qui souligne la crête des arbres, les bouquets éclaboussés de vert des bourgeons et des fleurs. Je me dis que ce monde est bon envers lui-même. Les abeilles font du miel pour l'apiculteur, elles multiplient les pommes du jardinier ; ça ne fait de mal à personne. Si Herr Faber était apiculteur, et Gippel jardinier, ce serait sûrement des hommes meilleurs, non ? Alors je dis à Siggy :

— Je me lasserai jamais de cet endroit.

— Un jour il pleut et l'autre il neige.

Les carnets tournent ça en vers, comme le reste :

*Le destin attend.*
*Que tu ailles vite,*
*Ou bien lentement,*
*Le destin s'en moque éperdument.*

Et puis j'ai vu sa tête passer tout doucement au-dessus du parapet. Elle glissait sa main sur la rambarde, je crois qu'elle marchait sur la pointe des pieds pour ne pas nous réveiller. La natte rousse était ramenée sur son épaule et coincée dans le col de sa veste de cuir. Elle s'accrochait un nœud de cheveux autour du cou, comme d'autres une écharpe, et son visage allongé se dessinait au-dessus. La rambarde la découpait à la taille, si bien qu'on ne voyait guère qu'un buste s'avancer en douce vers nous.

Tout en gardant les yeux mi-clos, j'ai chuchoté :

— Regarde, Siggy, mais attention, n'ouvre pas les yeux, regarde, là, sur le pont.

Siggy se redresse comme un diable sort de sa boîte :

— Espèce d'enfrotté, va ! Où je regarde, les yeux fermés ? Comment je regarde ?

La fille pousse un petit cri, je crois qu'elle va disparaître. Je dois m'asseoir pour la voir descendre prestement du pont et gagner l'autre côté de la route. Elle se protège les jambes avec son sac à linge.

— C'est la fille, Siggy !

— Au poil.

Mais la fille continue à s'éloigner, alors je crie :

— Hé, dites, on vous accompagne ?

— On l'accompagne où ça ? à trois sur la moto ?

— Vous allez où ? je crie.

Maintenant je dois me mettre debout pour la voir.

— C'est une fugueuse, Graff ; on va pas se mêler de ces histoires.

— Je suis pas une fugueuse, dit la fille sans se retourner pour nous regarder — mais elle s'est arrêtée.

— J'aurais pas cru qu'elle entendait, Graff, et puis d'ailleurs, ajoute-t-il tout bas, je suis sûr qu'elle est partie de chez elle.

La fille se tourne un peu plus vers nous, toujours en cachant ses jambes derrière le sac à linge. Je lui demande où elle va.

— A Waidhofen. J'y ai trouvé un nouveau travail.

— C'était quoi, l'ancien ? demande Siggy.

— Je m'occupais d'une tante à Saint-Léonard. Mais j'en ai une autre à Waidhofen, qui a une *Gasthof*. J'aurai un salaire et ma chambre à moi.

— Et elle est morte, la première tante ?

— On allait justement à Waidhofen.

— On faisait justement la sieste, Graff !

Mais la fille est un peu revenue sur ses pas. Elle arrive en poussant du genou le sac à linge, les yeux baissés, cachés derrière les cils et l'ombre de la chevelure. On dirait que le halo rosé de sa natte se communique à son teint. Elle regarde la moto.

— J'aurais pas de place là-dessus. Où je me mettrais ?

— Entre nous.

— Qui est-ce qui conduit ?

— C'est moi, dit Siggy, et Graff vous tiendrait très affectueusement.

— Vous pourriez mettre mon casque.

— C'est vrai ? Ça ne vous ferait rien ?

— Il faudrait laisser dépasser votre natte, hein, Graff ?

Mais je l'asticote pour ranger l'attirail de pêche ; nous refroidissons la poêle dans le ruisseau. La fille attache les cordons de son sac à linge autour de sa taille et le laisse pendre devant elle.

— Je peux mettre ça sur mes genoux ?

— Mais bien sûr que oui, je réponds.

Et Siggy m'enfonce la queue de la poêle dans le ventre.

— C'est un bébé, Graff, et pas potelé. Ça sera pas la chevauchée fantastique.

— La ferme, Sig, je chuchote. Tu peux pas te mettre en veilleuse cinq minutes ?

Il marmonne :

— Le destin attend. Grande Ourse, Grand Chariot, tu es tout ce qu'il y a de patient.

## Ce que nous attendions tous

— C'est la première fois que je fais ça.

Quand elle est montée derrière Siggy, je me suis collé contre elle en glissant le sac à dos sur le garde-boue, pour me caser un quart de fesse sur la selle.

— Pas la peine de me tenir, je suis déjà assez serrée.

Siggy est sorti du fossé en faisant cabrer la moto, il a soulevé la roue avant et l'a laissée retomber en douceur, un baiser au sol. La roue arrière est sortie de la gadoue.

— Tiens-moi », a dit la fille ; elle s'est retrouvée en arrière contre moi, sa natte sur mes genoux. J'ai coincé ses hanches entre mes genoux pour bien la tenir sur la selle. « C'est mieux, elle a dit, ça suffit.

Nous avons descendu la pente par les montagnes russes ; la route était si nivelée par le temps, sa couleur rappelant celle du cuir, qu'on aurait dit une bande à aiguiser les rasoirs. Le ciel semblait courber la tête aux arbres, mais nous étions bien les plus biscornus, tête baissée dans les montagnes russes, à peine arrivés en haut qu'il fallait replonger.

— Tiens-moi, a dit la fille, plus. » Mais je ne savais pas où mettre les pieds. Elle avait accroché le talon de ses sandales dans les repose-pied, il ne me restait plus qu'à lever les chevilles pour ne pas me faire brûler par le tuyau d'échappement. J'ai posé les mains sur ses hanches ; mes pouces se rejoignaient au bas de son dos. Elle a dit : « C'est mieux, ça suffit.

Le vent me fouettait le menton avec le bout de sa natte ; sa lourde chevelure sortait du casque et descendait contre moi en une masse rouge sombre que la naissance de la natte resserrait comme le pied d'un verre. Je me suis penché un peu vers elle pour serrer sa tresse contre ma poitrine. Elle s'est serrée contre Siggy et j'ai pensé :

— Ah, petite, quels jolis tendons déliés lient ta cheville à ton mollet !

Son sac à linge tenait sa jupe sur ses genoux, ses coudes la collaient à ses cuisses. Elle avait passé les mains dans le fameux carnier de Siggy et s'en faisait un manchon contre le vent.

Sa chevelure était plus suave que les meules de foin, plus généreuse que les coulées de miel qui tombent des portes grillagées des ruches.

Nous prenions les montagnes russes en zigzag, nos roues rejetant la gadoue sur les côtés, comme une charrue.

— La vache, a dit Siggy, on est lestés !

— Tu as mis ton casque à l'envers, j'ai dit à l'oreille de la fille, si près qu'elle m'a chatouillé le nez.

— Tant pis, tiens-moi.

En regardant de côté, je voyais le casque presque rabattu sur ses yeux lui découvrir généreusement le crâne et la nuque ; elle avait la mentonnière entre les dents, ses fins de phrases étaient inintelligibles. Elle a dit : « Voilà la Ybbs », et, au bout des longs vergers en pente, j'ai entrevu une large rivière, noire comme du pétrole à l'ombre des sapins du fond de la prairie.

Au sommet de la montagne russe suivante, nous l'avons revue, mais elle percutait les rochers. Une ville aux murs de torchis, aux toits rouillés, est apparue là où le noir de la rivière cascadait dans la mousse pour faire un brouet ivoire bouillonnant. Il y avait des tours qui hissaient les couleurs du canton, des barbacanes et des meurtrières dans les châteaux de la rive. Il y avait des ponts de pierre ronds. Des promenades de rondins accidentées passaient sur les ramifications de la rivière qui traversaient les rues. On voyait des bouts de jardins, aussi, aux couleurs fanées et factices des marchés aux fleurs de la ville.

Mais Siggy s'était laissé distraire. Il était monté trop haut sur le talus, et nous tournions le dos au milieu du chemin. Siggy s'enlisait dans la gadoue du talus en jurant tout ce qu'il savait.

Une de mes fesses glisse sur le garde-boue, je perds l'équilibre, je ne sais plus où mettre mes pauvres pieds.

Mes pouces quittent les reins de la fille. Je plonge les mains sous son sac à linge.

— Arrête, hein !

Ses coudes se soulèvent sous mes bras comme les ailes d'une pintade effarouchée ; sa jupe s'envole sur ses cuisses. Au moins j'aperçois sa jambe ronde et ferme avant que mon autre fesse rejoigne la première sur le garde-boue. Poussé entre la selle et le sac de couchage, nulle part où mettre mes pauvres pieds, mon poids enfonce le garde-boue, le frottement de la roue me chauffe. Je glisse encore, ma jambe gauche touche le tuyau la première, à mi-mollet. Je n'ai plus le choix, il faut que je serre la moto entre les jambes.

Les tuyaux accueillent mes mollets comme le gril le bacon.

— Oh, il brûle ! crie la fille.

— Ah ! c'est Graff ? La vache, je croyais que c'était mes freins !

Mais impossible de freiner sec dans la gadoue et en pleine descente ; il lui faut bien sortir du talus. Il fait un quart de tour et nous fiche dans le fossé du verger. Il me soulève par-dessus le sac à dos *manu militari,* tout collé que je suis aux tuyaux.

— Oh là là, il va falloir décoller ton pantalon dans la flotte.

— Aïe, aïe, aïe.

— La ferme, Graff. Et ta dignité ?

Je réprime les hurlements qui crépitent dans ma gorge — ils ne sortiront pas — et ils descendent dans mes pauvres mollets, mes mollets poisseux tout maculés de gadoue qui ont l'air d'avoir carrément fondu.

— Oh, les touche pas, dit la fille. Tu es dans un état ! Regarde-toi un peu !

Mais c'est elle que je regarde avec son casque de travers et je me dis : J'aimerais bien te filer une trempe et te pendre par ta salfotrerie de tresse.

— Toi alors, quand tu m'as serrée je savais pas que tu étais en train de tomber !

— Qu'est-ce qu'il pue !

— Va te faire !

— Il nous faut une baignoire pour le faire tremper, dit Siggy.

— Chez ma tante. Dans sa *Gasthof,* il y a des tas de baignoires.

— Ça lui ferait pas de mal.

— Alors remets-le sur la moto, je te montre le chemin.

Ah, qu'est-ce que le vent me pique ! De la glace sur mes brûlures ! Je serre la fille ; elle tend un bras derrière moi pour m'entourer. Mais les terribles hurlements remontent en moi, ils vont m'étouffer. Alors je referme les lèvres sur son cou, pour m'imposer silence et pour mon plus grand bonheur.

— Comment tu t'appelles ? demande la fille à travers la mentonnière.

Son cou rougit, tout chaud sous mes lèvres.

— Le fais pas parler. Il s'appelle Graff.

— Je m'appelle Gallen, chuchote la fille à mon oreille.

Gallen von Sankt Leonhard ? je me demande dans son cou.

Et à trois, dont un blessé, nous chevauchons la bête jusque dans la ville, pétaradant sous les arcades basses, tonnant sous les hauts murs du pont.

— La voilà, ta cascade, dit Siggy, les chutes de la Ybbs.

Moi, je cherche une nouvelle région du cou à embrasser. Nous passons du soleil à l'ombre, l'air piquant est chaud puis froid – c'est un soufflet sous mes pauvres pieds en feu – et un véritable orchestre de hurlements veut s'échapper de moi.

– Je suis désolée que ça te fasse mal, dit Gallen. Je vais te soigner.

Je n'arrive pas à la serrer assez fort pour arrêter la piqûre ; je laisse sa chevelure en verre à pied caresser mes yeux.

– Là, là, c'est fini, dit-elle.

Les pavés sont émoussés. J'ai l'impression que nous flottons à des kilomètres de hauteur. Il y a des ours qui courent au-dessous de moi, ils soufflent sur les charbons ardents qu'un démon m'a laissés sur les mollets.

– Mais c'est un château !, s'écrie Siggy. Cette *Gasthof*, c'est un château !

Moi, je n'en suis pas autrement surpris. Si c'est Gallen von Sankt Leonhard qui me soigne, c'est bien le moins.

– Oui, dit-elle, c'était un château dans le temps.

– C'est toujours un château », réplique Siggy à des kilomètres, sa voix étouffée par le piétinement des ours. A quarante selles de moto de moi, il conclut : « Un château reste toujours un château.

La dernière chose que je vois, c'est les petits boomerangs des pétales de forsythias qui jonchent le chemin et dansent comme des confettis sur notre passage, précipités dans le tourbillon terrible de nos gaz d'échappement.

Je ferme les yeux ; je perds connaissance dans les beaux cheveux de ma petite Gallen.

## Entre de bonnes mains

– En tout cas, est en train de dire Siggy, c'est une chance que Graff ait tourné de l'œil, sinon il aurait fait des histoires quand je lui ai retiré son pantalon !

– Tu as fait doucement, quand même ? dit Gallen.

— Mais bien sûr, petite. Je l'ai mis dans la baignoire avec son pantalon, j'ai tout fait sous l'eau et puis j'ai vidé la baignoire sous lui et je l'ai laissé allongé dedans.

Mais moi, j'ai encore l'impression d'être sous l'eau. De hauts murs raides m'entourent, j'ai les jambes entortillées dans du limon.

Je murmure « au secours », mais pas une tête d'épingle de lumière ne vient éclairer ma nuit.

Et Siggy est en train de dire :

— Après j'ai graissé des serviettes avec l'onguent que ta tante m'a donné et je l'ai emmailloté comme un Jésus.

— Mais où il est à présent ?

— Mais où suis-je à présent ? je beugle.

— Dans la baignoire, répond Siggy.

La porte s'ouvre brusquement, découpant un rectangle de lumière impitoyable. Je me regarde, enveloppé dans des serviettes des jarrets au ventre.

— Il a fait un bon petit somme, dit Siggy.

— C'était pas la peine de l'emmailloter aussi haut, dit Gallen.

— Ben, j'ai pensé que tu voudrais le voir ; et puis c'était plus facile que de l'habiller.

Leurs deux têtes regardent par-dessus la baignoire, mais tout va de travers : on dirait qu'ils sont à genoux par terre, leurs mentons touchent à peine le rebord.

— Levez-vous, je gueule, qu'est-ce que vous faites par terre ?

— Oh mon Dieu ! dit Gallen.

— Il délire, lui dit Siggy.

Ce doit être une baignoire mahousse. Je dis :

— Faites-moi sortir de là, et en douceur !

— Oh la vache, Graff ! Il est secoué, Gallen, faut qu'il dorme encore.

Je regarde leurs ombres pliées en deux tourner sur les gonds du plafond. Comme ils se dirigent vers la porte en diagonale, elles grandissent démesurément et se déforment. Je crie : « Nom de Dieu ! » et Siggy répond : « Loué soit-il. » Ils m'abandonnent à ma nuit.

Elle n'est pas déplaisante, ma nuit, malgré tout. Je peux

toucher de ma langue les parois lisses et fraîches de la baignoire, je peux attraper le rebord à deux mains pour me diriger où bon me semble, chaque fois que je ferme les yeux.

Je fais de folles glissades dans le bobsleigh de la baignoire quand le rectangle de lumière de la porte s'allume de nouveau. Une ombre se détache de son axe, qui va du mur au plafond, elle diminue et bondit comme un feu follet jusqu'à l'autre mur, juste avant que la porte s'éteigne. Sans savoir à qui j'ai affaire, je crie :

— Je t'ai vu, je sais très bien que tu es là, enfrotté, va !

— Sois sage, Graff, dit Gallen.

— D'accord.

Je l'entends s'approcher. On dirait qu'elle est sous la baignoire. Et puis je sens le léger frémissement soyeux de sa blouse sous ma main, au bord de la baignoire.

— Salut, Gallen.

— Tu vas bien, Graff ?

— Je peux pas te voir.

— Tant mieux, parce que je suis venue changer tes pansements et les faire mieux.

— Mais Siggy peut le faire.

— Il t'a trop entortillé.

— Je me sens bien.

— Mais non, voyons. Je vais seulement t'enlever ces vieilles serviettes et te faire un vrai pansement.

— C'est chouette que tu travailles ici, lui dis-je.

Et sa natte vient m'effleurer la poitrine.

— Chut !

— Pourquoi tu es si bas, Gallen ?

— Je suis au-dessus de toi, idiot.

— Alors la baignoire doit être très profonde.

— On dirait, parce qu'elle est posée sur une plate-forme.

Je sens ses mains trouver ma poitrine et courir le long de mes hanches.

— Cambre-toi, Graff.

Une serviette est déroulée si légèrement que ses mains ne me touchent même pas.

— Encore, dit-elle.

Je me cambre de nouveau. Dans la fraîcheur de la baignoire, je sens que je suis nu jusqu'aux genoux. Elle se penche pour saisir mes orteils en guise de poignée et le bout de sa natte s'abat sur mon ventre.

— Tes cheveux me chatouillent.

— Où ça ?

— Ils me chatouillent.

J'attrape la tresse à deux mains et je la balance au-dessus de moi ; elle me la confisque.

— Arrête, Graff.

— Je veux voir ta nuque.

Elle me démaillote à partir de la cheville ; quand elle arrive à la zone poisseuse et brûlante de mes mollets, elle déroule très lentement ; les serviettes sont comme coagulées.

— Où tu as caché ta natte ?

— Ne t'occupe.

Elle a retiré toutes les serviettes à présent.

— Tu y vois dans le noir, Gallen ?

— Pas du tout !

— Sinon tu me verrais.

— Évidemment.

— Tout rose avec trois poils, comme un bébé gorille.

— C'est mignon, ça. Maintenant tu t'arrêtes.

Mais en tendant le bras j'arrive à trouver sa tête et je glisse la main sous son menton, le dos de la main le long de sa gorge ; je trouve la naissance de sa tresse coincée dans sa blouse.

— Je veux voir ta nuque.

Elle est en train de mettre les nouveaux pansements. La gaze s'enroule rapide et légère. Gallen ne bande que mes mollets, et elle ne les fixe pas ensemble, contrairement à ce fumiste de Siggy.

— J'ai une serviette propre pour te couvrir.

— Une mahousse ?

— Cambre-toi !

Elle l'enroule si vivement qu'elle me fait du courant d'air.

— Donne-nous un peu de lumière à présent.

— Je suis pas censée être là, Graff. Ma tante croit que je suis en train d'ouvrir les lits pour la nuit.

— Je veux juste regarder ta nuque, Gallen.

— Bon, mais tu essaies pas de m'attraper, hein ?

— Non.

— Tu retires pas ta serviette ?

— Bien sûr que non.

— Une fois, il y a un homme qui l'a fait. Dans le hall. C'est ma tante qui me l'a raconté. Il l'a retirée devant elle, carrément.

Elle fait danser la lumière de la porte au-dessus de nous et se penche sur moi. Je tourne son visage contre mon épaule ; je soulève sa lourde tresse ; je replie son oreille et je regarde.

Oui, dans le duvet de son cou se niche la douce brûlure que je lui ai faite.

— Tu t'en es pas tirée sans marque, toi non plus.

Je lui pique un petit baiser dessus.

— Tu essaies pas de m'attraper, hein ?

Je laisse mes mains sur le rebord de la baignoire. Je lui pique deux autres petits baisers sur l'oreille. Elle touche ma poitrine de la main, mais du bout des doigts ; elle ne veut pas poser la paume tout contre. Elle garde le visage tourné contre mon épaule. Elle me touche le plus doucement qu'elle peut. Elle ne pèse pas sur moi. Elle est comme une longue truite qui palpite étourdie sur la fraîcheur de l'herbe, aérienne dans la main du pêcheur.

— Je m'en vais à présent.

— Il faut vraiment que je reste dans cette baignoire ?

— Je vois pas pourquoi.

— Où est Siggy ?

— Il te ramasse des fleurs.

— Des fleurs ?

— Oui, oui. Il a pris un bol d'eau et il te le remplit de pétales de forsythias.

Un grincement de bois fait frissonner les murs et se glisse sous la baignoire. Ma Gallen se faufile dehors, silencieuse comme son ombre ; le rectangle clair de la porte s'amenuise et ma lumière disparaît comme une goutte d'eau dans une éponge.

## Hors de la baignoire, la vie continue

*Sa Satanique Majesté Graff,*
*Seigneur de la baignoire,*
*Où les nymphettes vont boire.*
*Graff la Griffe,*
*A l'affût dans la baignoire,*
*Mène les vierges à l'abattoir.*
*Graff sans fondement,*
*Démon de la baignoire,*
*Séducteur des bêtes et des nymphettes.*
*Graff le terrible,*
*Change les vierges en gigolettes.*

*Fais gaffe Graff,*
*Le graveleux,*
*Sur ton derrière*
*Un balai de bruyère*
*T'apprendra les bonnes manières.*

Ainsi écrit Siegfried Javotnik, le poète du quotidien, l'homme aux tympans crevés, le porteur de pétales de forsythias à la nage dans un bol emprunté.

Comme c'est la première fois qu'on m'offre un poème, je dis :

— Je crois que tes rimes sont boiteuses.

— Tu aurais pas dû sortir de la baignoire, tu aurais pu t'évanouir et te casser ta tête d'abruti.

— Les fleurs sont superbes, Sig. Je voulais te remercier.

— Ne va pas croire qu'elles soient pour toi ! Elles sont pour notre chambre à tous les deux.

— C'est une belle chambre.

Nous avons une grande fenêtre avec une grille en fer forgé et une large corniche ; elle s'ouvre vers l'extérieur et laisse entrer le bruit des chutes. Le vieux château a une cour sur laquelle nous donnons ; nous pouvons voir la moto garée près du buisson de forsythias le plus opulent – ravissante masse guerrière de mécanique opérationnelle, déplacée au milieu des fleurs jaunes du jardin.

Il y a deux lits, séparés par un porte-revues en bois ouvragé. L'un des deux est préparé pour la nuit. Le drap est ouvert, lisse et raide ; l'oreiller a été tapoté pour qu'il soit bien haut et gonflé.

– C'est toi qui as préparé mon lit, Sig ?

– Non, Graff, c'est pas moi. Je suis sûr que c'est ta nymphette, ou alors sa brave femme de tante.

– Ah, sa tante est une brave femme ?

– Une vieille nénette en sucre ! Une âme aimante. C'est vrai, c'est elle qui m'a prêté ce bol.

– Ah, ah !

– Au moindre prix, pour un simple dédommagement.

– C'est-à-dire ?

– Ma patience devant ses questions. Et d'où nous venons, et comment, et pourquoi et qu'est-ce qu'on fait dans la vie.

– Dans la vie ?

– Dans la vie. Pour la gagner.

– C'est une bonne question, ça.

– Elle en a de meilleures, Graff. Elle a voulu savoir lequel de nous deux a le béguin pour Gallen.

– La brave femme !

– Je l'ai au moins rassurée sur ce chapitre. Je lui ai dit qu'on était deux folles perdues et qu'elle avait pas à s'en faire.

– Enfrotté, va ! Et comment elle a pris ça ?

– Elle m'a prêté son bol pour que je te cueille des fleurs.

## Une fausse piste

– Frau Tratt, dit la tante de Gallen. Nous ne nous sommes pas présentés puisqu'il a fallu vous transporter.

– J'en suis confus, Frau Tratt.

— Comment vont vos jambes ?

— Elles sont bien soignées.

— Je me le dorlote, mon Graff, dit Siggy.

— C'est ce que je vois, répond Tatie Tratt, qui nous laisse un seul menu pour deux.

La salle à manger de la *Gasthof Schloss Wasserfall* donne sur le barrage, si bien que tout ce qu'on mange et qu'on boit a un arrière-goût de vase. Les grandes cascades vaporisent sur les fenêtres une écume qui se transforme en deltas ruisselants à longueur de carreaux. J'ai l'estomac barbouillé, des renvois.

— Ça fait un moment que j'ai pas vu Gallen.

— Elle est probablement dans la baignoire, à t'attendre.

Les lampadaires se sont allumés dans la ville, bien qu'il reste encore une heure de crépuscule rouillé. Des particules de lumière artificielle se logent où l'eau bondit, s'infiltrent à l'endroit où son arc se brise : la rivière charrie des myriades de paillettes de couleur empruntées à la ville.

Siggy est en train de dire :

— Sauf, bien sûr, si elle a entendu Tatie dire que tu t'intéresses pas aux filles.

— Merci, hein, c'est vraiment une riche idée ! Il faudra que je mette ça au point.

— Oh, Graff, tu découvriras que c'est jamais facile de mettre ces choses-là au point.

— Il n'y a aucune raison qu'elle le croie.

Des boutiques font clignoter leurs enseignes sur la rivière ; les tours se laissent entraîner par le courant et s'effondrent dans les cascades.

— Vous n'avez pas faim ? demande Frau Tratt.

— Rien que d'être là, ça m'a calé.

— Ah, Frau Tratt, s'exclame Siggy, quand on est amoureux, les autres appétits en souffrent !

— Eh bien, eh bien, dit Tatie Tratt en reprenant le menu.

— La plaisanterie a assez duré, Sig.

— Comment, Graff, ça met la matrone sur une fausse piste !

— Nous, ça va nous mettre sur la piste de la porte, oui !

— On n'a pas les moyens de rester ici, de toute façon. Et ton bébé non plus.

## Au pied de ton lit

Ma petite Gallen n'étant pas dans la baignoire, Graff se dit qu'il prendrait bien un bain « si ça ne me fait rien ».

— J'en serais ravi pour toi.

Assis sur le rebord de la fenêtre, je l'entends fredonner en s'éclaboussant ; il claque l'eau à petits coups du plat de la main, comme un castor.

Dehors, la cour est toute en jaune et vert pastel ; les soirs mettent de plus en plus longtemps à tomber. Les chutes nimbent le château d'une bruine, et je sens l'air mouillé sur mon visage.

— Tu descends, Graff ? dit Gallen.

Je me penche vers le jardin pour demander :

— Où es-tu ?

— Sur ta moto.

Mais je vois la moto, bourrue et hirsute comme un vieux taureau sous les forsythias — elle est tapie, revêche, dans cette lumière de conte de fées, et ma Gallen n'est pas à sa portée.

— Mais non, tu es pas sur la moto, je la vois très bien.

— Bon, d'accord, je suis sous ta fenêtre. Je vois ton menton.

— Montre-toi, alors.

— Je suis toute nue, j'ai rien sur moi.

— Allons donc !

— Descends, Graff !

— Mais alors j'enlève tout, moi aussi.

— T'as intérêt, dit Gallen.

Et elle vient se faire voir, tout en volants dans son corsage à manches longues et son tablier. Bon Dieu, je me dis, elle peut pas avoir plus de quatorze ans.

— Ta tatie est avec toi ?

— Bien sûr que non. Allez, descends !

Je descends donc, sur la moquette rêche du couloir. Les lustres se balancent au-dessus de ma tête et me lancent des clins d'œil fatigués, comme s'ils étaient las de voir tous ces contrebandiers de la nuit s'avancer à pas de loup sous leur regard. Et les équipes locales de football me tancent, fixes dans leur cadre sur le mur du hall d'entrée ; au fil des années, leurs visages ne changent jamais ; une année, tous les joueurs se sont rasé la moustache. Et puis il y a les années de guerre où on a fait une équipe féminine, mais les visages sportifs sont toujours l'image même de la vertu. Il y a là des visages qui m'ont déjà vu, qui ont vu des aventuriers et des amants sans nombre se glisser dans ce hall, et qui les ont tous tancés de la même manière. Des orteils impatients s'agitent dans leurs chaussures de football. Ils auraient déjà quitté leur photo pour me botter les fesses s'ils n'avaient pas vu tant de secrets semblables au mien.

Le château me laisse sortir sans encombre, et Gallen demande qui est là.

— Le petit Graff tout rose, lisse et nu comme un Jésus.

— Montre-toi.

Je la vois dans la vigne vierge du mur ; elle baisse la tête pour passer sous les fenêtres et me fait signe de la suivre.

— Viens, viens par ici, Graff.

Nous contournons l'angle du château ; la bruine des chutes nous accueille. Le bruit de l'eau fait taire les criquets et, le long de la rivière, les barbacanes de Waidhofen découpent des tranches de lumière dans les tourbillons de mousse crémeuse au-dessous du barrage.

— Ça fait si longtemps que je t'ai pas vu, Graff, dit Gallen.

Je m'assieds avec elle, dos au château, mon épaule un peu en retrait par rapport à la sienne. Sa tresse est roulée en chignon et elle la vérifie d'une petite tape avant de me regarder.

— Ça allait, mon pansement ?

— Oh je suis guéri, maintenant, Gallen. Je peux voir ton cou ?

— Tu peux pas parler tranquillement ?

— Les mots me manquent.

— Essaie quand même.

— Dommage que nos chambres soient pas à côté l'une de l'autre.

— Je te dirai jamais où est la mienne.

— Alors je vais les essayer toutes.

— Tatie dort avec un chien au pied de son lit.

— Et toi ?

— Si je pensais que tu vas rester longtemps, je prendrais un lion ! Combien de temps tu vas rester, Graff ?

— C'est le destin qui nous guide.

— Si je pensais que tu vas rester longtemps, je te dirais où est ma chambre.

— Ta tatie te donnerait une dot ?

— Je pense pas que tu vas rester même un seul jour de plus.

— Où tu voudrais aller en voyage de noces ?

— Où tu m'emmènerais ?

— En croisière dans une baignoire. Une immense baignoire.

— Siggy viendrait avec nous ?

— C'est-à-dire... je sais pas conduire la moto.

— Tiens, tu vois mon cou ? Ça part, ce que tu lui as fait.

Mais il commence à faire trop noir pour voir quoi que ce soit ; je tourne ses épaules et j'attire son dos contre moi ; ah, jamais elle ne se laisserait aller tout à fait ; une partie de son corps reste raide quand je l'embrasse.

— Tu vas faire revenir la marque, Graff !

— Tu me montres comment ils sont tes cheveux, quand tu les lâches ?

Alors elle lève les bras pour dérouler sa tresse ; je sens sous mes doigts la longue ligne anguleuse de sa clavicule, tendue par son geste.

— Tu en as des os, Gallen.

Elle ramène sa tresse contre son épaule et défait l'élastique du bout. Puis elle sépare les mèches tressées serré en se peignant avec les doigts. Elle laisse les cheveux se libérer dans un crépitement de lumière ; ils dansent comme un pissenlit auburn dans les bouffées de bruine des chutes.

— J'ai que la peau sur les os, ça fait des années que je me suis pas rembourrée.

— Ah, ça doit remonter loin, tes rondeurs.

— Tu embrasses ou tu mords ?

— Mais si, va, tu es un peu rembourrée, lui dis-je, un bras passé autour de sa taille, le bout des doigts sur son petit ventre oblong.

On dirait qu'elle se dérobe en glissant sous moi ; j'ai l'impression que je vais tomber au fond d'elle.

— Tu me fais peur, Graff. Tu le fais exprès.

— Pas du tout.

— Et ton copain-là, ton fameux Siggy, il fait exprès de faire peur à Tatie.

— Lui ?

— Oui, oui. Il le fait exprès, parce que je suis bien sûre que c'est pas vrai. Je le saurais, quand même, si tu étais comme ça.

— Bah, évidemment.

La tresse a cranté ses cheveux, et laissé un espace dégagé derrière son oreille, alors je l'embrasse là ; elle se pousse un peu, puis elle revient vers moi en pressant mes mains contre ses flancs ; elle me murmure :

— Tâte encore mes os.

Elle se détend, se raidit ; elle s'échappe de moi et se lève.

— Oh ! Graff, il faut pas penser que je fais tout ce que je fais exprès ; je sais pas du tout ce que je fais.

— Ne t'inquiète donc pas de ce que je pense.

— Tu es un type bien, Graff ? Même si tu me fais un peu peur, t'es quand même bien, hein ?

— Le petit Graff tout rose. Pour toi.

Et il y a des éclairs de théâtre sur la rivière, qui font pâlir les jaunes du jardin. Le tonnerre est sec comme de l'amadou, au loin, dans un monde qui n'est pas le mien. La lumière des éclairs fait flamboyer la rousseur de Gallen.

Elle repart d'un pied léger le long du mur du château. Arrivée à l'angle, elle me laisse la rattraper ; je la reprends par la taille, elle se blottit un peu contre moi, mais sans venir dans mes bras tout à fait ; elle tient seulement mes mains sur ses hanches.

— Oh, mon petit Graff à moi !

— Oh, tes petits os à toi ! je murmure.

Nous regardons la cour. Les rares fenêtres allumées projettent leurs carrés clairs et les croisillons de leurs grilles sur la pelouse. Contre ces croisillons, j'aperçois la silhouette de Siggy, bras au-dessus de la tête.

– Qu'est-ce que c'est ?

– Siggy fait sa gym.

Mais ce n'est pas ça du tout. Il a attrapé la grille de la fenêtre à deux mains et a poussé sa tête contre elle, jusqu'à avoir la marque des barreaux ; on dirait qu'il essaie de s'évader dans la cour, comme un animal nocturne qui s'éveille et teste la solidité de sa cage.

– Il fait pas sa gym !

– C'est un exercice d'assouplissement, c'est tout.

Je la dirige rapidement sous les fenêtres ; je lui donne un baiser brumeux devant la porte monumentale.

– Il faut qu'on fasse attention à ta tante, dis-je en passant devant.

Est-ce qu'on dirait que les joueurs de football s'intéressent subitement à ce qui se passe ? Est-ce qu'il apparaît dans leurs yeux une lueur qui en était absente depuis le jour où ils s'étaient fait coller au mur dans leur cadre ?

Mais, sous ma porte, pas de rai de lumière. Je reste longtemps dans le hall, à écouter les ronflements impeccablement contrefaits de mon copain-là, le fameux Siggy.

## Le prophète signe un prière d'insérer

*Veux-tu venir sur ma monture ?*
*La prison des sybarites*
*Est encore molle et sûre.*

*Seras-tu toujours*
*Une proie aussi facile pour les sycophantes ?*

*N'admettras-tu jamais*
*Qu'il est des cultes supérieurs ?*

*Veux-tu venir sur ma monture ?*
*Tandis que dormiront les sybarites*
*Nous pourrons libérer les prisonniers.*

— Tu ronfles mieux que tu rimes. Je crois que tu t'appliques plus.

— Le tonnerre t'a réveillé ?

— J'ai lu ton poème à la lumière des éclairs.

— Ah, un vrai coup de foudre a éclairé ta voie.

— C'est toi qui l'avais appelé ?

— J'admets que c'est un effet de mon zèle

— Depuis la fenêtre, en te pendant à la grille ? Tu appelais l'éclair capricieux ?

— Pas au début. Au début, j'étais là à regarder, comme ça, et puis le vieux destin est venu à passer avec la nuit tombante, et il s'est intéressé à mon cas.

— Tu entends cette pluie, Sig ? Ça aussi, c'est ton œuvre ?

— Absolument pas. Cette pluie, c'est un dérapage. Et tout le long de la route, Graff, c'est des dérapages qu'il faut tenir compte.

— J'aurais bien voulu le voir, le destin, moi aussi. Ça doit rendre très sagace.

— Tu l'as frottée ?

— Non.

— Tu as un respect naturel pour la jeunesse.

— Quand est-ce qu'on part ?

— Ah, les adieux mouillés ! Quand est-ce que tu pourras trouver la force de te libérer ?

— T'es vachement indiscret, parfois. Et puis j'aimerais bien dormir un peu maintenant.

— Ah, monsieur Graff voudrait dormir ! Il hurle en se dressant sur son oreiller. Eh bien dors !

— Dors toi-même.

— Comme un volcan. Le vieux Siggy dort comme un volcan.

— Dors comme tu veux, ça m'est égal.

— Ça c'est bien vrai ! Tu t'en fous royalement !

— Oh, Bon Dieu !

— Il est dans la salle de bains, il nous mijote la suite des événements.

## Ce que le Bon Dieu mijotait dans la salle de bains

Il a fait jour de bonne heure dans notre chambre, malgré la pluie qui continue à tomber à seaux dans la cour. J'entends les grosses gouttes faire *ping ping* sur les chromes de la moto. En appui sur les coudes, je regarde par la grille de la fenêtre. Les pavés mouillés de l'allée qui mène au château ressemblent à des œufs et Tatie Tratt attend le passage du laitier.

On dirait qu'elle est sortie du sous-sol ; elle roule deux bidons de lait devant elle en les poussant de la pointe de ses galoches avachies. Le bas de sa robe de chambre rose dépasse de son ciré informe ; son filet à cheveux lui tombe sur les yeux et donne à son front des allures de madrépore échoué. On aperçoit le court poteau de son mollet entre le dessus de la chaussure et le bas du peignoir ; elle a la chair blanche comme du lard.

Elle pose les bidons sur les pavés devant la porte du château et, sans perdre de temps, descend jusqu'au portail ouvrir au laitier. Seulement le laitier n'est pas là. Tatie Tratt regarde des deux côtés de la rue et rentre au trot, faisant voler son ourlet, non sans avoir dégagé le portail.

La pluie tambourine maintenant sur les bidons, avec un *pong pong* plus grave que sur les chromes.

Tout à coup voici que, dans une folle et fatale agitation, le laitier déboule comme un qui danserait sur de la glace.

Je vois le cheval à la physionomie irrégulière tanguer dans le portail, œillères tendues pour contrebalancer l'emballement de la frêle carriole et son propre déséquilibre. Le rail de harnachement saute sur son échine affaissée, et le fatras des harnais de cuir se projette vers le virage qu'il essaie bêtement de couper. Je vois le conducteur lui enfoncer le mors dans la bouche ; toute la carriole dérape et se ramasse sur elle-même derrière le cheval ; elle fausse le harnais qui se déporte de tout son poids d'un seul côté — comme un cavalier aussi lourd que sa monture qui aurait vidé les étriers en plein galop tout en gardant les rênes à la main.

Le conducteur crie : « Dou ou oux Jésus ! », et voilà la carriole sur deux roues, qui se bloquent et refusent de tourner.

Le cheval attend que ses quatre fers aient retrouvé le sol, et que la carriole le suive. Moi, j'attends que cet abruti de conducteur cesse de le freiner : la pauvre bestiole en est réduite à saluer le sommet des forsythias pendant que ses sabots glissent sur les œufs mouillés des pavés.

Le cheval donne de la bande ; le rail lui glisse le long de l'échine et lui calotte l'oreille. La petite carriole s'immobilise en haut de ses reins. Ses côtes spongieuses heurtent les pavés ; il fait « *gnif* ».

Cet abruti de conducteur fait la culbute et vous lui atterrit à quatre pattes sur l'encolure, dans un fouillis de brides et d'anneaux qui tintinnabulent. Dans la carriole à claire-voie, les bidons font un raffut du diable. La courroie de recul se tend et soulève la queue du cheval comme une bannière.

— Qu'est-ce que c'est que ce boucan ? demande Siggy.

Le laitier est accroupi sur l'encolure du cheval ; il tressaute comme un ressort qui vient de crever un vieux sommier.

— Dou-ou-oux Jésus, mon cheval !

— Qu'est-ce qui se passe, Graff, bon Dieu ?

Le laitier a attrapé la tête du cheval affalé par les oreilles et la soulève contre lui. Il la berce en se balançant d'une fesse sur l'autre. Il crie :

— Oh, sainte mère de Dieu, mon cheval !

Et puis le voilà qui précipite la tête du cheval sur les pavés ; il la tire par les oreilles et, vlan ! il la lance, de tout son poids. Les sabots de devant se mettent à battre l'air sous la pluie.

Tous les couvercles des bidons s'ouvrent dans la carriole. On dirait des faces de lune mouillées qui regardent par-dessus les montants à claire-voie. Tatie Tratt, qui battait la semelle sur le perron de la porte principale, brave la gadoue, pieds crochus, sur le bout de ses talons. Elle lance :

— Hé là ! Qu'est-ce qui vous prend ?

A cheval sur l'encolure, le laitier tient les oreilles ; il pose sa joue dans le creux au-dessous de la mâchoire et se sert de sa propre tête pour pilonner celle de l'animal. Il a pris le coup, maintenant. Il n'essaie plus de soulever le cheval ; il le laisse lever la tête et s'accroche à ses oreilles comme à des poignées pour avoir une prise. Comme ça il peut se jeter sur le cheval assez fort pour que la tête rebondisse sur les pavés, écume aux lèvres, vibre et se raidisse avant de se redresser de nouveau.

— Oh, tu me dis ce qui se passe ou tu vas te faire frotre, hein !

Siggy se drape dans la courtepointe en satin et sautille jusqu'à la fenêtre.

A présent la frénésie s'est emparée du cheval alors que le laitier s'est calmé, terrible. La carriole est sur les reins de la bête, et le rail, courbé comme un archet géant, frotte sur son échine. Dès que le cheval cesse de s'agiter, le rail revient en arrière et tend à les briser les invraisemblables vertèbres.

Ce n'est pas ça qui gêne le laitier, farouchement arrimé qu'il est à l'encolure et aux oreilles, la joue coincée dans le creux de la mâchoire du cheval.

— Oh mon Dieu ! s'exclame Siggy.

— C'est de la folie furieuse, je spécule, la chute a dû lui porter au cerveau.

Siggy lance un cri à la Tarzan.

Tatie Tratt reste sur les lieux, ne sachant où mettre les pieds, embarrassée par son peignoir qui dépasse sous la pluie.

Siggy pince la courtepointe en pèlerine sous son menton et me passe devant, le pied nu arrondi comme un chat qui fait le gros dos dans l'herbe mouillée ; il bombe par-dessus le porte-revues, et le voilà dans le couloir. Une pirouette totalement dépourvue de grâce, et la montgolfière de la courtepointe se prend dans la balustrade, brisant une seconde son bel élan. Qu'à cela ne tienne : il la lâche froidement et repart — sans revenir la chercher. Elle m'adresse un petit signe froufroutant depuis sa balustrade où le courant d'air de la porte ouverte à deux battants la fait bouffer.

Je cours à la fenêtre.

En une fraction de seconde, voici ce que je vois : il y a un nouvel arrivant dans la cour ; c'est un homme grand, les genoux roses et les jambes lisses sous son *Lederhosen,* un ascot dénoué dans l'encolure de sa veste de pyjama, et des sandales à semelles très épaisses. Il est à mi-chemin entre la porte et Tatie Tratt qui tourne autour du cheval affalé. Il a les mains sur les hanches, des mains qui ont un peu l'air de moignons, car il est dépourvu de poignets, comme de chevilles ou de cou, d'ailleurs.

Il est en train de dire :

— Frau Tratt, quel charivari infernal ! Je me suis couché très tard, moi.

Sur quoi il se tourne vers le château et ouvre les bras comme si quelqu'un allait lui lancer une gerbe de fleurs par la porte.

Siggy lui rentre dedans bille en tête, comme un sac de sable. L'homme n'a pas le temps de refermer les bras avant de tomber, et les pieds nus de Siggy piétinent allégrement son haut de pyjama.

Tatie Tratt est en train de se retourner, geste qui naît dans la paume de ses mains qui s'ouvrent. Elle dit avec lassitude :

— Quel abruti, ce conducteur ! Abruti par l'alcool ! » Elle lève les yeux et découvre l'homme potelé et rose, la tête sur l'oreiller de son ascot, les doigts s'agitant faiblement, la tête bougeant très peu. « Il va pleuvoir toute la journée, dit-elle.

Et c'est là qu'elle entrevoit Siggy qui passe en trombe devant elle ; elle se retourne, ses mains se joignent.

Les fesses éblouissantes de Siggy sont si lisses sous la pluie.

L'homme sans attaches gît comme il est tombé. Il mouille son ascot dans une flaque, se tamponne la bouche avec et crie :

— Il est tout nu ! Il a rien, mais RIEN sur lui.

Siggy grimpe à l'assaut du laitier. Il force ses mains sous son menton pour avoir prise sur la gorge, puis il baisse la tête sur celle de son adversaire, et il plante ses dents dans la nuque laiteuse.

Moi, j'enfile mon pantalon en sautillant sur la moquette rêche du couloir. Tatie Tratt passe dans le hall d'entrée avec des mouvements de tête qui ressemblent à ceux d'un pigeon. Au-dessous de moi, sa tête tressaute et disparaît à travers la cage d'escalier.

Gallen a pris la courtepointe ; elle s'appuie à la balustrade, le satin contre sa joue, et regarde la cour où retentissent des gémissements affreux : le cheval secoue la carriole dans tous les sens ; l'homme envoyé au tapis s'est assis, l'ascot pendant à sa lèvre inférieure ; il regarde la porte bouche bée ; il doit s'attendre à voir une horde d'hommes nus débouler pour le piétiner dans les interstices des pavés. Quant à Siggy, à cheval sur le laitier, il sillonne le jardin, on le voit apparaître et disparaître derrière les forsythias.

— Graff, signale Gallen, ma tante est en train d'appeler la police.

Je lui prends le couvre-lit ; mon coude s'enfonce doucement dans son petit sein qui pointe et je dis :

— Tétons jolis, j'ai bien peur d'être obligé de vous quitter aujourd'hui.

— J'ai pas pu dormir la nuit dernière, Graff, soupire-t-elle.

Mais, maintenant que je tiens la courtepointe, je me précipite dans la cour.

Le malheureux chahuté parvient à se mettre sur son séant en décrivant de grands cercles avec les bras et en tortillant son large fessier. Il dit :

— Il est par là ! Prenez des filets et des cordes ! » Il suffoque dans son ascot. « Envoyez-lui les chiens !

Il continue à faire des moulinets avec ses bras, il s'étrangle.

Une créature étrange, à deux têtes et quatre bras, joue à cache-cache parmi les forsythias aux clochettes lourdes de pluie : on la voit jaillir, se courber derrière le buisson, se dresser et charger la moto, elle est partout ; chacune de ses apparitions est précédée d'un hurlement de terreur aigu comme celui d'un chien, et c'est à ça que je me repère.

Les petites aiguilles glacées de la pluie s'enfoncent dans mon dos. Je tiens la courtepointe comme une cape de toréador, en prenant bien soin de ne pas marcher dessus et j'appelle : « Siggy ! »

Un homme aux yeux caves et aux oreilles transparentes, vêtu d'un ciré luisant, titube entre deux gros buissons de forsythias ; ses galoches renversent au passage la pluie des coupelles et aspergent les bouts de fleurs en boomerang ; il a un homme nu sur le dos, les dents plantées dans son cou laiteux.

— Blaaa-rou ou ! hurle cet abruti de conducteur.

Double-pattes se redresse dans un braillement et reprend sa course erratique. A deux buissons de là, moi, je m'élance.

Là, ils ne sont plus qu'à un buisson. En me penchant par-dessus un arbuste trapu, je pourrais toucher leurs deux têtes si l'arbuste ne me giflait pas violemment quand je tends la main. J'appelle de nouveau : « Siggy ! »

Dans la cour, sur le perron du château, j'entends celui qui a été renversé gueuler :

— Envoyez-lui les chiens ! Pourquoi les chiens sont pas là ?

Maintenant nous sommes au même niveau ; je suis le derrière pointé, dégoulinant de pluie, les longs orteils recourbés derrière le laitier qui gesticule et vacille maintenant plus lentement, tête plus basse. Je les rattrape.

Voilà le laitier tricéphale ; il ne peut plus courir, il s'affaisse, ses épaules retombent, ses genoux lâchent.

— Oh mon Dieu, gémit-il.

Nous sommes pêle-mêle dans la gadoue noire du jardin ; le laitier essaie de se dégager en crawlant sous Siggy. Moi, je tiens la tête de mon fameux copain, mais il ne veut pas lâcher prise. Je passe sous son menton et tente de lui ouvrir la bouche de force, mais il ouvre les mâchoires toutes grandes pour coincer ma main, à me faire craquer les phalanges. Je lui mets une baffe sur les oreilles et m'assieds sur son échine ; mais il tient bon. Le laitier entonne une plainte, ses mains tâtonnant pour s'enfoncer dans les cheveux de Siggy.

— Lâche, Siggy ! Laisse-le !

Rien à faire, il serre les dents et empêche l'homme de dégager ses hanches.

Alors je casse une branche de forsythia et j'en fouette le

derrière de Siggy ; il se dégage en gigotant ; mais on ne m'échappe pas comme ça. A la troisième cinglée sur l'arrière-train, il roule sur le côté, libérant le laitier, et va soulager la cuisson de son postérieur en s'asseyant dans la bonne boue fraîche.

Il passe les mains sous lui et se barbouille de boue comme s'il s'en habillait ; il fait une bouche en cul de poule et siffle comme une bouilloire ; je lui tends la courtepointe.

— La police arrive, Sig.

Le laitier nous quitte discrètement ; il répand une bonne coulée de boue sur la marque imprimée dans son cou et fait la bouilloire, lui aussi.

Siggy s'enveloppe dans la courtepointe. Je le prends sous les bras et le pousse devant moi pour le faire sortir des buissons et longer le mur du château. Il se met en route, martial, ses grandes enjambées lui secouent la tête, il laisse les terribles empreintes de ses orteils en éventail dans la boue.

— J'ai une montagne de boue dans le cul, Graff, dit-il en se tortillant.

Dans le hall d'entrée, il y a un autre genre de montagne. Tatie Tratt est en train d'éponger le gros homme groggy dans un fauteuil. Elle essaie de nettoyer la boue de son *Lederhosen*. Ma petite Gallen tient le seau où tremper l'éponge.

— Voilà, dit l'homme, j'ai entendu venir quelqu'un, alors je me suis retourné pour voir.

Siggy apparaît sur le perron, la courtepointe en toge sur l'épaule et ramenée entre les jambes.

L'homme se balance sur sa chaise ; il fait un gargouillis de poisson hors de l'eau. Il tape des poings sur ses genoux rouges, où l'ascot trempé lui sert de napperon ; il a la lèvre inférieure rouge et enflée comme une betterave.

— Frau Tratt, dit Siggy en paradant devant celle-ci, il tombe un vrai déluge, de quoi faire sauter le barrage. C'est la fin du monde.

La courtepointe s'envole quand il s'élance, main sur la rampe pour monter les escaliers en rythme, avec panache, deux marches à la fois.

## Les forces de la justice se rassemblent

De temps en temps une motte de boue apparaît dans les airs au-dessus du forsythia, une longue giclée de débris derrière elle. Le jet fuse toujours à la verticale, après quoi on entend des piétinements furieux dans les buissons qu'on secoue. Le laitier est en train de retrouver ses esprits dans le jardin.

Le malheureux cheval, lui, ne fait qu'aggraver son cas. Il a réussi à se retourner, mais il est toujours sur le flanc, de sorte qu'il est passé sous le rail, qui lui est perpendiculaire ; il s'est si bien entortillé dans les harnais qu'il n'a plus la place de bouger. Il a une bosse grosse comme une balle de tennis qui enfle sur l'arcade sourcilière et lui ferme un œil tandis que l'autre cligne sous la pluie. Il se laisse aller en arrière ; il tousse ; sa queue va et vient.

— Il pleut toujours, Graff ?

— Plus, même.

— Mais pas une pluie d'orage, non ?

— Non, non.

— Parce que c'est pas une très bonne idée de se baigner sous un orage.

— Tu risques rien.

— Elle est immense, cette baignoire, je vois comment tu faisais, dedans.

— Le laitier est toujours dans les buissons.

— Tu prends un bain après moi ?

— Je me suis pas mis tant de boue que ça, moi !

— Tu es bien délicat.

— La police est là.

La Volkswagen verte avec sa rampe de lumières bleues a un peu de mal à se glisser par le portail en évitant la carriole du lait. Il y a deux policiers en bottes cavalières et uniforme immaculé, les cols de leurs manteaux de pluie retroussés par le même rictus ; il y en a peut-être un autre, en civil – long manteau de cuir noir ceinturé, petit béret noir coquin.

– Ils ont amené un assassin, je dis.

– Les flics ?

– Avec un agent secret.

– Ça doit être le maire. Une petite ville, un jour de pluie, il a rien de mieux à faire, le maire.

Ils entrent dans le château tous les trois. J'entends l'homme qu'on épongeait faire grincer sa chaise et élever la voix pour les accueillir.

– Siggy, tu crois qu'elle partirait au combientième coup, notre bonne moto ?

Mais il me chante une chanson de petit baigneur :

*C'est un désastre, un vrai désastre,*
*Qui nous tombe sur la figure.*
*Inutile de forcer l'allure,*
*Le désastre plus vite carbure.*

– Toi et tes frotues rimes.

– Tu devrais prendre un bain, Graff, dit Siggy en m'éclaboussant pour m'encourager.

L'un des policiers sort dans la cour avec une paire de grandes cisailles. Il enfourche le cheval et s'assied sur l'échine du malheureux. Puis il coupe le rail en plusieurs endroits et libère le harnais. Mais le cheval reste groggy, avec un œil aux abonnés absents et l'autre qui clignote occupé ; le policier siffle entre ses dents et retourne vers le château.

C'est alors qu'il voit une motte de boue jaillir du forsythia comme une torpille et qu'il entend les piétinements frénétiques du laitier.

– Eh bien ? Eh bien, vous ?

Le laitier mitraille le ciel de poignées de terre et de brindilles.

– Hé vous, là ! hurle le policier.

Il s'avance dans le jardin en pointant ses cisailles devant lui comme une baguette de sourcier.

Je vois le laitier foncer d'un buisson à l'autre, ventre à terre ; il ramasse sur son passage toute la boue et les brindilles qu'il peut pour les catapulter dans les airs. Il se planque pour regarder tomber ses bombinettes et repart en tapinois, avec la mimique du traître dans les dessins animés.

— Sig, le laitier perd ses boulons.

Le policier se glisse sur la pointe des pieds dans le forsythia, le grand bec menaçant de ses cisailles devant lui.

Puis je les entends tous se rassembler dans le couloir, derrière notre porte. Le rai de lumière qui passe dessous est tacheté et obscurci par des pieds furtifs ; un coude, une hanche, un ventre frôlent le bois. Ils se pressent ici, leurs voix réduites à un filet, dans lequel un mot ou une bribe de phrase ressort, ponctué de sifflets ou de « chut ! »

— tenue où il est venu au
— devrait être
— vivent ensemble
— comment
— doit être
— par la loi
— chiens
— contre nature
— Dieu sait

C'est comme si quelqu'un parlait dans un ventilateur et que seules passent entre les pales les passages les plus rapides. Tout le reste est haché-mixé en une seule voix, indissociable du froissement des vêtements et du poids humain contre la porte et les murs.

— Sig, ils sont dans le couloir, derrière la porte.

— Ils rassemblent les forces de la justice ?

— Tu restes dans la baignoire ?

— Ohé, dis donc, hé regarde un peu !, dit-il avec moult éclaboussements, mes marques, mes coups de fouet ! Ils sont roses comme ta langue. T'as fait du bon boulot avec ta baguette, Graff ; faudrait que tu voies ça !

— J'arrivais pas à te faire lâcher prise.

— Mon cul est remarquable, on dirait des rayures de pneu !

Et je l'entends plonger et déraper dans la baignoire.

Puis on frappe tout doucement à la porte. Le couloir est tout à fait silencieux ; il n'y a plus que deux pieds dans le rai de lumière, à présent.

– Graff ? appelle ma petite Gallen.

– Ils t'ont obligée à être notre Judas ?

– Oh, Graff !

On sent de nouveau un poids contre la porte et quelqu'un essaie d'enfoncer une clef.

– Reculez, dit Tatie Tratt.

– C'est pas fermé, je leur dis.

Un policier en uniforme enfonce la porte d'un coup de botte qui fait sauter le bouton et se glisse dans la chambre dos au mur. Derrière lui, du monde s'encadre bientôt dans la porte. Tatie Tratt, les bras croisés et la mine soucieuse ; le nouvel épongé, genoux luisants en avant, et entre eux l'assassin, qui est peut-être le maire ; mais ma Gallen a disparu.

– Où est l'autre ? demande l'épongé.

– Il faut que tu voies ça, dit Siggy, en ouvrant la porte de la salle de bains.

Et le voilà qui nous montre son postérieur cuisant rincé à grande eau. Les traînées roses y luisent comme le sourire oblique de nouvelles lunes.

– Et voilà, dit Tatie Tratt, vous voyez ?

Et c'est bien le maire, en effet, le redoutable *Bürgermeister*, lui qui n'avait pas retiré son béret pour saluer Tatie Tratt, c'est le maire qui le retire maintenant avec un petit coup de tête précis en direction des fesses immobiles dans l'encadrement de la porte. C'est un lanceur de première, et il attrape le postérieur juste avant que Siggy ait eu le temps de le rapatrier dans la salle de bains et de refermer la porte d'un coup.

– Je vois, Frau Tratt, dit le maire. Nous voyons tous, j'en suis sûr. » Puis il élève à peine la voix et appelle : « Herr Javotnik ? Herr Siegfried Javotnik ?

Mais nous entendons Siggy marcher jusqu'à la baignoire, prendre appel sur la plate-forme et plonger.

## Les crimes sont révélés

Comme il refuse d'ouvrir la porte de la salle de bains, nous descendons tous l'attendre dans le hall d'entrée – tous à l'exception d'un policier qui reste fouiller notre chambre.

L'homme tout rose est surexcité :

– *Herr Bürgermeister*, je ne comprends pas pourquoi nous n'enfonçons pas la porte.

Mais le maire regarde l'autre policier faire traverser la cour et monter le perron au laitier.

– Alors, Josef Koller, on a encore bu ? On déclenche des sinistres et on frappe son cheval ?

Le laitier est tellement plein de boue qu'on a peine à voir sa prodigieuse marque au cou. Mais le maire s'approche pour l'examiner.

– Ça vous aura donné une petite leçon », dit-il en pointant son doigt autour de la marque ; le laitier rentre la tête dans les épaules comme une tortue. « C'est peut-être même un peu sévère, ajoute le maire.

– Et mon lait, dit Tatie Tratt, c'est plus que de la mousse.

– Eh bien, Josef, dit le maire, vous allez laisser un bidon de plus ?

Le laitier essaie d'acquiescer mais ses joues se tordent et son visage est déformé par un rictus.

– C'est un fou, je dis au maire.

– Quoi ? C'est le laitier que vous traitez de fou ? L'autre l'a mordu au cou, et mordu assez fort pour entamer la peau et provoquer une meurtrissure grosse comme mon poing ! L'autre court tout nu dans la cour, il monte à cheval sur un homme, il le mord. Il s'enferme pour faire joujou dans une baignoire ! Un exhibitionniste, un flagellant !

– Pire, dit Tatie Tratt, un pervers.

– Un tournevis ! beugle l'homme tout rose. Il suffirait

d'un tournevis pour entrer dans cette salle de bains. Et puis si on avait envoyé les chiens à temps, on n'en serait pas là.

Alors le policier d'en haut apparaît sur les marches, les bouts de ses deux bottes si bien alignés qu'on dirait qu'il va tomber.

– Il est toujours là-dedans, dit-il. Il m'a chanté une petite chanson.

– Qu'est-ce que vous avez trouvé ?

– Des salières, dit le policier.

– Des salières ? demande le maire d'une voix grêle comme la pluie sur les tuiles creuses du château.

– Quatorze, complète le policier. Quatorze salières.

– Grands dieux, s'écrie le maire, c'est un pervers, pas d'erreur !

## En quête de détails

Qu'est-ce qui se passe ? Ah, ces interruptions ! Voilà ce qui arrive quand tu restes en place assez longtemps pour que le réel déraisonnable te rattrape. Et rappelle-toi, Graff, il a vite fait.

Mon père Vratno, Vratno Javotnik, né à Jesenice, Yougoslavie, avant qu'on y ait découvert la roue, s'est installé à Slovenjgradec, où il a lié son sort aux Allemands. Les Allemands faisaient sur roues des choses que personne n'avait jamais vues. Avec eux il a roulé jusqu'à Maribor où une bonne route l'a mené tout droit de l'autre côté de la frontière, en Autriche. Et cette route-là, il l'a prise tout seul, parce qu'il était malin.

Il a pris la route des tanks, le jeune Vratno, la route de Vienne, où ma mère crevait la faim avec héroïsme et non sans élégance en attendant de lier son sort à quelqu'un d'aussi malin que lui – elle était loin de se douter qu'elle jouerait un rôle dans la conception d'un type aussi motorisé de naissance que moi.

Mon père me disait entre deux cuillerées de soupe : « C'est de plus en plus dur de faire son petit truc à soi, sans avoir à passer par le domaine d'un autre qui t'a devancé et qui sait quelque chose que tu maîtrises pas et que tu maîtriseras jamais ; et tu trouves jamais rien qui fasse ton bonheur. » Voilà ce qu'il disait, ce pauvre connard – il paraît.

Ah, mon père ! Il avait un don magnifique, mélodramatique, pour attirer les catastrophes ; et moi aussi. Et toi aussi, Graff. Si bien que ce monde échappera peut-être à la triste mort lente de la routine.

Mais toutes ces interruptions, ces digressions ! Ah ! c'est la mort en trente-six volumes chaque fois que tu laisses le monde te rattraper.

Le jeune Vratno, sa cuillère se fondant avec sa bouche, sa phrase avec sa soupe, disait : « Écoute, t'as une marge de manœuvre d'une fraction de seconde entre l'instant où ils t'attrapent et celui où ils décident à quelle sauce ils te mangent : si tu les prends de vitesse, hop, t'es sauvé. » C'est ce qu'il disait – à ce qu'on m'a dit.

Message de Siggy, épinglé sur mon drap de dessous – et il m'a bien fallu chercher l'interrupteur à tâtons quand mes fesses ont rencontré ce papier froissé. Je ne l'avais pas vu laisser le moindre message, moi, pourtant.

En fait le maire avait voulu que je tente ma chance pour le tirer de la baignoire ; mais quand j'étais rentré dans la chambre, je l'avais trouvé propre comme un sou neuf et habillé, à l'exception de la veste de chasse, qu'il était en train d'enduire généreusement de la dernière couche de savon pour le cuir.

On a entendu la voix du maire, depuis le hall d'entrée : « Si vous n'arrivez pas à le sortir de là, il faudra qu'il paie la réparation de la porte ! »

Siggy a sorti du sac à dos le ciré, les housses de protection des bottes et les bandes molletières en caoutchouc pour les fixer, plus le savon à selle. La veste de chasse luisait comme un cierge, on aurait dit qu'elle avait fondu sur lui.

— T'inquiète pas, il a chuchoté, tu les éloignes et je reviendrai te chercher.

— Ils sont dans le hall, ils vont t'entendre.

— Fais-les monter, alors. Je reviens, c'est une affaire d'un jour et deux nuits, au plus. Je te laisse les affaires et je prends juste l'argent de l'essence.

— Sig !

Mais il a ouvert la fenêtre et il s'est lancé sur la corniche. Il a mis les lunettes et le casque, comme un parachutiste s'équipe. Puis il a glissé ses bottes dans les housses ; ça bouffait, on aurait dit un homme qui a les pieds dans des bocaux.

— Siggy ?

— Il nous faut des détails, Graff. C'est vrai, au fond, on l'a pas bien regardé, cet endroit, entre tes ébats avec l'hippopotamesse et le dégoût que ça nous a causé tout de suite, hein ?

Moi, je me disais : Quoi ? Tu sautes vraiment du coq à l'âne, je te suis plus du tout.

Il a sauté.

Moi, je me suis dit : Quel cinéma ! Tu aurais très bien pu descendre par la vigne vierge.

Il a fait *flof* dans la gadoue du jardin.

La voix du maire s'est fait entendre de nouveau : « Herr Graff, il se décide ? »

— Je crois qu'il va parler », j'ai lancé. Et puis je suis sorti dans le couloir pour crier : « Montez tout de suite !

Et je les ai entendus dans les escaliers.

J'entendais la moto, aussi. Elle était froide, le moteur humide, elle toussotait à vide. L'allumage s'est fait, mais elle a calé, comme un homme à la voix de stentor qui s'étouffe à mi-beuglement. Et ceux qui montaient l'escalier, ils l'ont entendue aussi ; on s'est regardés avec la longueur du couloir entre nous, heureusement.

Alors je me suis précipité à la fenêtre de la chambre. Les

escaliers tremblaient sous la meute qui descendait, mais le maire, lui, est venu me rejoindre, son visage tendu déformé par un spasme de la joue à l'oreille.

Siggy avait fait démarrer le moteur et il le tenait. Les chromes crachotaient de grosses boules grises, impalpables et duveteuses comme des moutons sous un lit. On aurait dit des mèches de cheveux, si aériennes et emmêlées que nous les retrouverions plus tard dans le jardin, accrochées aux forsythias comme des lambeaux de perruque.

Siggy a ouvert et fermé les gaz une fois, pour calmer le moteur, et il s'est mis parallèle au portail encore obstrué par la carriole du lait.

Tout ça, c'était donc avant que les policiers sortent sur le perron du château, avant que Tatie Tratt, l'homme aux genoux roses et le laitier qui tentait de les coiffer sur le poteau fassent irruption en hurlant dans la cour. Siggy a foncé dans l'intervalle entre la carriole et le portail, tout voûté, en appui sur les repose-pied. La bosse de sa veste graissée luisait comme un scarabée. Je l'ai entendu passer trois vitesses, malgré la pluie.

Ah, il était amateur de gros temps et de conditions précaires ! Et, oui, c'était son marathon de l'endurance jusqu'à Vienne, sa mission de reconnaissance au zoo de Hietzing.

## Le réel déraisonnable

J'ai lu et relu le message, si bien que Gallen a vu de la lumière sous ma porte, et moi j'ai vu l'ombre furtive et douce de ses pieds.

— Gallen ? c'est pas fermé !

Personne n'avait réparé le bouton de porte que le policier avait fait sauter.

Je m'attendais à la voir dans une audacieuse chemise de nuit de dentelle noire, fluide et sans volants.

Mais elle avait son tablier et elle est entrée dans ma chambre, les mains dans ses poches fleuries où tintait la monnaie.

— Je sais, Gallen, tu veux coucher avec moi.

— Arrête ! Je peux pas rester du tout, pas même une seconde.

— Ça va prendre des heures.

— Oh ! Graff, ils sont en train de parler de toi.

— Ils m'aiment bien ?

— Tu l'as aidé à s'échapper. Personne sait quoi faire.

— Ils vont bien trouver.

— Ils disent que tu as pas beaucoup d'argent.

— Alors tu veux plus m'épouser ?

— Graff ! ils veulent vraiment t'avoir !

— Viens t'asseoir près de moi, Gallen. Moi aussi, je veux vraiment t'avoir.

Mais elle est allée s'asseoir sur le lit de Siggy ; il était tellement mou, tellement creux au milieu que ses genoux me faisaient face, ses jolis genoux, petits comme des mentons.

— Ne rougis pas comme ça, Gallen.

— Qu'est-ce que tu fais là, couché ?

— Je lisais.

— Je parie que tu as rien sous les couvertures, je parie que tu couches nu comme un ver.

— Et ça te rend folle quand tu y penses ?

— Ils vont t'avoir, Graff. J'ai vu ta lumière, alors j'ai su que tu étais levé ; je pensais que tu étais habillé.

— Mais je suis caché. Viens t'asseoir sur mon lit.

— Graff, le maire et ma tante, ils mijotent quelque chose.

— Et quoi donc ?

— Ils ont fouillé dans tes affaires, ils ont vu la couleur de ton argent.

— J'ai de quoi payer la chambre.

— Oui, mais pas beaucoup plus. Ils peuvent t'arrêter pour vagabondage.

— Je suis un traîne-savate, moi, j'ai toujours su que quelqu'un s'en apercevrait tôt ou tard.

— Et puis tu l'as aidé à s'échapper ; ils peuvent te coincer pour ça.

— J'ai hâte de voir ce qu'ils vont faire.

— Ils vont te faire prendre un boulot.

Ça alors, c'était quelque chose – un boulot, frot alors ! Bien sûr, je pouvais me tirer séance tenante et partir dans les montagnes, vivre de la pêche, dire à Gallen où Siggy me trouverait quand il reviendrait me chercher ; lui laisser de quoi payer la note de la *Gasthof*.

J'y ai bien pensé, mais Gallen avait les yeux fixés sur moi. La ligne aiguë de son maxillaire se prolongeait par la courbe délicate de son épaule, jusqu'à son poignet avec lequel sa main dessinait un angle. J'étais sûr que ses doigts étaient sensitifs comme ceux d'un lecteur en braille. La couleur soutenue de ses lèvres, la rousseur rosée de ses joues, son front pâle, haut tacheté de son, tout en elle était harmonieux comme la peau de la pêche où le soleil a joué inégalement.

Alors j'ai dit :

– Quel genre de boulot ?

– Un petit boulot, c'est tout. Une façon comme une autre de t'avoir à l'œil pour savoir quand il sera de retour.

– Ils pensent qu'il va revenir ?

– Moi aussi, Graff, je le pense. Il va revenir ?

– Tu es leur Judas, Gallen ?

– Oh, Graff ! Je te préviens de ce qu'ils ont l'intention de faire. » Et elle s'est caché le visage dans sa natte. « Il faut bien que je sache quand tu vas partir pour pouvoir t'écrire. Et puis je veux que tu m'écrives toujours que tu reviendras.

– Viens t'asseoir ici.

Mais elle a fait « non » de la tête.

– Ils pensent qu'il va revenir parce que Tatie Tratt leur a dit que vous êtes un couple.

– C'est quoi, ce boulot ?

– Il faut rentrer les abeilles.

– Quelles abeilles ?

– Celles des vergers. Les ruches sont pleines, toutes prêtes. Ça se fait la nuit. Et ils pensent que c'est sûrement la nuit qu'il va revenir te chercher.

– Et si je refuse ce boulot ?

— Là, ils t'arrêtent. Ils diront que tu es un vagabond et ils te coffreront. Tu l'as aidé à s'échapper, ils peuvent te coincer là-dessus.

— Je pourrais me tirer cette nuit.

— Ah oui ? » Elle a fait le tour du lit de Siggy et m'a tourné le dos. « Si tu crois que tu peux, je crois que je pourrais t'aider, elle a dit tout bas.

Et moi, je me disais : C'est le forsythia qui jaunit la lune pour la faire jouer dans tes cheveux par ma fenêtre ? C'est lui qui teinte l'air de vermillon au-dessus de ta petite tête adorable ? Et je lui ai dit que non, je ne pouvais pas faire ça.

Elle a fait tinter ses pièces dans sa poche :

— Il faut que j'y aille maintenant, Graff.

— Tu viens me border ?

Elle s'est retournée vivement et elle a souri. Oh oui ! Oh Youpi !

— Mais tu m'attrapes pas, hein ? » Elle est venue jusqu'à mon chevet et elle a éteint la lumière. « Tes bras sous la couverture, elle a ordonné à l'obscurité.

Elle a bordé un côté et fait le tour ; je commençais à sortir un bras tout doucement, mais elle a bordé trop vite. Et puis elle m'a bloqué les épaules avec ses mains ; sa natte me tombait sur le visage.

— Que je suis maladroite ! elle s'est exclamée sans me libérer pour autant.

— Où est ta chambre, Gallen ?

Le temps de me sortir du lit, elle avait passé la porte. L'ombre de ses pieds s'est faufilée sous le rai de lumière. Je n'ai plus entendu bouger ni pied ni patte dans le couloir.

Je me suis levé et j'ai ouvert ma porte, à peine, pour jeter un coup d'œil depuis le chambranle ; elle y était ; elle m'attendait ; elle était fâchée, mais pas au point de ne pas rougir.

— Cherche pas à savoir où est ma chambre, Graff.

Alors j'ai regagné mon triste lit affaissé. Je me suis retourné un moment ; je jouais au plus fin avec le monde. Bon, je me disais, les abeilles ont fini la pollinisation, maintenant ; le miel est rentré, les ruches sont à point, alors, méfiance !

## Méfiance

Je me suis réveillé avec une odeur de soleil sur mon oreiller, et je me suis dit : Siggy est en train de quitter Vienne à cette heure ; il a eu le temps de rassembler ses détails, le temps de fureter dans le zoo, toute la nuit.

Je le vois dire au revoir aux animaux, essayer de les réconforter.

— Sois béni, lui dit la girafe abattue.

Et le wallaroo a la larme au poing.

— Graff, dit Gallen à travers ma porte, ils sont en bas, dans la salle à manger.

Bah, ça ne me dit rien qui vaille ; leur conspiration plane, lourde dans l'air du couloir. C'est comme s'ils avaient laissé ouverte une porte des oubliettes ; je sens un infect remugle de pensées suintantes qu'on y a laissées mûrir et moisir, mais impossible de trouver la porte, pour la refermer.

Ils sont installés à la même table, près de la mienne, le rusé *Bürgermeister,* la chère Tatie Tratt et Herr Windisch, l'homme aux pommes, l'homme à l'odeur de cidre, employeur des nécessiteux — qui a des fleurs de pommier fanées prises dans ses bas de pantalon.

Il y en a un autre, à qui l'on n'a pas permis de s'asseoir ; il s'encadre négligemment dans le chambranle de la porte de la salle à manger ; c'est Keff, le conducteur de tracteur, l'homme de Windisch. Il est dans le genre costaud et descend en droite ligne de la race javanaise ; sa tenue de cuir sent la chèvre.

Comment vont-ils s'y prendre ? Ils me regardent beurrer mon *Brötchen.* Est-ce que Keff me barrerait le passage, à la porte ? Est-ce qu'il me briserait les reins avec son gros genou ?

Mais, voyons, Siggy l'a écrit :

*Tu les prends de vitesse et hop, sauvé.*

Alors j'expédie le petit déjeuner servi par ma Gallen et je vais droit à leur table.

— Je vous demande pardon de vous interrompre, mais j'ai pensé que vous pourriez tous me conseiller. Puisque je vais rester ici encore un moment, j'aimerais bien trouver un emploi. Oh, juste un petit boulot, la nuit, si possible. Si vous entendez parler de quelque chose...

Et quel vacarme j'entends ! La porte des oubliettes se referme avec d'horribles grincements ; au fond de mes oreilles, depuis Vienne, les Ours à lunettes piétinent leur cage et secouent la tête avec une fureur qui fait battre leurs bajoues.

— Ça, par exemple, mais c'est une excellente idée ! s'écrie Tatie Tratt.

Et voilà leur tablée qui s'étonne.

Mais au fond de mes yeux, qui se mouillent à cette image, Siggy roule de plus en plus vite. Sous lui, la moto gémit comme un animal qui souffre.

## Spéculations

J'ai emporté quelques bières dans le jardin, là où on a vue sur les chutes, au détour du château. J'ai trouvé un endroit où la moto a laissé goutter un peu d'huile de moteur et maculé l'herbe. Encore quelques jours, et les forsythias seront en fleur, le jardin se couvrira d'herbes folles, brun et vert, tropical, exubérant. La bruine de la rivière n'épargne rien, et le jardin a des craquements de croissance sinistres, dans le vent. Seule résiste la tache d'huile ; la bruine se dépose en gouttelettes sur le petit rond noir, comme de la sueur.

Et je me dis : Il vient de s'arrêter pour déjeuner. Les tuyaux crépitent de chaleur ; il a poussé le moteur. Si on crachait sur les chromes, ça se roulerait en boule pour rebondir, comme des gouttes d'eau sur un gril chaud. Il est parti de bonne heure et il a poussé le moteur à fond. Ça fait longtemps qu'il a quitté la vallée du Danube. Peut-être même qu'il suit déjà la Ybbs en ce moment. Et on peut être sûr qu'il aura tout noté dans ses salfotreries de carnets, avec un plan des cages et tous les détails possibles et imaginables.

Dix-huit minutes depuis les buissons du parc Maxing jusqu'à la périphérie de Hietzing. Dix-huit minutes, quatre passages de vitesse complets, deux dérapages, un arrêt pour laisser passer le *Strassenbahn*, et un feu orange clignotant.

Et derrière toi, le boucan des oryctéropes en fuite.

Oui, je me dis, en fait, il va probablement même pas s'arrêter déjeuner.

Tatie Tratt est là, dans ma chambre, en train de m'aérer. Elle me décoche un sourire en ouvrant ma fenêtre et en battant mon oreiller.

Et alors Tatie Vieille Cruche, tu crois pas qu'il va arriver droit ici en moto, pour que tu le voies ? Non, Tata Nunuche, mon ami, le précieux Siggy, il est plus vif que tes yeux de merlan frit.

Et puis il y a ma petite Gallen dans l'encadrement de la fenêtre, certainement en train de lisser les coins de mon lit, innocente comme l'enfant qui vient de naître.

Et dans quel lit il dort, notre Herr Graff ? demande Tratt la maligne ?

Ça je ne sais pas, Tatie, mais celui-ci a l'air un peu plus enfoncé que l'autre.

— Herr Graff, demande la Tratt, vous dormez dans quel lit ?

— Le plus près de la baignoire, Frau Tratt.

Et Gallen quitte son embrasure de fenêtre comme un souffle, sans m'accorder un regard.

— Ah, tu avais raison, ma petite Gallen, dit la Tratt.

Et elle phosphore de plus belle.

Moi aussi, je phosphore, et comment ! Frau Tratt qui vient fureter dans ma chambre ; ce bouton de porte qu'on a fait réparer subrepticement pendant que je me trouvais du travail — pour m'enfermer ? Tous ces nuages vaporeux, qui dérobent le jaune des derniers forsythias jonchant le sol, retombent comme un champignon atomique dans le ciel.

Et où est Siggy ? A-t-il déjà passé Ulmerfeld ? Hiesbach, peut-être, ou même la route de Saint-Léonard, s'il arrive par là. Ou bien est-ce qu'il fait un détour ?

A combien d'heures est-il, ce Siggy ? Qu'est-ce qu'elle aura comme vêtements, ma Gallen, quand elle viendra dans ma chambre, ce soir ?

La bruine alourdit tellement l'air. Et le jardin qui continue à pousser au-delà de toute mesure, l'anarchie ! Enfin, comme cet ahuri de destin – Gros Lourdaud – pourrait le dire : Méfiance, méfiance !

C'est le genre de thème qui aurait pu inspirer Siggy. D'ailleurs il y a même un premier jet dans le carnet.

*Ah, la vie, grosse bulle faite pour crever,*
*Mais l'épingle authentique est aux mains du destin !*

Mais ça aurait donné un poème nul. Un de ses pires.

## L'épingle authentique approche

Très bas à l'horizon, l'énorme soleil colore tout en jaune forsythia – il jaunit les carreaux de la nuit dernière, qui tombent par la grille, il éclabousse mon lit et mes orteils au repos.

– Il arrive, hein ? dit Gallen.

– D'un instant à l'autre.

– Graff, s'il arrive par Saint-Léonard, ils vont le voir. Et s'il prend par les vergers, il y a Windisch et Keff qui ouvrent l'œil.

– Tu crois quand même pas qu'il va s'amener comme ça sur sa moto !

– Je suis sûre qu'il va aller jusqu'en ville avec. Non, il va pas entrer dans la cour dessus, mais il va pas non plus venir de Saint-Léonard à pied – s'il est assez bête pour venir par Saint-Léonard au lieu de prendre une autre route.

– Penses-y, alors. Réfléchis à la route qu'il va choisir.

– Graff, tu me diras même pas au revoir, hein ?

— Viens t'asseoir à côté de moi, Gallen.

Mais elle fait « non » de la tête et refuse de quitter le rebord de la fenêtre. Depuis le lit, je vois un peu plus haut que son genou. Sa jambe s'arrondit contre le rebord.

— Arrête de regarder sous mes jupes ! » Elle ramène ses jambes sous elle et me tourne le dos. Elle regarde par la fenêtre. « Quelqu'un vient d'arriver en courant par le jardin, dit-elle.

Elle s'agenouille pour se pencher par la fenêtre.

— Quelqu'un est en train d'escalader le mur. Il s'accroche à la vigne, mais j'arrive pas à le voir.

Alors je la rejoins sur le bord de la fenêtre ; nous nous penchons, à genoux tous deux. Sa natte glisse sur son dos, passe sur son épaule, fait une ombre sur son visage ; je passe mon bras autour de sa taille ; elle se raidit un peu. Nous sommes à quatre pattes. Je l'enveloppe dans mes bras par-derrière.

— T'es gonflé, Graff, dit-elle en me balançant un grand coup de coude dans la gorge.

J'en suffoque tellement que j'en ai les larmes aux yeux et que je dois m'asseoir. Elle s'installe, jambes croisées en face de moi, sur le rebord.

— Ah, toi, alors, Graff. Va-t'en, va, au revoir !

Elle a la larme à l'œil. Il ne faut pas que je la regarde. Je regarde par la fenêtre, mais il n'y a personne. Je ne peux toujours pas bien respirer. J'ai l'impression de nager tellement mes yeux sont humides.

— Oh, Graff, tu vas pas te mettre à pleurer, toi aussi.

Elle plonge vers moi et m'entoure de ses bras. Son visage est mouillé contre ma joue.

— Je pourrais bien te retrouver quelque part, Graff, non ? Je vais être payée, et je dépense jamais rien.

Ma pomme d'Adam est si énorme dans ma gorge que je ne peux pas parler. Elle a dû lui mettre un coup qui l'a retournée. Je dis *Gak* et Gallen se désintègre ; elle mord le bout de sa natte et se recroqueville en frissonnant contre moi ; je réussis à articuler :

— Gallen, il y a personne, dehors.

Mais elle refuse de m'entendre. Elle tremble encore quand deux coudes étrangers et un menton en forme de poing se haussent au niveau de la corniche avec des grondements et des halètements de bête, le tout suivi de l'apparition du Grand Masque de la Comédie grecque, sans un poil sur le caillou et qui présente une ressemblance certaine avec celui qui fut Siggy, mon précieux ami.

– Donnez-moi un coup de main, bon Dieu, je me suis coincé le pied dans cette salfotrerie de plante grimpante !

Si bien qu'il faut que je fasse glisser Gallen de mes genoux pour tirer à l'intérieur Siggy, dans son abominable déguisement.

– C'est moi ! dit-il.

Et il se laisse tomber à côté du petit tas que ma Gallen fait sur le sol.

## Le masque du destin

Ce qui reste de la pauvre Gallen ne peut plus le regarder ; d'ailleurs une fois suffit, ça, j'en conviens.

– Siggy ?

– Tout juste, Graff ! Mais tu m'as pas reconnu, je le sais.

– Pas du premier coup, sans ta veste de chasse...

Mais ce que j'aurais envie de dire c'est : sans un poil sur la tête ! Comment je fais pour te reconnaître le caillou rasé ?

– Qu'est-ce que tu dis de ma nouvelle coupe ? Voilà l'astuce !

– D'accord, mais toute la tête... ?

– Les sourcils aussi, t'as remarqué ?

– T'es affreux !

– Un dôme ambulant ! D'une seule pièce depuis le menton jusqu'au haut de la boîte crânienne. Tu le savais qu'il y avait des trous et des bosses pareils dans un crâne ?

– Parle pour toi, le mien est pas comme ça !

Mais après tout, peut-être : des sillons, des circonvolutions, comme un noyau de pêche blanchi.

— J'ai traversé la ville, j'ai pris le pont. Personne m'a reconnu. J'ai vu le maire et il est passé devant moi comme si j'étais une relique de guerre.

Sa tête, relique de barbier, est glacée au toucher; j'en sursaute. Cette fameuse relique est maculée de moustiques et de coléoptères plus volumineux et plus salissants qui sont entrés en collision avec la trajectoire de son dôme ; au-dessus d'une de ses oreilles, il y a une purée d'aile qui pourrait être celle d'un corbeau. Il faut dire qu'il est venu jusqu'ici sans casque, histoire que le vent rafraîchisse les dérapages du barbier.

— T'es hideux, Siggy.

— Bien sûr, bien sûr, Graff. Et je suis garé bien caché de l'autre côté de la ville. Prends tes affaires.

— Euh, attends, là...

— Fais tes bagages, on va attendre la nuit ; c'est parfait !

Ma Gallen est toujours sur le sol, fœtus absurdement lâché dans le monde, des vêtements de servante pour linceul.

— Gallen ? j'appelle.

— Ben on dirait que tu l'as eue.

— Parle pas comme ça.

— Prépare tes affaires, j'ai trouvé l'endroit.

— Quel endroit ?

— Où remiser le gardien.

— Siggy !

— J'ai passé la nuit là-bas. J'ai tout prévu.

— Ça m'étonne pas.

— Mais moi, je savais pas que tu avais une telle foi, Graff.

— La foi ! s'écrie Gallen.

— Elle va se mettre à crier ?

— La foi ! reprend Gallen. Il est venu par les vergers ? » Elle évite toujours de le regarder. « Mais alors ils auront vu sa moto ! Tout le monde sait qu'il faut la guetter.

— Qu'est-ce que ça peut lui faire ?

— T'es venu par Saint-Léonard, Sig ? je demande.

— Graff ! Regarde-moi un peu, et dis-moi si j'ai une tête d'amateur.

## La foi

Voilà que j'entends les premiers grincements dans l'escalier, on fait gémir la dernière marche, on s'appuie sur la rampe.

– Qui c'est ? chuchote Gallen.

– Ça peut pas être pour moi. Personne m'a vu, dit Siggy.

Je mets le nez dans le couloir. C'est la vieille Tratt, affalée sur la rampe, essoufflée d'avoir monté les marches. Elle appelle : « Herr Graff ! Herr Graff ! » Je sors dans le couloir pour qu'elle me voie.

– C'est Keff. C'est Keff qui est venu vous chercher pour aller au travail.

– Au travail ? chuchote Siggy.

– Il est bien trop en avance. Dites-lui qu'il est trop en avance.

– Il le sait. Et il attend.

L'espace d'un instant, Tratt la Terrible et moi, nous nous comprenons, et elle redescend les escaliers, de toute son ampleur.

Mais Siggy le Chauve est penché sur ma Gallen. Il tient sa natte dans son poing et elle se mord les lèvres.

– Qu'est-ce que c'est que cette histoire de travail, sauterelle de malheur ?

– Siggy..., je commence.

– Ah, la foi, tu parles ! Tu pensais que je reviendrais jamais, hein ? Tu t'es trouvé du boulot et une sauterelle !

– Ils allaient l'arrêter, dit Gallen du bout des lèvres.

– J'avais tout arrangé ! Tu croyais que j'allais te laisser tomber ?

– Je le savais bien que tu avais tout arrangé, seulement ils me considéraient comme un vagabond, ici. Eux aussi, ils avaient tout arrangé, figure-toi.

– Keff attend, dit Gallen. Oh ! c'est couru d'avance : si tu descends pas, c'est lui qui va monter.

— Sig, où est-ce que je peux te retrouver après le boulot ?

— Après le boulot, rien que ça ! Et tu me dis que tu l'as pas frottée cette mignonne petite roulure ?

— Siggy, parle pas comme ça.

— Tu me dis, il se met à hurler, que tu vas venir avec moi, après le boulot ! Ben voyons !

— Ce Keff, il a l'œil sur moi.

J'entends les petits spasmes du bois de l'escalier. Quelqu'un de lourd monte, deux marches à la fois.

— Sig, sors d'ici ! Tu vas te faire prendre ! Dis-moi où on se retrouve.

— Dis-moi où je te retrouve, lui demande Gallen, Graff il faut qu'il y aille, maintenant.

— Te retrouver ? Toi, la petite roulure mal roulée ? Et pour quoi faire ?

Des pas pesants ébranlent le couloir, accompagnés de halètements de tracteur.

— Sors d'ici, Siggy !

— Je veux mon sac de couchage et ma brosse à dents. Ça te ferait rien de me les rendre ?

— Bon Dieu, mais sors d'ici !

— *Bahm ! Bahm !* dit Keff à la porte.

— Oh, qu'entre le poids lourd ! Qu'il entre, le broyeur d'échine ! dit Siggy.

— *Bahm !* fait Keff.

— Je reviens prendre mes affaires, dit Siggy.

— T'es dingue, dit Gallen. Déplumé du bulbe ! Saleté de pédé teigneux !

Siggy recule entre les deux lits :

— Ah, Graff, il était magnifique, mon plan !

— Écoute, Siggy..

— Hé va te faire... dit-il tout doucement, contre le couchant, sur le rebord de la fenêtre.

— Mais je vais te rejoindre, pour de bon.

— Oh Keff, Keff ! dit Gallen, pendant que les *bahm* s'amplifient.

— Dis-moi où on se retrouve.

– Et où je t'ai trouvé, hein ? Au parc de l'Hôtel de Ville. Tu regardais les filles. Et tu me regardais.

– Siggy !

– Vous vous êtes bien fichus de moi, toi et ton tendron. C'est pour elle que tu as fait tout ce voyage.

Les clous des gonds commencent à pointer la tête, comme des petites pousses. Les *bahm* de Keff sont efficaces.

– Du boulot ! Non, mais franchement !

Son saut fait plouf dans l'immonde gadoue du jardin. Le couchant illumine la surface lisse de son terrible dôme ; les ombres soulignent les bosses de son crâne, le squelette de sa bouche ouverte ; les ombres happent la vie de ses yeux.

– Graff ? appelle Gallen.

– Toi, tais-toi. Quand il reviendra, viens me le dire, même si tu dois aller à pied à Saint-Léonard par les vergers. Viens me trouver pour me le dire.

– Oh zut, Graff ! » dit-elle et puis : « Ooh Keff.

Car le voici qui apparaît, porte en mains côté gonds. Il la pousse si fort que le côté de la poignée quitte le chambranle à son tour, et puis, tout surpris qu'elle lui reste dans les mains, il ne sait plus où la mettre.

– La vache ! je m'écrie.

Personne ne souffle mot.

## La bête niée

Comme le disent les carnets :

*Hinley Gouch détestait les animaux en liberté ; ça faisait trop longtemps que ce champion de la vertu niait la bête en lui.*

Ça n'est pas Keff qui aurait nié la bête en lui. Il fallait le voir quand il a descendu l'escalier avec ma Gallen qui se débattait comme un beau diable dans ses bras, pour la ramener à sa Tatie.

Il fallait le voir soulever le plateau de fer par son crochet pour arrimer la remorque au tracteur dans un ahanement de bûcheron.

Moi, je me tenais en équilibre sur le plateau pendant qu'il conduisait ; le fer chantait sous mes pieds, la remorque tanguait dans les montagnes russes ; comme nous grimpions la route des vergers, le soir a pâli ; c'était la dernière lueur, qui avait trouvé refuge dans la montagne.

Quand nous sommes arrivés au sommet du verger, près de Saint-Léonard, Keff a voulu attendre qu'il fasse tout à fait noir.

— Ça fait longtemps que tu es dans l'abeille ?

— T'es un petit futé, toi, hein ?

Loin au-dessous de nous, les rares néons de Waidhofen et les pâles lueurs de la rivière clignotaient. La fraîche peinture blanche des ruches virait au verdâtre, une couleur de fromage ; elles faisaient des points plus clairs dans les vergers, comme des tentes bohémiennes, animées d'une vie secrète.

Keff était avachi sur le siège du tracteur, il émergeait à peine des freins à main, moteur, levier de vitesse, jauges et autres pièces de la mécanique. Il s'étalait, les énormes roues en guise d'accoudoir, dans son fauteuil relax blindé.

— Ça y est, il fait noir, Keff.

— Pas encore assez. C'est toi qui ramasses les ruches, tu aimerais pas qu'il fasse plus noir ?

— Pour que les abeilles dorment mieux ?

— Pardi, p'tit futé. Comme ça tu peux t'amener en douce et tu refermes le grillage sur elles ; et quand tu commences à les secouer comme un panier à salade, et que tu les réveilles, elles peuvent plus sortir.

Alors nous avons attendu que la montagne se confonde avec le firmament où seule brillait la lune, jusqu'à ce que la lointaine Waidhofen, avec ses clignotements, donne les seuls signes de vie nocturne, sous la lanterne et sous l'ampoule.

Voici comment Keff voyait les choses : on remontait les rangées d'arbres, un verger après l'autre, lui au volant, moi en équilibre sur la remorque. Il s'arrêtait devant la ruche et j'avançais en douceur. L'entrée était de la dimension d'une fente de boîte aux lettres. Il y aurait quelques abeilles somnolentes sur le rebord ; je les poussais à l'intérieur avec un maximum d'égards, je rabattais la porte grillagée et en route !

Ramasser la ruche réveillait l'essaim ; il se mettait à bourdonner et vous faisait vibrer le bras comme de l'électricité à distance.

Les ruches étaient très lourdes ; du miel coulait entre les lattes du bas quand je les hissais sur le plateau.

— Si t'en fais tomber une, p'tit futé, sûr qu'elle éclate. Et si elle éclate, je démarre et je te plante là.

J'ai donc évité d'en faire tomber. Quand il y en a eu environ une demi-douzaine sur le plateau, j'ai dû arquer le dos contre elles pour les empêcher de glisser. Elles glissaient vers le tracteur à la descente et vers l'extérieur à la montée.

— Grouille-toi, p'tit futé, a dit Keff.

Il en entrait quatorze sur le plateau ; c'était le premier étage. Après, il fallait que je les empile. Avec le deuxième étage, elles glissaient moins facilement, à cause du poids. Mais il me fallait laisser un peu de jeu pour caser le troisième étage. J'étais monté sur une ruche et j'en avais une autre au bras. Ensuite il fallait crapahuter sur le deuxième étage pour combler les coins.

— Trois étages ça suffit, hein, Keff ?

— Laisse pas pendre tes pieds, tu vas te les faire coller, pour sûr.

— Ça c'est sûr, Keff.

Un rôdeur, dans le miel jusqu'aux genoux, s'est introduit dans la maison la nuit.

Keff voyait les choses comme ceci : je retenais les ruches dans mes bras et lui traversait la route, tantôt d'un côté et tantôt de l'autre, en descendant la montagne. Il faisait équitablement les deux côtés, mais tout le problème consistait à traverser la route, parce qu'il fallait descendre un fossé pour escalader l'autre et que le plateau penchait assez pour renverser les ruches du deuxième étage. Je les retenais, et lui coupait le moteur, éteignait le phare et laissait s'apaiser les grognements et les gémissements de son tracteur. Il écoutait s'il venait des voitures sur la route et, s'il entendait quelque chose, il attendait.

Tout ça parce que ça prenait trop longtemps au tracteur et sa remorque de traverser ; et puis la route tournait trop pour qu'on puisse se fier aux phares. Voilà pourquoi Keff tendait l'oreille.

– C'est une voiture, ça, p'tit futé ?

– J'entends rien, Keff.

– Écoute, tu voudrais pas te trouver en plein milieu de la route pour qu'une voiture passe à travers les ruches ?

Alors je prêtais l'oreille. Au collecteur du tracteur qui chantait sa chauffe ; aux abeilles volubiles.

Je ne me suis fait piquer qu'une fois. Une abeille qui s'est envolée du rebord sans regagner sa maison s'est prise dans ma manche et m'a eu au poignet. Ça ne m'a fait qu'une petite brûlure, mais mon poignet a enflé.

Il ne nous manquait plus que quatre ou cinq ruches pour avoir fini le troisième étage quand Keff s'est arrêté pour vérifier la pression des pneus de la remorque.

– Ils ont bien dû le coincer maintenant.

– Qui ça ?

– Ton pote, le pédé. Il a réussi à entrer pour te voir, mais il réussira pas à sortir.

– T'as entendu des voix, c'est tout, Keff. Il y avait que Gallen et moi dans la chambre.

– Oh, oh, oh ! Et les pas dans le jardin ? Et les cris que tout le monde a entendus ? Ça te rend crétin d'être pédé, p'tit futé.

Il a regardé sa jauge. Combien de litres d'air faut-il pour soutenir une remorque à un essieu avec des roues jumelées, qui transporte des tonnes de miel et d'abeilles ?

Il s'est penché près de l'endroit que j'avais laissé libre, au deuxième étage. J'aurais pu, d'un petit saut, lui balancer tout le troisième étage sur le râble. J'ai sauté sur une des ruches du deuxième étage.

– Qu'est-ce que tu fabriquais avec la petite Gallen, hein ? il m'a demandé sans lever les yeux, ça fait un moment que j'attends qu'elle soit assez grande, et un peu plus épaisse », il a ajouté en levant enfin sa tête carrée, sans cou, avec un vilain sourire. Et là il m'a lancé : « Tiens, qu'est-ce que tu fabriques là-haut ? en se ramassant comme un coureur au départ.

— Pourquoi on a pas la tenue, Keff ? Pourquoi on a pas les masques et tout ça ?

Mais il reculait, sans quitter des yeux le troisième étage.

— Pourquoi on a pas quoi ?

— La tenue. Une protection en cas d'accident.

— C'est l'idée de l'apiculteur. Quand on est protégé, on fait pas attention, et quand on fait pas attention, on a des accidents.

— Pourquoi il va pas les chercher lui-même, ses ruches, l'apiculteur ?

Mais il zieutait toujours le troisième étage.

— Le troisième étage est presque plein. On traverse encore une fois et on rentre à la ferme.

— Allons-y alors.

— Tu crois qu'il sera encore là, hein ? On va charger la remorque encore une fois et tu crois qu'il sera toujours là, libre comme l'air ?

Alors là, Keff, je me suis dit en moi-même, t'as bien failli pas être libre comme l'air toi-même et t'as même failli plus être là du tout. Elles sont pas feignantes les abeilles dans ces ruches, et t'as bien failli te retrouver dans le miel jusqu'au cou ; elles te l'auraient fait enfler, ta grosse tête.

Keff écoutait s'il venait quelque chose.

Mais non, va, Keff. Tu as jamais rien eu à craindre, en fait. Tu vois, Siggy, j'ai mes limites, moi aussi. Tu aurais voulu que je fasse quoi, bon Dieu ?

— Il vient quelqu'un, a dit Keff sans rallumer le moteur.

Et alors, même les abeilles se sont tues pour écouter.

— C'est quelqu'un qui court, il a dit en ouvrant la caisse à outils.

J'entendais respirer et chasser du gravier sur la route ; la personne était hors d'haleine.

— C'est quelqu'un que tu connais, p'tit futé ? a dit Keff en prenant la clef anglaise dans sa patte.

Et puis il a rabattu le boîtier sur le phare pour diriger le faisceau en contrebas, mais sans rallumer ; il se préparait simplement.

Chut, les abeilles, je me disais. Voilà des petits pas menus, et une respiration ténue.

Keff braque le phare sur ma Gallen, cheveux épars, qui évente la nuit sur son passage.

## Le seuil de tolérance

Elle arrive avec les nouvelles – les jambes en coton d'avoir couru depuis Waidhofen, depuis la vallée. Elle nous raconte comment Siggy est revenu chercher sa brosse à dents en fanfare : il s'est lancé comme un gorille de la vigne vierge à la grille de la fenêtre pour entrer, il a pris le couloir en bêlant, descendu à cheval sur la rampe pour atterrir dans le hall d'entrée prononcer leur épitaphe à tous. Tatie Tratt, qui caquetait comme poule qui copule dans son coin, sous l'escalier, a eu droit à la sienne ; et puis il a servi une métaphore vibrante sur la virginité ravagée à ma petite Gallen et s'est lancé dans une homélie contre moi – car je n'ai pas été oublié – prophétisant mon inéluctable castration.

– Oh, il était déchaîné, dit Gallen dans un souffle, déchaîné, Graff. Il a piétiné le jardin et il a envoyé de la boue sur les murs du château !

Les abeilles ont tout entendu ; elles bourdonnent contre Gallen, affaissée le long des ruches qui servent de dossier à son long dos gracile.

– Faut pas qu'elle s'appuie trop, dit Keff. Qu'elle aille pas en renverser une, p'tit futé.

Hé, ça suffit, Keff. Ça suffit largement, non ? je me dis.

– Ils vont le coincer, c'est sûr, dit Keff.

– Il est comme un fou, reprend Gallen. Toute la ville est après lui. Je sais pas où il est passé.

– Ils devraient bien le coffrer, dit Keff.

En contrebas, derrière lui, le phare tout tordu fait sursauter les arbres tapis contre les montagnes russes. La ville clignote, silencieuse, au-delà des bosses et des dentelles que font les bouquets d'arbres en boule contre la nuit.

— Oh ! excuse-moi, Graff, s'exclame Gallen, je te demande pardon — s'il est ton ami.

— Écoute », dit Keff, mais je n'entends rien. « Écoute bien, p'tit futé. » Là-bas, en ville, elle amorce les virages qui mènent vers nous, ce n'est encore qu'un murmure. « Tu l'entends, la voiture ?

Quelques bouquets d'arbres accrochent le clignotant bleu qui s'allume au-dessus de la route et change de côté au tournant des montagnes russes.

— Écoute, reprend-il, c'est une Volkswagen. C'est la police, sûr !

Sûr. Elle arrive en douce, sans sa sirène.

Il y a deux hommes dans la voiture et ils ne s'éternisent pas.

— On fait un barrage là-haut, dit l'un, et un gant noir claque dans ses doigts.

— A Saint-Léonard, dit l'autre. S'il arrive par ici.

Et les abeilles entendent ; elles voient s'éloigner le point bleu qui clignote. Elles vibrent contre ma Gallen adossée à leur ruche, ma pauvre Gallen que voilà réduite à un petit tas pour la deuxième fois de la journée, à cause de moi.

Tout ce que j'arrive à me dire, c'est : Mais non, il va pas essayer de sortir de la ville en moto. Ou alors en tout cas, il viendra pas de notre côté.

Et Keff dit :

— Bon, on va pas passer la nuit ici à ouvrir l'œil. Si la gamine dégringole pas, moi, j'aimerais bien passer de l'autre côté de la route.

— Ça va aller, assure Gallen.

Mais sa voix frissonne comme si un vent de montagne, venu du plus haut de la Raxalpe et du cœur de janvier, l'assaillait, tiède et précieuse et vulnérable, découverte à l'instant du réveil. Elle souffre tellement, c'est vrai. Et moi qui n'arrive pas à rassembler mes idées.

— On va écouter, alors, dit Keff.

Il monte sur le grand siège à ressorts et s'installe au milieu de sa ferraille. Nous tendons l'oreille et il promène le faisceau du phare ; nous voilà pointés droit sur l'autre côté de la route. Puis il pèse sur les freins à pied et il réussit à débrayer. La remorque bouge ; les abeilles chantent.

— J'entends rien.

— Non, rien, dit Keff en tendant la main vers le démarreur.

Il a la main tendue quand je lui dis :

— Keff ?

— P'tit futé ?

Son geste s'est arrêté net.

— Écoute, t'entends ?

Il s'immobilise ; il ne fait pas craquer sa machine ; il retient son souffle.

— Ah, oui !

Le bruit n'a peut-être pas encore quitté la ville, mais il fait son chemin — peut-être même pas vers nous. Il est peut-être sous les arcades, ce qui le propagerait et l'arrêterait par intermittence.

— Eh ben là, p'tit futé, t'as eu l'oreille fine !

Le bruit a quitté la ville ; il prend notre route. C'est un homme enroué qui se racle la gorge derrière toute une série de portes ; il se racle une gorge sans fond et pas une fois, mais perpétuellement ; il met l'éternité pour le faire, l'éternité pour venir vers nous.

— Ah oui ! dit Keff.

Ah oui, je l'aurais reconnu entre mille, le bon vieux bruit de la bête pulsatile que chevauche mon ami — ce-précieux-Siggy.

— Ha ha, dit Keff, c'est bien lui, c'est le pédé !

Et là, Keff, tu as bien failli y passer. Une ruche du troisième étage, rien que pour toi ; ta tête sans cou arrive juste au niveau des rangées bourdonnantes ; là sur ton perchoir, une ruche, Keff. Et peut-être une deuxième, peut-être toute une rangée, qui te dégringolerait sur le coin de ta grosse figure ; si j'osais ; si je pensais que ça va arranger les choses.

Combien il t'en faudrait pour te faire ton affaire, Keff ? Un costaud comme toi, ça peut se prendre combien de piqûres ? C'est quoi ton seuil de tolérance, mon salaud ?

## Par monts et par vaux

Est-ce la main froide de Gallen qui m'a ramené à la réalité ? Qui m'a fait m'accroupir au pied de la remorque quand je me disais : Et maintenant, Siggy ? Comment je fais pour t'empêcher de rencontrer la Volkswagen qui clignote bleu là-haut, et les doigts gantés de noir qui claquent dedans ?

En haut de la montagne, d'où Keff et moi étions descendus, les montagnes russes sont plus abruptes ; à trois virages en S au-dessus d'où nous étions à présent, il y avait le plus fameux, aigu comme un Z. Bon, je me suis dit, il faudra bien qu'il ralentisse pour prendre celui-là – celui-là, même Siggy, même la bête doivent bien rétrograder pour se le faire. Peut-être même passer en première ; et comme ça il ira assez lentement pour s'arrêter, ou du moins pour me voir sur la route.

Je suis parti en courant ; je n'ai pas déchiffré ce que Keff me braillait ; non, je n'ai pas fait attention à sa voix indistincte.

On a toujours l'impression de courir très vite, la nuit, même à la montée. On ne voit pas comme la route passe lentement sous les pieds, on ne voit pas venir les arbres. Les formes familières de la nuit surgissaient, planaient au-dessus de ma tête. J'entendais la bête rugir plus fort.

Est-ce que c'est rétrospectivement que je reconstitue ce qui s'est passé, que tout me paraît si cohérent ? Est-ce que je les ai vraiment entendues, les abeilles ? Leur million, leur billion, leur trillion de voix, urgentes, impatientes, effervescentes ?

En tout cas je suis sûr de la chose suivante : il y avait trois virages en S plus haut, dans les éboulis de la montagne, et puis celui en Z. Est-ce que tout est si bien tombé que j'ai vu le phare éclairer les bouquets d'arbres autour de moi exactement au moment où j'ai atteint le Z ? Ou est-ce qu'en fait ça s'est plutôt passé dans le dernier S, à l'approche du Z ? Ou bien encore, est-ce que j'ai dû m'embusquer longtemps avant d'entendre le grognement sourd des soupapes et des pneus tendus pour s'engager dans le Z ?

En tout cas j'y étais ; j'ai vu le cavalier déboucher du dernier S dans sa course glissante ; j'ai entendu qu'il était en troisième, j'ai vu le phare cahotant me peindre couleur de lune et me clouer à jamais sur place.

Puis il a rétrogradé pour passer en première au coude du Z. Est-ce qu'il m'arrivait de biais ? Est-ce que le phare tressautait tout seul ?

– Graff, espèce d'enfrotté ! il a dit.

Et la bête a craché ses poumons.

– Oh, Siggy !

J'en aurais embrassé son casque brillant – sauf que ce n'était pas son casque. C'était son dôme lisse, chauve comme la lune, poli pour la nuit de sa cavale, froid comme un fusil.

– Enfrotté, va ! il a dit en cherchant le point mort.

Il levait le pied pour appuyer sur le kick.

– Sig, ils ont fait un barrage pour t'arrêter à Saint-Léonard.

– C'est toi qui as un barrage dans la tête ! Laisse-moi passer.

– Mais tu peux pas passer ! Il va falloir que tu te caches.

Mais il avait remis son pied. Je lui ai fait perdre l'équilibre pour qu'il ait besoin de ses deux jambes pour tenir la moto.

– Espèce d'enfrotté, tu fous tout en l'air, avec ta niaiserie de te faire cette nana !

Il se débattait pour redresser la moto, il appuyait sur le kick, mais je l'en empêchais.

– Siggy, ils sont planqués là-haut à t'attendre, je te dis. Tu peux pas partir !

– Et t'as un plan ? J'aimerais bien savoir ce que c'est, tiens !

Hé non, j'avais pas de plan ; évidemment que non. J'ai quand même dit :

– Il faut que tu planques la bécane dans les vergers et que tu fasses le mort jusqu'à demain matin.

– C'est ça que tu appelles un plan ? Toi, imaginer un seul

plan valable, Graff ? Tant qu'il restera un pucelage à prendre sur terre ?

Il m'a arraché le guidon, mais moi je lui ai coincé les jambes contre la moto pour qu'il puisse pas démarrer.

— Jamais on pourra compter sur un plan, sur un projet d'envergure de ta part, tant qu'il y aura des petits nichons qui pointeront sur terre, avec personne pour les caresser !

Il projetait la moto en avant par petits coups, il se hissait sur les poignées, il enfonçait ses roues dans le sol. Mais je lui bloquais toujours le pied du kick.

— T'es vraiment au ras du bitume, mon pauvre Graff ! Tous les cinoques en liberté se sont donné rendez-vous dans ta cervelle !

A force de la tortiller dans tous les sens, il a pointé la roue avant vers la descente et il a commencé à faire rouler sa bête. Je l'ai attrapé par son carnier et je me suis maintenu à sa hauteur en courant.

— Va donc, hé, hystérique de l'hymen !

Il était vraiment unique, il était vraiment fêlé. La moto avançait ; il essayait de passer une vitesse ; il tirait sur le levier dans l'idée de faire faire un bond en avant à sa bête, grâce à la pente.

— Il faut toujours que tu fasses tout foirer, Graff, il a dit avec une étrange douceur.

Je n'arrivais plus à le suivre ; alors j'ai sauté en selle derrière lui et j'ai fait vaciller la moto. Je me suis accroché à son dos, mais il avait replié les repose-pied passager. Cette cavale-là, il l'avait prévue en solo.

Je l'ai senti trouver sa vitesse dans un à-coup.

Alors voilà ce que j'ai fait : je me suis penché par-dessus son épaule et j'ai fait tomber ma main sur le coupe-circuit. Le moteur ne pouvait plus s'allumer. Il a fait un pet anémique derrière nous, mais le frein moteur nous a ralentis brutalement. J'ai été projeté contre lui et il a glissé à cheval sur le réservoir, les genoux arqués contre les poignées ; ses pieds ont quitté ses repose-pied, il ne pouvait plus atteindre le levier.

Je ne sais pas en quelle vitesse nous étions, mais elle a lâché.

La bête déchaînée en plein élan est retombée au point mort. Nous étions en roue libre, le phare hochait son faisceau sur la route, devant nous ; nous flottions sans moteur ; nous descendions — le sable que nous projetions chuintait doucement ; le murmure des pneus nous portait en douceur. Nous ne faisions pas le moindre bruit.

Est-ce que les abeilles elles-mêmes nous ont entendus venir ? D'un virage en S à l'autre, nous filions plus vite que l'éclair de la nuit.

— Remets-toi à ta place ! Il faut que je passe une vitesse.

Mais la pente était trop forte ; mon poids était tout contre lui, en avant, sur le réservoir. Au moment précis où j'essayais de bouger, un autre virage nous arrivait dessus bille en tête.

— Passe une vitesse, Graff ! Tu peux attraper le levier, toi, crétin !

Il claquait dans ses doigts vers le levier ; j'enfonçais mes orteils dessous, mais il refusait de bouger, ce truc bizarroïde.

Les cahots du phare nous envoyaient en mille morceaux la route, l'épouvantail d'un bouquet d'arbres, d'un fossé sans fond, le ciel nocturne, paisible et froid, la ville angélique qui scintillait et les innombrables montagnes russes qui nous attendaient. Tout nous parvenait en des fragments de miroir sans suite.

— Il faut que tu y arrives, Graff, a dit Siggy, d'un ton presque détaché.

Une douleur a déchiqueté mes orteils, mais tout d'un coup le levier a fait un bruit de cliquet ; le moteur a pétaradé dans un hennissement de canon et je me suis senti percuter le dos de Siggy, cramponné pour ne pas passer par-dessus bord. Les freins avant ont sifflé, la moto penchait en avant.

Siggy était trop déporté vers l'avant pour faire un contrepoids efficace ; nous nous sommes traînés tout vacillants dans une boucle de S sans fin, mais, malgré tout, nous ralentissions, un peu.

— On est en seconde, là. Trouve-nous la première, qu'on freine !

La seconde boucle s'annonçait ; la moto s'est redressée et elle a pris le haut de la route de côté, mais nous ne sommes pas partis dans le décor ; nous tenions bon et Siggy disait : « Première, Graff. Première, maintenant ! » Mes orteils s'enfonçaient de nouveau pour forcer le levier ; il me semblait qu'il commençait à bouger, et Siggy disait : « La rate pas, enfonce-la à bloc. » Et moi, je me disais : Ça y est, ça y est presque ; on est en train de s'en sortir, de cette virée de fous. Et nous avons réussi à sortir du S. Je me suis dit : On est bons, c'est gagné.

Mais qu'est-ce qu'il faisait là, Keff, en plein devant ? Qu'est-ce qu'ils fichaient, son tracteur et sa remorque à abeilles en plein milieu de la route ?

Qu'est-ce qu'ils avaient l'air surpris, Keff tenant son grand volant en mains, comme un monde qui lui échappait, Gallen, perchée sur la remorque, retenant les ruches du troisième étage !

Keff, l'oreille infaillible, n'avait pas – et pour cause – entendu descendre notre moto en roue libre. Et alors, qu'est-ce que tu vas faire au juste, Keff, à présent que tu tiens toute la route avec ton catafalque ?

– Oh, a dit Siggy si doucement que c'était un murmure ou une plainte, chuchotés dans le fil du vent.

## Au-delà du seuil de tolérance

Le faisceau du phare dansait sur les ruches, les ruches trapues et vivantes qui s'élevaient sur trois étages, devant nous et puis, dangereusement vite, au-dessus de nous. Un miroitement sur le fer bourdonnant de la remorque, qui croule sous le miel et se trouve exactement au niveau de notre phare, nous avertit que notre arrivée n'est pas fair-play.

Siggy bat deux fois du coude, il m'en envoie un coup dans la poitrine qui me désarçonne presque. Mais je suis déjà en train de l'aider, les mains crispées sur la petite portion de selle et de réservoir qui nous sépare. Je prends appui sur mes poignets, je raidis les bras, et je sens que je me détache de Siggy et de la bête – très lentement, on dirait. Sur des centaines de kilomètres de pente, je me détache à la force des bras, et je flotte, de plus en plus loin de la bête, qui est restée en seconde et ne trouvera jamais la première.

Le feu arrière rouge caracole sous mes yeux, et je me dis : Je vais m'asseoir dans les airs et me laisser glisser jusqu'à Waidhofen. Je vais leur mettre un kilomètre, à ces abeilles, et je vais pas redescendre avant cent bornes.

Le feu arrière s'éloigne de moi, il fait un saut de côté, il n'a pas l'air de bien savoir où il va — il faut dire qu'il n'a nulle part où aller.

C'est curieux, mais les cent kilomètres aéroportés les plus longs de ma vie, ils passent en un clin d'œil. L'infatigable Siggy n'a même pas le temps de décoincer ses genoux du guidon. Enfin, moi, j'ai tout de même le temps de le voir essayer, de voir partir à la renverse son dôme où se mirent en kaléidoscope le phare, le feu arrière, les arêtes et les faces des ruches, la remorque, le mahousse garde-boue du tracteur et les plombages de Keff qui est resté bouche bée.

Le feu arrière a la danse de Saint-Guy, il dégringole sur la route en giclant des traînées rouges et des traînées blanches ; il fait trois petits tours et puis s'éteint. Siggy cache son dôme dans l'obscurité et dans sa veste de chasse, et il couche la bête sur le flanc.

Le phare a réussi sa percée sous la remorque ; il éclaire la route dégagée qui s'étend devant ; cette route que la moto prend, sur le flanc ; des étincelles jaillissent du tuyau d'échappement qui surchauffe, des repose-pied, de la béquille, du guidon et du moyeu qui mordent la raideur de la pente.

Tu vas pas en revenir, Keff, quand tu vas me voir voler au-dessus du désastre et retrouver Siggy qui sortira de l'autre côté de ta cargaison de la terreur.

Mais qu'est-ce que tu fais ? Qu'est-ce que tu veux nous faire, là ? C'est quoi cette embardée ? Tu fais une embardée et tu cales, ou peut-être le contraire, peu importe. Mais tu nous fais quoi, là ? Qu'est-ce qu'elle a programmé, ta cervelle ralentie ? T'as cru que tu avais le temps de dégager la piste ?

Pourquoi t'as bougé, Keff ? Siggy a bien pu passer sous la remorque, mais il peut plus en sortir !

C'est pas que tu aies beaucoup bougé, mais ça a suffi pour que quelque chose coince Siggy ou sa bête – un essieu, un centimètre de pneu, le bord saillant du dessous du plateau ? Bon Dieu quel TSANNG – un vrai de bruit de ferraille qui s'en va ricocher sur la lune !

T'as pas bougé de beaucoup, Keff, mais il en fallait pas plus.

Juste au moment où j'allais survoler ta cargaison de l'horreur, Siggy ou sa monture fait TSANNG sous la remorque ; et Gallen saute, ses longs bras qui n'ont pas connu l'amour ébauchant le geste de retenir le terrible troisième étage. Elle sait bien qu'elle ne peut plus suivre le jeu, et qu'elle ne maîtrise plus les ruches. Elle saute et voilà, alors que j'allais te bourdonner aux oreilles comme un frelon, Keff ! T'as calé, t'as fait une embardée, t'as noyé le moteur, bref, t'as fait ce que tu sais faire au milieu de tes jauges, de tes leviers et de toute ta ferraille de malheur.

Et le troisième étage de ruches reste en suspens sur le bord aussi longtemps que moi dans les airs, et puis le voilà qui tombe au ralenti ; les ruches tombent comme des plumes sur la route poudreuse et le bord de fer de la remorque. On tombe au ralenti, Keff, les abeilles et moi.

Est-ce que j'ai décidé de faire escale en les voyant tomber ? J'atterris en compote sur la route qui, elle, est plus dure que prévu, et je mords le gras de ma main jusqu'au sang.

Mais pour les ruches, plus dure est la chute. Elles sont lourdes et fragiles comme des bombes à eau. Leurs frêles montants éclatent et elles renversent leurs essaims lourds de miel.

Qu'est-ce qu'elles racontent, les abeilles, qu'est-ce qu'elles disent ? « Qui est-ce qui écrabouille ma maison en pleine nuit ? » ou bien « Qui est-ce qui me réveille et qui défonce la ruche et qui écrase mes bébés dans leur petit berceau de cire ? Et qui est-ce qui vient m'aveugler avec cette lumière à présent ? »

Parce que la bête ne veut pas mourir, elle ne veut pas éteindre son phare ; il brille sous la remorque, d'une belle couleur ambrée, et sur les gros crachats de miel qui bavent par-dessus le rebord.

Toi aussi, la lumière t'a eu, Keff – je te vois arriver vers moi pataud comme un ours ; tu lèves tes grands bras au ciel, tu claques tes bas de pantalon et tu fais des bonds – oui, Keff, des bonds – et puis tu fais une pirouette dans les airs, tu refermes les bras sur toi, tu plonges – et tu repars vers moi.

Est-ce que Gallen t'a coiffé sur le poteau, ou est-ce que je l'imagine seulement près de moi, une seconde avant que tu m'attrapes comme un ballon pour me porter, me rouler sur la pente, m'arracher à la lumière qui montre où nous sommes aux abeilles ?

C'est là qu'elles ont commencé à piquer, alors ? Je me rappelle pas la moindre douleur. Je me rappelle avoir entendu une réédition plus étouffée du TSANNG original que la bête ou quelque chose d'autre avait fait contre la remorque. Je me rappelle, ça fait *tsanng-bam, tsanng-bam,* sous la remorque.

Siggy, tu essaies de te dégager de la remorque, tu essaies de décoincer tes pauvres genoux ankylosés sous le guidon ? C'est ton poing, ton bras, ton dôme qui fait *tsanng-bam* ? Tu le sais que je t'entends et que je cours vers toi ?

Je t'ai entendu et j'ai couru vers toi. Et je serais arrivé à temps si les abeilles m'avaient pas fermé les yeux, rempli les oreilles et obligé à ramper. Et même encore, je serais peut-être arrivé, si Keff m'avait pas pris sous le bras comme un gosse pour me remonter tant bien que mal.

Si j'ai crié, c'était pour entendre une voix humaine ; pour noyer le ronflement des abeilles – qu'est-ce qu'elles disaient ?

« Voilà le briseur de foyers, l'écrabouilleur de bébés ! Si on suit la lumière il nous échappera pas ! »

Après ça, le reste, ça s'est passé dans quel ordre ?

Il y a eu Keff, qui m'a dit ce que je savais déjà : « Tu sais, j'ai écouté comme un fou, je te jure. J'ai entendu votre moteur s'arrêter, j'ai écouté voir s'il repartait, mais il repartait pas ; j'ai rien entendu. Alors j'ai dit à la petite : “ Bon, tiens les ruches, on va quand même finir par traverser ! ” Demande-lui, hein ! On a écouté tous les deux, vous arriviez pas ! Il venait personne. Comment vous avez pu faire si vite ? »

Avant, pendant, ou peut-être même après, il y a eu la Volkswagen et son clignotant bleu qui est descendue de Saint-Léonard. Il paraît qu'ils avaient entendu le TSANNG, même de là-bas.

A un moment donné, j'ai bien essayé d'ouvrir les yeux, mais rien à faire. Gallen a mis sa bouche contre mes paupières et elle les a humectées pour les rafraîchir.

Et Keff m'a répété qu'il avait écouté.

Et puis je suis plus du tout sûr de ce que j'ai écouté ou entendu ; est-ce qu'il y a eu un autre *tsanng-bam* ou bien est-ce que j'ai demandé à Keff : « Combien tu crois qu'il y a d'abeilles dehors ? » Est-ce qu'on s'est lancés dans une grande discussion technique sur le nombre d'abeilles par ruche et le nombre de ruches qui avaient dégringolé, selon que l'on comptait celles du bout arrière seulement, plus, ou moins ? Et d'ailleurs, quelle importance ?

Est-ce que Keff a répondu, est-ce qu'il a avancé un chiffre ? Est-ce que ça s'est vraiment passé à ce moment-là ou bien dans l'après-coup, dans mon semi-coma, semi-immergé dans les sels anglais ? Est-ce que ça s'est passé trois minutes après le dernier *tsanng-bam* — ou trois jours et donc trois bains après ?

Est-ce que les siens, sa vraie famille, étaient tapis là, sur la côte, dans la nuit du grand complot des abeilles ? Est-ce qu'ils m'ont accusé, les animaux, est-ce qu'ils l'ont pleuré ? Ou bien est-ce que tout ça n'est que des larmes de baignoire ?

Le wallaroo en larmes, l'oryx bouleversé, les Ours à lunettes désespérés, quand est-ce que je les ai vus le pleurer ?

Là-bas, alors que j'avais encore les paupières boursouflées, ou d'innombrables bains cathartiques plus tard, bien longtemps après que Siggy avait atteint et dépassé son seuil de tolérance ?

DEUXIÈME PARTIE

# Les carnets

# 5 juin 1967, 13 h 20 ; premier quart au zoo

En fait je vais attendre le milieu de l'après-midi pour entrer. Ça ne me fera pas de mal de prendre le soleil une heure ou deux ; peut-être même que je vais sécher. Comme vous le savez sûrement, Graff et moi, nous avons quitté Waidhofen sous une pluie battante. Ça s'est dégagé dès que je suis sorti des montagnes, mais la route était glissante presque jusqu'à Hietzing.

Je n'avais pas la moindre idée de l'heure quand je suis parti. Quand est-ce que le laitier a fait son entrée ? Tout s'est passé très vite, et très tôt ; je suis sûr que j'étais parti à neuf heures et depuis que je suis arrivé dans ce café, j'ai eu tout juste le temps de commander – un thé au rhum –, la pluie m'avait transi. Donc mettons que je sois parti à neuf heures, il est une heure vingt, ça nous fait à peu près quatre heures pour aller de Waidhofen au zoo de Hietzing. Et sur une route mouillée, en plus.

Vous le connaissez, le café où je me trouve ? Sur la place, du côté de la Maxing Strasse, en face de l'entrée principale du zoo. Je suis là à me reposer et me faire sécher. En milieu d'après-midi je traverserai tout doucement la place, j'entrerai au zoo, je ferai mon petit tour et je me trouverai une cachette avant qu'on commence à faire sortir les visiteurs et qu'on ferme pour la nuit. Comme ça je serai dans la place pour voir la relève de la garde, si relève de la garde il y a, et en position d'observer les habitudes du veilleur de nuit. J'espère aussi avoir la possibilité de parler avec quelques animaux, pour qu'ils sachent bien qu'ils n'ont rien à craindre de moi. Je resterai jusqu'à la réouverture du zoo et, quand il y aura assez de monde, je me glisserai tranquillement dehors, comme un visiteur ordinaire qui serait venu de bonne heure.

Là, tout de suite, le café est très agréable. Mon serveur m'a relevé le store et j'ai du soleil plein la table, avec la tiédeur du trottoir sous mes pieds. Il est très bien, ce serveur, pour un serveur des faubourgs. Il a un type balkanique et un accent léger, cristallin.

— Vous êtes arrivé ici après guerre ? je lui ai demandé.

— Oh, j'ai raté tout ça, moi.

— Tout quoi ?

— Toute cette fichue guerre.

Impossible de dire s'il en était déçu, ou même si c'était vrai. C'est vrai pour toi, Graff, non ? Ta famille est de Salzbourg, je crois, et vous êtes passés en Suisse, à l'ouest de Zurich, avant la guerre, tu m'as dit. A mon avis, on n'était vraiment pas plus mal en Suisse qu'ailleurs sur le continent et puis vous avez pu rentrer à Salzbourg. C'étaient bien les Américains qui occupaient Salzbourg, non ? A ce que j'ai entendu dire, ils entretenaient tout bien propre, les Américains.

Mon serveur vient de m'apporter mon thé au rhum. Je lui ai demandé :

— Ils sont formidablement propres comme peuple, les Américains, non ?

— Je n'en ai jamais rencontré.

Ils sont malins, ces gens des Balkans. Il a exactement l'âge qu'il faut pour avoir connu la guerre, et je suis persuadé qu'il n'a rien raté du tout. Tandis que moi, par exemple, je n'ai pas du tout l'âge qu'il faut. J'étais au bon endroit, ça oui, mais la guerre m'a court-circuité quand j'étais dans le ventre de ma mère, et même quand j'étais seulement en route pour le ventre de ma mère. Et quand l'autopsie a eu lieu, j'étais encore trop fraîchement débarqué. Voilà ce qu'on vit, un peu, quand on a vingt et un ans en 1967, en Autriche. On n'a pas d'histoire à proprement parler, ni d'avenir immédiat qui se dessine. Ce que je veux dire, c'est qu'on est à un âge intermédiaire dans une époque de transition ; on vit entre deux périodes de décisions monstrueuses, l'une passée, l'autre à venir. On occupe le temps mort de l'Histoire, Dieu sait jusqu'à quand. Ce que je veux dire, c'est qu'au moment où de grandes décisions populaires, aux conséquences terribles, étaient prises, moi, mon existence était fœtale et pré-fœtale ; je n'ai qu'une préhistoire. Il me faudra peut-être attendre l'âge de cinquante ans avant qu'il se passe de nouveau quelque chose ; enfin maintenant la science s'est arrangée pour que les décisions monstrueuses se passent du soutien populaire. Tu vois, Graff, nous, c'est la préhistoire qui nous a faits ce que nous sommes, qui a déterminé ce que nous deviendrions. Ma *vita* à moi commence avec mes grands-parents et s'achève presque au jour de ma naissance.

Mon serveur vient de m'apporter le journal de Francfort. Il l'a ouvert à la page trois et l'a laissé tomber sur mes genoux. Il y a une photo prise en Amérique, qui montre un berger allemand en train de bouffer la robe sur le dos d'une négresse. Pas d'erreur possible, derrière, on aperçoit un policier blanc matraque levée ; il va assommer la négresse dès que le chien en aura fini avec elle, on dirait. Très floue à l'arrière-plan, une rangée de Noirs est plaquée contre une vitrine par le jet invraisemblable d'une lance à incendie. Je vous l'avais bien dit qu'ils sont malins, ces gens des Balkans. Mon serveur m'a laissé ça sur les genoux, et puis il s'est éclipsé, l'air de rien : et comment qu'ils sont propres ces Américains, tenez, ils lavent leurs Noirs à la lance à incendie.

Je me dis que si on a vingt et un ans en Amérique, maintenant, on n'a pas besoin de se gaver de préhistoire ; je crois comprendre qu'il y a des croisades tous les jours, là-bas. Mais je suis pas en Amérique, moi. Je suis dans le Vieux Monde, et il est vieux parce qu'il a commencé avant les autres. Un endroit qui est dans la stagnation historique et qui attend la prochaine Crise nationale, quel qu'il soit, c'est un vieux monde ; et c'est souvent dommage d'y être jeune.

Je me dis que si ça m'affectait vraiment, j'irais en Amérique, je rejoindrais les rangs des extrémistes noirs et je laverais les Blancs à la lance à incendie. Mais j'y pense et puis j'oublie, ça ne me préoccupe pas plus que ça.

Mon serveur est venu récupérer son journal.

— C'est terminé, monsieur ? il a dit en tendant la main.

Il lui manque un index, jusqu'à la dernière phalange. Je lui ai rendu son journal en écrasant le pouce sur le visage du policier blanc.

— Hé, il est allemand, ce journal, j'ai dit. Vous croyez pas qu'il y a de vieux Allemands qui doivent prendre leur pied à voir qu'il reste un peu de racisme en Amérique ?

J'ai dit ça pour le tester, simplement.

— Je ne me hasarderai pas à émettre une hypothèse, il m'a répondu, malin comme un singe.

Ils sont très classe, ces serveurs des Balkans. Il est clair que la moitié étaient professeurs en chaire avant d'exercer cet humble métier.

Vienne vous réserve de ces surprises. Elle est toute dans la préhistoire, papelarde, cachottière. Elle me laisse pour compte, à tous les coups. Mais puisqu'il paraît que notre génération doit tirer parti des erreurs de ses aînées, j'estime que j'ai le droit de connaître les erreurs de chacun.

Mon thé est froid, mais le rhum y est bien tassé. Il est bien, ce serveur, quoi que je puisse en dire par ailleurs. Mais ce doigt, comment il l'a perdu ? Si on le lui demande, il va dire que quand il était tout petit, le tram lui est passé dessus. Sauf qu'il n'y avait pas de tram, au fin fond de la Yougoslavie, quand il était tout petit – à supposer qu'il y en ait aujourd'hui. Mais je parie que si on demande à un Américain qui a un doigt en moins comment il l'a perdu – et à dix contre un il se le sera enfoncé jusqu'à la garde dans un goulot de bouteille –, il va raconter qu'une gâchette lui a pété dans la main pendant qu'il tirait sur l'ennemi, en Mandchourie.

Il y a ceux qui ont leur fierté, et ceux qui ont leurs perplexités.

A considérer la façon dont je me sens laissé pour compte par mon époque, la façon dont je dois me rabattre sur la préhistoire pour me situer et me définir, je vais simplifier le galimatias qui précède. Voilà : la seule chose qu'on possède vraiment, c'est sa préhistoire. Avoir le sentiment de vivre une époque de transition, c'est tout simplement inhérent au fait d'être venu au monde et au fait qu'après la naissance les choses ne vous arrivent jamais.

De loin en loin s'annonce un grand dessein qui vient changer tout ça.

Si bien que je vais lui donner un pourboire correct, à ce brave serveur, et puis je m'en vais traverser la rue. Il ne manque pas d'animaux à qui j'ai deux mots à dire.

## Autobiographie hautement sélective de Siegfried Javotnik ; préhistoire I

30 mai 1935. Hilke Marter, ma future mère, célèbre son quinzième anniversaire. Adossée à un treillage encore nu, elle se prélasse dans un *Weingarten* de Grinzing ; quelques kilomètres plus bas, à Vienne, un soleil chétif traque la neige jusque dans ses ultimes cachettes baroques du centre-ville ; plus haut, les eaux du dégel gouttent dans la Forêt viennoise, et le faîte des arbres dodeline dans un brouillard ajouré comme les dentelles des lingeries de la ville. Le jour parle de dégel, et ma mère se sent fondre.

Zahn Glanz, son premier fiancé, a des yeux si doux, si vagues, si glauques. Mais ce que ma mère admire le plus chez lui, c'est les trois poils tout raides qu'il porte à son menton rose. Et puis il sait faire chantonner son verre en glissant la langue sur le bord ; et faire monter la note d'une octave en serrant le pied du verre. En 1935, l'art de la verrerie musicale n'a pas encore disparu, même dans les lieux publics, et les talents exquis, comme celui de Zahn, peuvent atteindre le génie.

Et Zahn pense devenir journaliste, ou homme politique. Il

n'emmènera jamais ma mère dans des endroits où la radio ne marche pas — en permanence et à fond. Comme ça, il se tiendra toujours au courant de l'actualité.

— Attention de ne pas heurter le treillage, dit Zahn.

Et ma mère se penche en avant, pianote sur la table et regarde par-dessus son épaule le haut-parleur placé là-haut, dans le cadre de la fenêtre.

Le serveur lui-même fait attention à ne pas perturber le contact de Zahn avec le monde extérieur ; il marche sur la pointe des pieds, homme en pain d'épice qui s'émiette doucement sur la terrasse.

Et Radio Johannesgasse répond à l'attente de Zahn. Hitler a affirmé, annonce-t-on, que l'Allemagne n'a ni le désir ni l'intention de s'ingérer dans les affaires intérieures de l'Autriche, ni d'annexer ni d'absorber l'Autriche.

— Je veux bien me couper la trompe s'il y a un mot de vrai dans tout ça, dit Zahn Glanz.

La..., oh, par exemple ! pense Hilke. Eh bien, eh bien. N'en fais rien, surtout.

## Lundi 5 juin 1967, 16 h 30 ; deuxième quart

Peu après mon arrivée, je les ai regardés donner à manger aux fauves. Apparemment, c'est ce que tout le monde attendait depuis le matin.

A ce moment-là j'étais en train de regarder le casoar de Bennet, un oiseau aptère, de la famille de l'émeu et de l'autruche. Il a des pattes énormes, qui peuvent être dangereuses, paraît-il. Mais ce que j'ai trouvé intéressant, c'est qu'il a un casque osseux sur le haut de la tête et la pancarte avance l'hypothèse que c'est pour le protéger puisqu'il « sillonne des sous-bois denses à des vitesses stupéfiantes ». Et pourquoi est-ce que les casoars sillonneraient des sous-bois denses à des vitesses stupéfiantes ? je vous le demande. Ils n'ont pas l'air spécialement stupide. J'ai ma théorie sur l'évolution de cette armure céphalique : elle s'est développée depuis que les hommes les piègent dans ces sous-bois denses et les traquent à des vitesses stupéfiantes. C'est peut-être une glande du stress qui la produit. On ne voit vraiment pas ce qu'ils en feraient si on les laissait tranquilles.

Je regardais donc le casoar de Bennet quand les fauves ont commencé leur sabbat. Et là, sautillements, bousculade, tout le monde mourait d'envie d'assister au spectacle.

Ça sent très fort dans le Pavillon des fauves, et, naturellement, les gens en faisaient la remarque. Et j'ai vu deux choses abominables.

D'abord le gardien est arrivé et il a balancé un steak de cheval à la lionne, entre les barreaux de sa cage ; il le lui a balancé en plein milieu de sa flaque de pisse. Tout le monde ricanait et attendait que la lionne fasse une mimique de mépris.

Ensuite le gardien a été plus professionnel avec le guépard ; il a glissé la viande à l'intérieur sur un petit plateau, qu'il a retiré d'une secousse ensuite ; le guépard s'est jeté dessus et l'a attrapée dans sa gueule, exactement comme un chat domestique brise la nuque d'une souris. Rugissement du public. Seulement le guépard avait un peu trop secoué la tête et un gros quartier de viande s'est détaché pour tomber sur le rebord de la cage. Hystérie générale. Parce que, vous comprenez, le guépard n'arrivait plus à récupérer son quartier de viande ; il avait peur qu'on le lui prenne ; c'est comme ça qu'il a poussé ce rugissement, la pauvre bête. Il y a des enfants qu'il a fallu évacuer quand les autres fauves se sont mis à rugir aussi. Vous comprenez, ils croyaient que le guépard allait s'en prendre à leur propre nourriture. Ils étaient tapis sur leurs quartiers de viande, ils mangeaient beaucoup trop vite. Dans toutes les cages, les queues battaient des flancs tendus, agités de spasmes. Sans compter le vacarme du peuple, naturellement. Il y avait des gens qui paradaient devant le guépard, en faisant mine de lui prendre sa viande sur le rebord de la cage. Il devait devenir fou, à force d'essayer de glisser la tête entre les barreaux. Alors le gardien est revenu avec une longue perche qui avait une sorte de grappin au bout. Il a crocheté la viande et l'a jetée à travers les barreaux comme une balle de pelote basque. Le guépard a roulé au fond de sa cage, viande dans sa gueule. Bon Dieu, il vous a avalé cette viande en deux bouchées effroyables, sans mâcher et, comme de juste, il s'est étranglé avec et il a fini par tout régurgiter.

Quand j'ai quitté le Pavillon des fauves, il était en train d'engloutir son vomi. Les autres fauves tournaient en rond, envieux de celui à qui il restait quelque chose à manger.

Il est quatre heures et demie, et il n'y a toujours pas apparence que le zoo soit sur le point de fermer. Je suis sous un parasol dans le *Biergarten.* Vous vous souvenez ? Les Ours à lunettes. Ils ne risquent pas d'avoir pris un bain depuis la dernière fois ; ils puent pire que jamais ; ils ont l'air très gentils pourtant ; ils ont des gestes très doux l'un envers l'autre. Il faudra qu'on décide ; ou bien on les lâche tous les deux, ou bien on les laisse, mais il est hors de question de les séparer. Ce serait un effet pervers.

Bon, pour les fauves, je ne crois pas qu'on puisse quoi que ce soit. Il faudra qu'ils restent, j'en ai bien peur. Je répugne à l'admettre, mais enfin nous avons aussi des responsabilités envers les *gens.*

## Autobiographie hautement sélective de Siegfried Javotnik ; préhistoire I

22 février 1938, matin au parc de l'Hôtel de Ville. Hilke Marter et Zahn Glanz partagent un sachet de noix assorties. Ils se promènent, tête baissée car il fait frisquet, et ils savent exactement combien d'écureuils ont, en les suivant, quémandé et obtenu une noix du sachet. Ils en ont compté quatre : un qui a les joues creuses, un à qui il manque une dent, un qui a l'oreille

mordue et un qui boite. Zahn fait de petits bruits pour les attirer. Hilke dit à celui qui a les joues creuses :

– Non, tu as déjà eu la tienne, toi. Une par tête. Il n'y a plus personne ?

– Quatre écureuils dans tout le parc ! s'écrie Zahn.

Mais ma mère pense en avoir repéré un cinquième ; ils recomptent.

– Ça ne fait que quatre, dit Zahn.

– Non. Celui qui boite est parti, répond Hilke.

Mais Zahn pense qu'il s'agit toujours du quatrième qui trouve désormais plus expédient de bondir que de boiter.

– Non, c'est un autre, insiste Hilke.

Ils s'approchent d'un écureuil qui pourchasse son ombre. Et il apparaît que ce n'est pas du tout son ombre qui l'intéresse. Zahn s'agenouille par terre et s'interpose entre le soleil et lui ; Hilke lui offre une amande. Mais l'écureuil continue à décrire des cercles en bondissant, comme s'il avait perdu le sens commun.

– C'est sa gymnastique, suggère Zahn.

Hilke approche l'amande. L'écureuil tangue, recule, saute, fait la toupie, comme un cheval de rodéo qui veut désarçonner son cavalier.

– Il est peut-être dressé, dit Hilke.

Et c'est alors qu'ils aperçoivent une tache rose sur sa tête.

– Il est chauve, dit Zahn en tendant la main.

L'écureuil tourne comme une toupie ; il ne sait que tourner. Quand Zahn le prend sur ses genoux, il voit que cette calvitie a une forme ; il y a un dessin sur la tête de l'écureuil ; celui-ci ferme les yeux et claque des mâchoires dans le vide. Zahn arrête de respirer pour mieux voir, parce qu'il fait de la buée. L'écureuil a une svastika parfaite gravée dans le rose de la peau de son crâne.

– Oh mon Dieu ! s'exclame Zahn.

– Le pauvre ! dit ma mère.

Elle lui offre à nouveau l'amande, mais l'écureuil semble en proie au vertige, au bord de l'évanouissement. C'est peut-être avec une amande qu'on l'avait piégé. La cicatrice est bordée de bleu. Elle palpite, signe que cet écureuil-là a renoncé aux noix pour toujours. Zahn le libère et l'animal reprend ses tours.

Alors ma mère a envie de s'emmitoufler. Zahn lui enfouit la tête dans le col de fourrure de sa pelisse de cavalerie, vêtement qu'affectionnent alors les étudiants en journalisme et en sciences politiques — ça pue tellement la fourrure mouillée les jours de neige dans les classes qu'on se croirait dans un clapier, à l'université.

Une ligne de tramway descend la Stadiongasse en cahotant ; les voitures font des écarts, piquent du nez, comme des hommes au pas lourd, les pieds froids et gourds. Des mains essuient la buée sur les vitres, quelques gais chapeaux s'agitent ; des doigts se pressent sur le verre et pointent en direction de ce couple emmitouflé dans le parc de l'Hôtel de Ville.

Un vent se lève ; les écureuils se recroquevillent quand il leur ébouriffe le pelage. Ignorant le vent, et tout le reste, le cinquième va son train de derviche, peut-être pour retrouver la calotte qu'il a perdue, ou bien un sixième sens exclusivement épidermique chez les écureuils.

— On va se mettre au chaud ? demande Zahn en sentant Hilke Marter au bord des larmes contre lui.

Ma mère fait un signe d'assentiment qui va se cogner au menton lisse et rose de Zahn Glanz.

## Lundi 5 juin 1967, 19 h 30 ; troisième quart

J'avoue que je n'ai relevé aucune preuve d'atrocité véritable perpétrée contre les animaux par les gardiens ou les visiteurs. Des arrangements déplorables, j'en ai vu, mais des atrocités caractérisées, non. Bien entendu, je vais continuer à ouvrir l'œil, mais dans l'immédiat il vaut mieux que je ne sorte pas de ma cachette. Il va faire nuit très bientôt, et je pourrai pousser mes investigations plus avant.

J'ai eu amplement le temps de me cacher. Sur le coup de cinq heures, un type avec des allures de portier a traversé le *Biergarten* avec un grand balai plat. Bon, je me suis levé pour faire un tour. J'entendais les mêmes bruissements dans tout le zoo. Quand on croisait un balayeur, il disait : « Le zoo ferme. »

J'ai même vu des gens gagner les portes au trot — il faut croire qu'ils étaient paniqués à l'idée de passer la nuit sur place !

Il m'a semblé qu'il valait mieux ne pas essayer de me cacher avec les animaux ; c'est-à-dire que si j'entrais dans le parc d'une créature inoffensive, je risquais d'être découvert après la fermeture par un gardien spécial dont la tâche consiste à venir laver les animaux, leur souhaiter bonne nuit — leur lire des histoires, ou même les frapper.

J'ai bien pensé à l'abri haut placé des yukons, tout en haut d'une montagne artificielle, des ruines empilées par la main de l'homme et consolidées par du ciment. Les yukons ont la plus belle vue du zoo, mais cette idée de ronde après la fermeture me tracassait et puis je me suis dit que les animaux avaient peut-être leur propre système d'alarme.

Me voilà donc caché entre les hauts feuillages d'une haie et la clôture du parc des antilopes. La haie est longue et dense, mais au niveau du sol il y a des interstices par lesquels je peux regarder. Je découvre le sentier qui descend vers le Pavillon des fauves, les toits du Pavillon des petits mammifères et le Pavillon des pachydermes. J'ai aussi vue sur le sentier qui monte vers l'enclos et l'abri personnels de l'oryx, jusqu'au domaine des bêtes de l'Australie. Derrière l'écran de cette haie, j'ai un champ de manœuvre de presque cinquante mètres dans deux directions.

Pour ce qui est des gardiens, ils ne me poseront aucun problème. Les balayeurs sont passés plusieurs fois par ici après la fermeture officielle. Ils avancent en balayant et chantonnent : « Le zoo est fermé. Il y a encore du monde ? » Ils en font un jeu.

Après eux, j'ai vu ce qu'on pourrait appeler un garde officiel, deux en fait, à moins que j'aie vu le même deux fois. Celui-là, ou ceux-là, a/ont passé plus d'une heure à vérifier la fermeture des cages, et que je te tire sur la grille de celle-ci, et que je te verrouille celle-là, dans le cliquetis d'un très grand trousseau de clefs ; après quoi, apparemment, sortie par la porte principale —

ou plutôt, comme je ne vois pas la porte principale d'où je suis, disons que je n'avais plus vu personne depuis une heure quand j'ai entendu la porte s'ouvrir et se refermer d'un coup sec.

Depuis, plus personne, et il était sept heures moins le quart quand j'ai entendu la porte. Les animaux se calment ; quelqu'un qui a une grosse voix est enrhumé. Je vais rester derrière ma haie encore un moment. Je ne crois pas que la nuit va être aussi noire que je le souhaiterais et, bien que je n'aie ni vu ni entendu âme qui vive depuis près d'une heure, je sais qu'il y a quelqu'un.

## Autobiographie hautement sélective de Siegfried Javotnik ; préhistoire I

22 février 1938 : après-midi dans une *Kaffeehaus* de la Schauflergasse. Zahn et ma mère essuient la buée de la vitre pour regarder la chancellerie de la Ballhausplatz. Mais ce n'est pas aujourd'hui que le chancelier Kurt von Schuschnigg va apparaître dans l'encadrement d'une fenêtre ouverte.

Le garde de la chancellerie cogne ses bottes sur le sol en jetant un coup d'œil d'envie sur la *Kaffeehaus*, qui semble dégeler ; la neige se dépose en corniches sur sa moustache et sa baïonnette elle-même est bleue. Zahn pense que le canon du fusil est plein de neige et que l'arme ne serait d'aucune utilité.

Ce n'est qu'un garde d'honneur après tout, et la chose était certainement connue en 1934, lorsque Otto Planetta est passé devant cet honorable fusil à blanc pour décharger le sien – au mépris des lois de l'honneur – sur le petit Engelbert Dollfuss, précédent chancelier.

Le Doktor Rintelen, le nazi qu'Otto avait choisi pour le remplacer, n'a pas connu un sort enviable ; il a tenté de se tirer une balle, mais s'est raté, dans une chambre de l'hôtel Impérial. Et Kurt von Schuschnigg, ami de Dollfuss, a installé son arrière-train poussif sur le siège du pouvoir.

– Il est chargé, le fusil du garde d'honneur, maintenant ? demande Zahn.

Hilke fait crisser sa mitaine sur le carreau ; elle colle son nez à la vitre :

– Il en a l'air.

– Ils sont toujours censés en avoir l'air. Celui-ci a tout juste l'air d'être lourd à porter.

– Hé, l'étudiant, dit le serveur, vous avez qu'à foncer sur le garde, vous verrez bien.

– J'entends pas bien votre radio, répond Zahn.

Il est mal à l'aise dans cet endroit inconnu, dont il n'a pas testé l'acoustique, mais qui était la source de chaleur la plus proche du parc de l'Hôtel de Ville.

La radio marche assez fort ; elle attire l'attention du garde et ses bottes se mettent à valser.

Dehors un taxi s'arrête et son client s'engouffre dans la chancellerie après avoir fait un petit signe au garde. Le chauffeur vient s'aplatir le visage au carreau de la *Kaffeehaus* ; ça lui fait des narines de poisson ; on dirait qu'il a traversé un océan de neige pour arriver aux confins vitrés de son aquarium ; il entre.

– Ha ha ! il se passe quelque chose, dit-il.

Mais le serveur se borne à lui demander s'il veut un cognac ou un thé au rhum.

– J'ai un client, dit le chauffeur en venant s'asseoir à la table de Zahn.

Il se dégage une lucarne dans la buée, au-dessus de la tête de ma mère.

– Un cognac, c'est ce qui irait le plus vite, dit le serveur.

Le chauffeur adresse un signe de tête à Zahn et le complimente sur l'élégance de la gorge de ma mère.

– Des clients comme ça, j'en ai pas tous les jours, dit-il.

Zahn et Hilke se ménagent des lucarnes, eux aussi. Dehors, le taxi suffoque dans ses propres gaz d'échappement ; le pare-brise est en train de geler et les essuie-glaces frottent en crissant.

– C'est Lennhoff, dit le chauffeur, et il était pressé.

— Vous l'auriez déjà fini, votre cognac, signale le serveur.

— Lennhoff, le rédacteur en chef ? demande Zahn.

— Le rédacteur en chef du *Telegraph*, dit le chauffeur en effaçant sa propre buée non sans couler un regard dans le décolleté de ma mère.

— C'est le meilleur, Lennhoff, dit Zahn.

— Il dit les choses carrément, dit le taxi.

— Il va plus loin que les autres, dit le serveur.

Le chauffeur respire comme sa voiture, des halètements et puis une longue goulée.

— Je vais prendre un cognac, annonce-t-il.

— Vous allez plus avoir le temps, répond le serveur, qui l'a déjà versé.

— Vous en avez beaucoup des clients importants ? demande Hilke au chauffeur.

— Ben, les gens importants, ils aiment bien le taxi. Nous, on s'y habitue, au bout d'un moment. On apprend à les mettre à l'aise.

— Et comment ? demande le serveur en posant le cognac sur la table.

Mais le chauffeur a plongé les yeux très loin dans les profondeurs du décolleté de ma mère, et il lui faut un moment pour refaire surface. Il tend le bras par-dessus l'épaule de celle-ci pour prendre son cognac ; il bascule le verre et le fait tourner pour que le liquide monte jusqu'au bord.

— Ben, faut être à l'aise soi-même. Faut être détendu avec eux, leur faire comprendre qu'on a vu le monde, nous aussi. Tiens, prenons Lennhoff, par exemple, on va pas aller lui dire : « Je découpe tous vos éditos. » Mais il faut lui montrer qu'on est assez futé pour l'avoir reconnu ; par exemple, là, je lui ai dit : « Bonjour, Herr Lennhoff, c'est le froid, hein ? » Je l'ai appelé par son nom, vous voyez. Et lui il m'a dit : « C'est le froid, mais il fait bon dans votre taxi. » Comme ça, le client, il se sent tout de suite chez lui.

— Ben, ils sont comme tout le monde, conclut le serveur.

Et, comme tout le monde, Lennhoff marche voûté dans le froid ; son écharpe bouffe au vent et le déséquilibre ; la bourrasque le pousse dehors et l'envoie contre le garde d'honneur, tout surpris, qui était en train de se gratter le dos avec sa baïonnette et tient son fusil à l'envers au-dessus de sa tête. Le garde évite de s'embrocher en effectuant un lancer de tambour-major. Lennhoff se ratatine devant ce fusil qui passe ; le garde entame un lent salut, s'arrête soudain en se souvenant qu'on ne salue pas un rédacteur en chef, et finit par tendre la main. Lennhoff fait un pas pour la serrer, puis se souvient que cela ne fait pas partie de son propre protocole. Ils frottent leurs pieds sur le sol tous deux, et Lennhoff se laisse entraîner vers le bord du trottoir par la bourrasque ; il traverse la Ballhausplatz pour retrouver le taxi qui vibre.

Le chauffeur descend son cognac en flammes ; il en avale les trois quarts de travers ; ses yeux pleurent. Ils remontent le décolleté de ma mère à la nage, lui s'éclaircit les idées et se remet d'aplomb en effleurant l'épaule de Hilke.

– Oh, pardon, dit-il, adressant un autre signe de tête à Zahn pour le féliciter.

Ce dernier essuie la vitre.

Dans une succession de tâtonnements miraculeusement fructueux, le chauffeur trouve la monnaie pour le serveur, frôle de nouveau l'épaule de ma mère et fourre son cache-nez dans son col. Le serveur tient la porte ; la neige part à l'assaut des bottes du chauffeur et remonte le long de son pantalon. Il entrechoque ses genoux, s'apprête à passer entre les flocons et fend la bourrasque. Aussitôt qu'il apparaît, le klaxon se fait entendre à nouveau.

Il faut croire que Lennhoff est toujours pressé. Le taxi fait le tour de la Ballhausplatz en tanguant, dérive le long d'un trottoir et disparaît. A travers la neige, sa course rectiligne semble molle et ralentie.

– J'aimerais bien conduire un taxi, dit Zahn.

– C'est pas bien compliqué, dit le serveur, il suffit de savoir conduire.

Zahn commande du vin chaud, un bol, deux cuillères. Hilke le chicane sur l'assaisonnement ; il ne met pas assez de cannelle et trop de clou de girofle. Le serveur regarde la compétition des cuillères.

— J'aurais pu vous donner deux bols.

Zahn entend l'indicatif qu'il connaît si bien, celui des informations de Radio Johannesgasse. Il bloque la cuillère de ma mère avec la sienne et attend que les vagues du bol se calment.

Nouvelles du monde : On dit que M. Blondel, le chargé d'affaires français à Rome, a essuyé une insulte qu'on ne saurait répéter de la part du comte Ciano. Anthony Eden vient de démissionner de Dieu sait quel poste.

Politique intérieure : Le chancelier Kurt von Schuschnigg a confirmé les nouvelles nominations au cabinet — Seyss-Inquart et quatre autres nazis.

Rubrique locale : Un accident de tramway s'est produit dans le premier arrondissement, à l'intersection de la Gumpendorfer Strasse et de la Nibelungengasse. Klag Brahms, le conducteur de la ligne 57, a déclaré qu'il descendait la Gumpendorfer Strasse au ralenti quand un homme a débouché de la Nibelungengasse. Les rails étaient bien évidemment verglacés, de sorte que le conducteur n'a pas voulu risquer le déraillement. Selon lui, l'homme courait très vite, ou il a été pris dans la bise. Une femme qui voyageait dans la deuxième voiture affirme que l'homme était poursuivi par une bande de jeunes gens. Un autre passager de la même voiture réfute cette théorie ; selon cet autre informateur non identifié, la femme passerait sa vie à voir des bandes de jeunes gens toutes semblables. La victime elle-même n'a toujours pas été identifiée ; toute personne pensant la connaître peut contacter Radio Johannesgasse. L'homme est décrit comme petit et âgé.

— Et mort, complète le serveur, tandis que Hilke essaie de se remémorer tous les petits vieillards qu'elle connaît.

Elle n'en voit aucun qui ait l'habitude de courir dans la Nibelungengasse.

Zahn compte sur ses doigts :

— C'était il y a combien de jours que Schuschnigg est allé à Berchtesgaden rendre visite à Hitler ?

Le serveur se met à compter sur ses doigts aussi.

— Dix, annonce Zahn qui a juste le compte de doigts. Seulement dix jours, et on a cinq nazis au cabinet.

— Ça fait un demi-nazi par jour, dit le serveur en étendant une poignée de doigts en éventail.

— Le petit vieux qui s'appelle Herr Baum, demande ma mère, il n'aurait pas sa boutique de chaussures dans une rue par là ?

Le serveur demande à Zahn :

— Vous croyez pas qu'il était poursuivi, cet homme ? J'en ai vu des bandes comme ça, moi.

Hilke aussi les a vus ; elle s'en souvient. Dans les trams ou au théâtre, ils étendent les jambes sur le passage ; dans la rue ils marchent en se tenant le bras pour occuper la largeur de trottoir et vous faire dégringoler dans le caniveau ; parfois ils marchent au pas, et ils n'ont pas leur pareil pour vous suivre jusque chez vous.

— Zahn, demande ma mère, tu veux venir dîner à la maison ?

Mais Zahn regarde par la vitre. Lorsque le vent tombe, le garde se dresse, clair et immobile ; et puis la neige l'enveloppe de nouveau, soldat-totem transformé en bonhomme de neige — si on lui cassait la figure, sa joue se détacherait de son visage, exsangue sur la neige. Ça sert à rien du tout, ces gardes, épilogue Zahn, maintenant que les ennuis commencent.

— Quoi, maintenant ? dit le serveur. Ça fait quatre ans qu'ils ont commencé. Ça va faire quatre ans en juillet ; vous deviez pas être bien avancé dans vos études. Il est entré et il a commandé une tasse de moka. Il s'est assis exactement à votre place, je l'oublierai jamais.

— Qui ça ?

— Otto Planetta. Il a pris sa tasse de moka en regardant par la fenêtre, ce cochon de tartufe. Et puis il en est débarqué tout un camion dehors. C'était la quatre-vingt-neuvième Standarte SS, mais on aurait tout à fait dit l'armée régulière. Et donc, Otto Planetta, il avait sa monnaie toute prête, il a dit : « Tiens, c'est mon frère ! » Et il est sorti pour marcher dans leurs rangs ; il est allé tuer le pauvre Dollfuss ; il a tiré deux fois.

— Ça n'aura servi à rien.

— Si j'avais su qui il était, je l'aurais eu sur sa chaise, là où vous êtes. » Le serveur farfouille dans sa poche de tablier et en sort un sécateur à viande. « Je lui aurais fait son affaire avec ça, moi.

— Mais c'est Schuschnigg qui a pris le pouvoir, intervient ma mère ; c'était bien lui que Dollfuss voulait.

— En fait, poursuit Zahn, en mourant il a demandé que ce soit lui qui lui succède.

— Il a demandé un prêtre, oui, et ils l'ont laissé mourir sans lui en appeler un, réplique le serveur.

Ma mère se souvient d'autres détails ; c'est l'aspect drame familial qu'elle a le mieux retenu.

— Sa femme et ses enfants étaient en Italie, dit-elle. Ils lui avaient envoyé des fleurs le jour même ; il les a jamais reçues.

— Schuschnigg n'arrive pas à la cheville de Dollfuss, dit le serveur. Et vous savez le plus drôle ? C'est que Dollfuss était très petit. Je le voyais entrer et sortir, vous comprenez. C'est vrai ; il était minuscule, il flottait toujours dans ses vêtements. C'était presque un nain, en fait. Mais ça n'avait aucune espèce d'importance, hein ?

— Comment savez-vous que c'est Otto Planetta qui est entré ce jour-là ? demande Zahn.

C'est là qu'il remarque la taille du serveur. Il est tout petit. La main qui tient le sécateur à viande est plus frêle que celle de ma mère.

## Lundi 5 juin 1967, 21 heures ; quatrième quart

Il y a bien un veilleur de nuit, effectivement ; mais, pour autant que je sache, il n'y en a qu'un.

J'ai attendu une heure après la tombée de la nuit et je n'ai vu personne. Malgré tout, je me suis promis que je ne sortirais pas de ma haie sans savoir où se tenait le gardien. Et, il y a une demi-heure, j'ai vu une lumière dont j'ai compris qu'elle était dans le zoo. C'était une lueur qui venait du Pavillon des petits mammifères. Elle était probablement allumée depuis la tombée de la nuit, mais je n'avais pas compris qu'elle se trouvait dans l'enceinte du zoo ; je la prenais pour le reflet d'une lumière de Hietzing. J'ai commencé par avoir peur ; je me suis demandé si le Pavillon des petits mammifères n'était pas en flammes. Mais la lueur ne tremblait pas. Je suis remonté derrière ma haie jusqu'à l'angle de la clôture d'où la vue était la meilleure. Entre l'écran des arbres et une cage ici et là, je ne voyais pas la porte, mais je voyais l'auvent du toit de tuiles prendre une lueur qui devait provenir du sol, au pied du bâtiment. Il fallait bien que ce soit ça, puisque enfin il n'y a pas de fenêtre dans le Pavillon des petits mammifères.

J'avais beau être sûr de moi, j'ai été prudent. J'avançais pas à pas, courbé en deux, à quatre pattes parfois, le long des cages et des parcs. J'ai fait peur à une créature qui s'est dressée tout près de moi, et qui a pris le galop, en renâclant, hennissant, grognant. J'ai longé les mares des Divers Oiseaux aquatiques, toutes pourvues de bords assez hauts et de pancartes, historiques, explications ; ça me faisait une bonne couverture et je me suis trouvé un coin d'où l'on voyait bien la porte du pavillon. Elle était ouverte ; il y avait de la lumière qui provenait du long couloir sur le porche et se réfléchissait sur le bâtiment lui-même. A mon avis, elle vient d'une pièce ouverte, tout au bout du couloir, à l'angle. Vous vous rappelez, le Pavillon des petits mammifères, avec son dédale de corridors dans la nuit artificielle de l'infrarouge ?

J'ai réfléchi, tout en attendant. Ce n'était peut-être pas du tout la pièce du gardien ; c'était peut-être une lumière qu'on laissait allumée exprès pour que ces animaux nocturnes aient une chance de dormir, dans un jour aussi illusoire que leur nuit infrarouge.

Je me suis niché dans un buisson, en m'accoudant à un bord de mare. J'ai lu la pancarte la plus proche au clair de lune. Elle se rapportait aux alcidés. Le zoo de Hietzing n'a qu'un membre de leur famille. C'est le mergule nain ; il est décrit comme petit et ridé, passablement stupide. On l'a vu se balader dans les allées au risque de se faire marcher dessus. En fait, le roi de la famille des alcidés était si stupide que l'espèce s'est éteinte. C'est en 1844 qu'on a vu le dernier grand pingouin vivant, et en 1853 qu'on a vu le dernier grand pingouin mort ; ça se passait en Irlande, dans la baie de la Trinité, une vague a échoué sa carcasse sur la grève. Le grand pingouin était à la fois curieux et naïf, dit la notice. Si on l'approchait tout doucement, il ne bougeait pas. Cela en faisait une proie toute désignée pour les bateaux de pêche. Les pêcheurs quadrillaient les grèves à l'affût, s'approchaient tout doucement et les tuaient à coups de bâton.

Quelle prétention, cette légende ! Est-ce qu'ils veulent dire que le grand pingouin était stupide, ou que des hommes stupides en ont fait disparaître l'espèce ?

J'ai cherché des yeux le cousin survivant du grand pingouin, mais je n'ai pas trouvé le moindre mergule nigaud – et il ne s'en baladait pas dans les allées non plus, pour se faire piétiner.

On m'a observé un moment. Une créature aux pattes palmées a descendu le bord de la mare en se dandinant ; elle s'est arrêtée à un ou deux mètres de moi en gazouillant doucement – pour savoir qui j'étais venu voir à pareille heure. Elle s'est jetée à l'eau avec un « plouf » et elle est passée au-dessous de moi à la nage, en gargouillant, en récriminant, peut-être. A son port de tête, il m'a semblé reconnaître le grèbe à cou noir et j'aime à croire qu'il m'encourageait.

Je commençais à m'ankyloser et me refroidir, au milieu des mares, mais j'ai réussi à voir le gardien. Il s'est encadré dans la lumière du hall, en plissant les yeux. Il avait son uniforme, son holster ; je n'ai pas bien pu voir, mais je suis sûr qu'il était armé. Il a pris sa torche électrique pour traverser l'obscurité du hall et la nuit du zoo – une nuit un peu trop claire pour mon goût ; il y a trop de lune.

*Mais oh que c'est facile,*
*Facile,*
*De regarder les*
*Gardiens !*

# Autobiographie hautement sélective de Siegfried Javotnik ; préhistoire I *(suite)*

9 mars 1938 ; comme chaque mercredi à l'heure du thé, ma grand-mère Marter redresse les dents des fourchettes. Grand-Père s'impatiente devant le *Pflaumenkuchen* ; la peau des prunes a plissé et éclaté au four et tout le monde voit que le gâteau est encore trop chaud. Mais mon grand-père se brûle toujours la langue. Alors il arpente la cuisine, et se verse un peu plus de rhum dans son thé, en douce.

— Je déteste attendre que ce fichu gâteau refroidisse, dit-il. Si on le mettait en route plus tôt, il serait prêt au moment du thé.

Grand-Mère pointe sa fourchette dans sa direction :

— Et alors tu te mettrais à vouloir ton thé plus tôt. Tu commencerais à attendre avant, et tu nous décalerais tout, si bien qu'on prendrait le thé à la fin du déjeuner.

Zahn garde sa tasse sur les genoux, pour être prêt quand Grand-Père fera le tour de la table avec son rhum clandestin ; Grand-Père fait basculer le goulot de la bouteille contre sa hanche.

— Attention à ma Hilke, Zahn, dit-il. Qu'elle devienne pas une madame Je-sais-tout comme sa *Mutti*.

— *Mutti* a raison. Tu réussirais bien à te brûler avec ce gâteau, même s'il sortait du four plus tôt.

— Tu vois, Zahn ? dit Grand-Père.

— Les fourchettes sont toutes redressées, annonce Grand-Mère. Personne ne se blessera la lèvre, à présent. Tu sais, Zahn, c'est de l'argent ; c'est si souple que ça se déforme facilement.

— *Mutti*, Zahn a un travail à présent !

— Mais tu es encore étudiant, Zahn, dit Grand-Père.

— Il conduit un taxi. Il peut m'emmener partout.

— C'est juste à mi-temps. Je continue mes études.

— J'aime bien prendre des taxis, dit Grand-Mère.

— J'aimerais bien savoir quand, dit Grand-Père. Tu prends toujours le tram quand tu sors avec moi.

Grand-Mère pique le gâteau aux prunes avec l'une de ses fourchettes et annonce qu'il a refroidi.

Des Je-sais-tout ! dit Grand-Père. Tout le monde est comme ça aujourd'hui.

Et avant d'approcher une chaise de la table de cuisine, il se sent obligé, pour le bonheur de Zahn, d'éliminer les parasites de la radio.

Zahn est content. Voilà Radio Johannesgasse, à point pour le thé, et il anticipe l'indicatif des informations. L'heure est si fiable, les mercredis ; quand les fourchettes sont redressées et le gâteau bon à manger, il est l'heure des informations.

Nouvelles du monde : Château de Steenockerzeel en Belgique, où vit le prétendant Habsbourg. Le leader monarchiste, le baron von Wiesner, a appelé les monarchistes autrichiens à résister à la pression continuelle de l'Allemagne nazie pour absorber l'Autriche dans le Reich. Il a fait ressortir au chancelier Schuschnigg que c'est le rétablissement de la monarchie qui assurerait la meilleure résistance contre l'Allemagne.

Politique intérieure : Lors d'un meeting de masse à Innsbruck, le chancelier Schuschnigg, qui est né au Tyrol, a annoncé à sa province et au monde entier que le pays participerait à un référendum dans quatre jours, soit dimanche ; les électeurs se prononceront eux-mêmes, pour une Autriche indépendante, ou pour l'Anschluss avec l'Allemagne. Le chancelier a terminé son discours par une apostrophe en tyrolien aux vingt mille personnes réunies sur la Maria-Theresienplatz : « Hommes, l'heure est venue. » A Innsbruck, ces mots avaient une résonance toute particulière puisque, cent trente ans plus tôt, le héros paysan Andreas Hofer les avait prononcés pour galvaniser ses compatriotes contre Napoléon.

Rubrique locale : Une jeune femme du nom de Mara Madoff, fille de l'habilleur Sigismund Madoff, a été trouvée pendue dans son manteau à une patère de la garde-robe du deuxième balcon, à l'Opéra national de Vienne. Odilo Linz, le gardien de l'Opéra qui a découvert le corps, a déclaré être sûr que cette garde-robe ne sert jamais, ou en tout cas qu'elle n'avait pas servi hier soir, lors de la représentation de *Lohengrin.* Il avait lui-même ouvert la porte pendant le prélude, et n'y avait rien vu de pendu ni personne. Selon les experts, la mort aurait été causée par des coups de poinçon en étoile ; elle remonterait à la fin de l'opéra ; la jeune femme n'aurait subi aucuns sévices sexuels. Cependant, elle n'avait plus ses bas, et ses chaussures lui avaient été remises à même le pied. Une personne a déclaré avoir vu hier en fin de soirée un groupe de jeunes gens au Haarhof Keller ; l'un d'entre eux aurait arboré une paire de bas de femme en guise d'écharpe ; toutefois ce genre de fanfaronnade est à la mode parmi les jeunes gens, ces temps-ci.

Autres nouvelles locales : Les porte-parole de plusieurs groupes antinazis ont d'ores et déjà affirmé leur soutien au projet de référendum du chancelier Schuschnigg. Karl Mitler a promis l'appui des socialistes clandestins ; le colonel Wolff s'est exprimé au nom des monarchistes ; le Doktor Friedmann au nom de la communauté juive, et le cardinal Innitzer pour les catholiques. Le chancelier Schuschnigg prendra le train de nuit pour retraverser les Alpes, et on l'attend demain matin à Vienne, où il devrait recevoir un accueil assez enthousiaste.

— Assez enthousiaste, je vous crois ! dit Zahn. En tout cas, il aura fait un geste pour montrer que l'Autriche n'est pas l'annexe d'Hitler.

— Un monsieur Je-sais-tout, encore, celui-là, dit Grand-Père. Mais pour qui il se prend ? Pour Andreas Hofer face à Napoléon ? Qu'il ait été acclamé au Tyrol, oui, ça, je veux bien le croire. Mais à Berlin, qu'est-ce qu'ils en disent de Schuschnigg ? C'est pas un Français qu'on a en face, ce coup-ci.

— Bon sang, faut lui rendre un peu justice, quand même ! C'est du sûr, son vote. Y a pas un Autrichien qui veuille de l'Allemagne, en Autriche.

— Voilà bien que tu parles comme un taxi, tiens. *Pas un Autrichien*, tu dis — et alors ? *qui veuille,* tu dis. Je vais te dire ce que je veux, moi, et comme ça compte. Je veux un homme fidèle à ses engagements. Il y en avait un, c'était Dollfuss, et on l'a assassiné – un Autrichien. Et maintenant on a Schuschnigg. Avec ça !

– Mais il vient d'appeler à un vote démocratique !

– Et dans quatre jours », répond Grand-Père avec mépris. Il aperçoit les miettes de gâteau qu'il fait pleuvoir sur la table en parlant ; il se met à marmonner, ses oreilles rougissent : « Je vais te dire, étudiant, taxi ou autre, c'est une bonne chose que la terre soit pas plate, sinon Schuschnigg, il aurait déjà reculé depuis longtemps.

– Tu es un vieux pessimiste, s'écrie Hilke.

– Parfaitement, dit Grand-Mère en recueillant les miettes sur la table avec une de ses fourchettes. Et puis c'est bien toi, le plus grand monsieur Je-sais-tout. Et le plus mal élevé à table, pour un homme d'un âge aussi colossal.

– Aussi quoi ? braille Grand-Père dans une averse de miettes. Où tu as trouvé une expression pareille ?

Avec hauteur, Grand-Mère s'humecte le bout du doigt et vient délicatement cueillir une miette sur la cravate de Grand-Père.

– Je l'ai lue dans un livre que tu as rapporté à la maison, déclare-t-elle fièrement. Et je l'ai trouvée très poétique. Toi qui me dis que je lis pas assez, monsieur Je-sais-tout.

– Hé bien, tu me le feras voir, ce livre, que je fasse pas la bêtise de le lire.

Zahn adresse des mimiques expressives à Grand-Père pour lui signifier que son thé manque de rhum :

– Ça devrait s'arroser, ça, demain, dit-il, j'ai bien des chances de me faire un paquet de clients.

Et Hilke décide ce qu'elle va mettre. Le grand pull-over à col roulé rouge. S'il ne neige pas.

# Lundi 5 juin 1967, 23 h 45 ; cinquième quart

Le gardien commence sa première ronde à neuf heures moins le quart et rentre au Pavillon des petits mammifères à et quart. Il en a fait une deuxième entre onze heures moins le quart et onze heures et quart, exactement la même.

La deuxième fois, je suis resté derrière la haie et il est passé tout près de moi. Je peux vous dire à quoi il ressemble depuis la ceinture jusqu'aux pieds. Un étui-revolver militaire de tir rapide, fixé à une cartouchière qui ne contient que douze balles – je ne sais pas combien de balles il y a dans son revolver à la gueule aplatie. Le trousseau de clefs est passé dans la cartouchière ; il serait trop lourd pour une ceinture ordinaire. La torche électrique est passée au poignet par une courroie ; elle est gainée de métal, ce qui compense peut-être le fait qu'il ne porte pas de matraque. Un pantalon d'uniforme en twill gris, large à la cheville, et sans revers. Les chaussettes sont amusantes ; elles ont un petit dessin en pattes de mouches, et l'une des deux glisse perpétuellement dans son talon ; il faut qu'il s'arrête pour tirer dessus. Les chaussures sont noires, ordinaires. Il ne prend pas son uniforme très au sérieux.

Je ne courais aucun risque d'être repéré. Il promenait sa torche le long des haies, mais elles sont trop denses pour voir à travers. A quatre pattes, la lumière au ras du sol et en supposant qu'il ait de bons yeux, il m'aurait peut-être aperçu derrière les feuilles. Mais c'est vous dire que j'ai là une bonne cachette.

Il n'a pas l'air trop méchant, ce gardien. Il manque d'égards, parfois, quand il dirige sa lampe n'importe où. Dès qu'il entend tousser ou remuer pied ou patte, il envoie le rayon ; on pourrait croire qu'à présent il connaît assez bien les divagations de ses petits protégés dans leurs rêves pour ne pas s'émouvoir du moindre ronflement. Mais enfin il n'y met pas malice. Peut-être qu'il est nerveux, qu'il s'ennuie – qu'il essaie de s'occuper le regard.

Il semble même avoir ses préférés. Je l'ai vu appeler un zèbre par-dessus la clôture : « Cheval fringué, viens, viens, cheval fringué. » Et l'un des zèbres qui devait être réveillé à l'attendre s'est approché de lui en poussant son museau contre la clôture. Le gardien lui a donné quelque chose à manger – infraction caractérisée au règlement ! – en lui tirant l'oreille amicalement. Bon, un homme qui aime les zèbres ne peut pas être tout à fait mauvais.

Il entretient aussi une relation privilégiée avec un des petits kangourous. Ce doit être le wallaby, ou alors le wallaroo ; ils se ressemblent beaucoup, à la distance où j'étais. En tout cas ce n'était pas le grand cogneur. Ce monstre-là, j'aurais remarqué sa masse, même à l'autre bout de l'allée. Enfin le gardien a appelé quelqu'un : « Hé toi, l'Australien, hé toi, le dandy, viens un peu là, qu'on boxe ! » Et quelqu'un a donné un grand coup ; une longue oreille pointue s'est tendue et une queue raide a fouetté le sol. Le gardien avait peut-être pris un ton un peu narquois, et c'était peut-être impoli de sa part de réveiller les voisins de l'Australien, mais quand même, c'est plutôt un brave type. S'il apparaît que c'est celui-là que nous devons neutraliser, je souhaiterais le faire le plus poliment possible.

Il vient de se produire quelque chose de bizarre. Une petite cloche vient de sonner dans le pavillon, très nettement ; je l'ai entendue sonner ; les animaux aussi l'ont entendue. Il y a eu de l'agitation, un remue-ménage général – et que je te tousse, et que je te grogne, que je te renâcle en sursaut, haleine courte et aux aguets ; les bruits qu'on entend lorsque les choses essaient de se tenir tranquilles : des articulations qui craquent, des estomacs qui gargouillent, des déglutitions difficiles.

D'abord la cloche a sonné, et puis le gardien est sorti du pavillon. J'ai vu sa torche s'agiter légèrement ; puis il y a eu un éclair dans l'une des allées ; je crois qu'il venait de la porte principale. Le gardien a répondu par un signal de sa propre torche.

Le long de la palissade, derrière ma haie, les Antilopes

assorties traînent les sabots. Il se passe quelque chose, pour de bon ; il est minuit et ce zoo a les yeux grands ouverts.

## Autobiographie hautement sélective de Siegfried Javotnik ; préhistoire I

10 mars 1938 ; il fait doux, c'est un jeudi sans neige, idéal pour le col roulé rouge de Hilke.

Le matin de bonne heure, à peu près au moment où le train du chancelier Schuschnigg entre en gare à la Westbahnhof – et peu après que Zahn Glanz a écrit **Ja Schuschnigg** à la craie sur le capot noir de son taxi, un éleveur de poules de la campagne environnant Hacking commence à s'habiller pour les réjouissances attendues en ville. Car ce matin, l'homme, qui s'appelle Ernst Watzek-Trummer, a ignoré les œufs pour ramasser les plumes à la place. Ce qui n'est pas moins curieux que le travail qui l'a occupé toute la nuit – réunir des moules à tarte piqués de petits trous par du fil de fer pour en fabriquer une cotte de mailles pour rire, et graisser le costume afin que les plumes de poulet dans lesquelles il se roule à présent puissent adhérer à sa surface. Quelqu'un qui le regarderait s'habiller ne lui achèterait plus jamais un seul œuf. Mais personne ne le voit, sinon les poulets qui se carapatent en piaillant au moment où il se roule dans tous les sens sur le tas de plumes qui jonchent le sol de son poulailler. Par ailleurs, nul ne saurait l'accuser d'avoir des goûts dispendieux. Il ne lui a rien coûté, ce costume. Des moules à tarte, il en avait à ne plus savoir qu'en faire, et il peut encore s'en servir pour y mettre les œufs qu'il vend ; quant aux plumes, elles ne lui ont jamais fait autant d'usage. Jusqu'à la tête de son costume qui se compose de moules à tarte, un véritable casque de moules à tarte, un par oreille, un pour le haut de la tête, et l'autre arrondi pour s'adapter au visage, avec des trous pour les yeux et un pour la bouche, plus deux petits pour faire passer le fil de fer qui assujettit le bec en fer-blanc. C'est un bec pointu à vous transpercer un homme de part en part. Entre les yeux apparaît une décalcomanie de l'aigle autrichien, que Ernst Watzek-Trummer a décollée à la vapeur du pare-chocs de son camion pour la fixer là avec de la graisse – donc, là encore, pas de dépense inutile. C'est sans conteste un costume d'aigle d'une authenticité effrayante – ou disons qu'il est sinon authentique du moins convaincant. La cotte de mailles emplumée lui tombe jusqu'aux genoux, et les manches en moules à tarte ont été conçues assez larges pour battre comme des ailes. Il laisse la tête sans plumes, mais la graisse tout de même, pour faire luire son dôme. Ernst Watzek-Trummer, aigle, aigle autrichien d'un jour, achève de s'habiller dans son poulailler et ferraille, farouche, vers les faubourgs de la ville, espérant qu'on le laissera monter dans le tramway.

Zahn Glanz, qui se dirige vers chez ma mère, s'est arrêté une fois pour dégonfler légèrement ses pneus et il est en train de perfectionner leur crissement sur le rond-point entre le lycée technique et la Karlskirche.

Grand-Père Marter a décidé de ne pas aller travailler ce matin parce qu'il n'y aura pas de lecteur dans la salle des publications étrangères du Foyer international, et que par conséquent l'absence du conservateur en chef ne gênera personne. Il guette le taxi de Zahn, parce qu'il peut bien, comme dit Grand-Mère, passer leur optimisme aux jeunes, et qu'il peut bien se passer à lui-même les libations appropriées à ce jour de liesse.

Et Zahn, qui en est à son quatrième tour de rond-point, voit sortir de la Karlskirche une messe matinale. Sans briller par son sens des affaires, il se dit qu'un premier client serait une préface de bon aloi à son arrivée chez ma mère. Il met son taxi au point mort le long du trottoir, devant l'église, et lit son *Telegraph*, déployé sur le volant. L'éditorial de Lennhoff fait l'éloge du référendum de Schuschnigg tout en exprimant une pointe de curiosité perfide quant à la réaction allemande.

Pendant ce temps, sur la ligne de tramway 49, à l'arrêt Hutteldorf-Hacking, un chauffeur revêche refuse l'entrée de son véhicule à un homme en costume d'aigle. Ernst Watzek-Trummer ajuste son bec, fait bouffer les plumes de son jabot, et s'en va se pavaner ailleurs.

Et, sur la Ballhausplatz, le chancelier Schuschnigg aperçoit par une des fenêtres de la chancellerie une banderole, tendue au-dessus de la Michaelerplatz, entre la balustrade de Saint-Michel et celle des salons de la Hofburg. Cette banderole est faite de draps de lit cousus ensemble ; les lettres sont nettes et énormes : « Pour une Autriche libre : Schuschnigg. » Le chancelier se dit que pour qu'il puisse lire à une pareille distance, il faut que les points soient gros comme une tête d'homme. Ça lui réchauffe le cœur jusqu'au bout de son chapeau tyrolien de savoir qu'au-delà de la banderole, dans l'Augustinerstrasse, jusqu'à l'Albertinaplatz et plus loin encore, dans tout le centre-ville, la foule lève son verre à sa santé.

Ça le réchaufferait encore plus s'il voyait la fermeté d'âme d'Ernst Watzek-Trummer, en butte aux humiliations : à l'arrêt Saint-Veit, il se fait proprement éjecter du tramway devant les enfants qui se sont attroupés à sa suite depuis Hacking et le suivent à une distance régulière pour se moquer de lui. L'aigle laisse une poignée de plumes graisseuses ; il va se pavaner ailleurs. Mais le chancelier Schuschnigg ne voit pas à plus de cinq arrondissements et il n'est pas témoin de cette démonstration unique de patriotisme.

Grand-Père dirait que le chancelier n'a jamais su voir bien loin. Mon grand-père pense d'ailleurs avoir le monopole de cette faculté. Par exemple en ce moment il dit à ma mère : « Hilke, prends ton manteau, c'est Zahn », alors que Zahn est encore à trois rues de chez eux, et qu'il se décide à peine à abandonner le trottoir de l'église en ayant conclu que les fidèles matinaux se doublent vraisemblablement de marcheurs convaincus. Enfin soit double vue, soit impatience, Grand-Père et Hilke ont leurs manteaux sur le dos lorsque Zahn tourne le coin de leur rue.

– Ne va pas te faire prendre dans des bagarres, dit Grand-Mère.

– Toi, lis un bon livre.

Et ce n'est qu'en milieu d'après-midi que Grand-Père a une

vision, derrière la vitre sale de l'*Augustiner Keller*. Il en renverse sa bière et se cache dans le col de Zahn en gloussant.

— Papa ! dit Hilke, gênée.

— Vous ne vous sentez pas bien ? demande Zahn.

Et Grand-Père se retourne vers la vitre, sans lâcher le col de Zahn pour pouvoir y replonger si la créature de sa vision reparaissait.

— J'ai jamais vu d'oiseau aussi gros, marmonne-t-il.

Et voilà que sa vision se profile derrière les portes tournantes de la *Keller,* entre en voletant avec des petits battements mal assurés et alarme toute une rangée de consommateurs qui mangent de la saucisse au bar, et qui tombent à la renverse en vague ; une tranche de viande épaisse fait floc sur le sol, et tout le monde la regarde comme si c'était un cœur ou une main.

— Seigneur Dieu ! s'exclame Grand-Père, qui ne fait qu'un bond dans le revers de Zahn.

La vision à l'envergure effarante fait tinter les moules à tarte emplumés de son jabot. Elle crie : « *Côk ! Côk* ! l'Autriche est libre ! » Et très lentement, après un silence impressionnant, un par un, les buveurs vont étreindre ce symbole de l'identité nationale.

— *Côk,* dit Grand-Père avec une dignité recouvrée.

Et Zahn saisit la cotte de mailles de l'aigle et le traîne jusqu'à leur table. Son bec manque transpercer Grand-Père, qui étreint ce gros oiseau comme on le ferait d'un ours.

— Regardez-moi ça, dit-il, quel aigle superbe !

— Je suis allé jusqu'à l'Europaplatz à pied, dit l'aigle, avant qu'on m'autorise à monter dans un tram.

— Et qui vous a empêché de monter? crie Grand-Père, furieux.

— Des chauffeurs, un peu partout.

— Il y a très peu de patriotisme dans les banlieues, lui dit mon grand-père.

— J'ai tout fait moi-même, reprend l'aigle. Je ne suis qu'un marchand d'œufs, en fait. J'ai mes poulets (il touche les plumes et tapote la ferraille qu'elles recouvrent) et j'ai ces petits moules, pour vendre les œufs dedans.

– Formidable ! s'écrie Zahn.

– Vous êtes magnifique, dit Hilke à l'aigle, en enfonçant son doigt dans les zones duveteuses, là où la plume le rembourre le mieux, sous son menton de fer-blanc, sur toute la poitrine, aux aisselles ailées.

– Retirez votre tête, dit Zahn, vous pourriez pas boire, avec.

Une vague humaine menace de déferler au-dessus de l'aigle, « Oui, retirez votre tête ! » ; on se bouscule, on tend le bras, on renverse sa bière pour s'approcher de l'oiseau.

– Pas d'attroupement, un peu de respect, dit Grand-Père.

Un violoniste bondit sur le balcon au-dessus de leur table et un violoncelliste le suit en grognant, le dos voûté. Ils replient leurs mouchoirs.

– Musique, dit mon grand-père qui fait désormais la pluie et le beau temps à la *Keller*.

Le violoniste pince son archet, et le violoncelliste fait craquer une corde grosse comme un doigt. Tout le monde se tient le dos, comme s'il venait de faire vibrer une vertèbre.

– Silence, à présent, dit Grand-Père, qui a toujours la situation en main.

L'aigle étend ses ailes.

– Retirez votre tête, chuchote Zahn.

Et la musique commence – un *Volkslied* à faire pleurer les grands de ce monde.

Hilke aide l'aigle à se débarrasser de sa tête. Ernst Watzek-Trummer plisse son visage de vieux gnome, une fossette apparaît à son menton. Ma mère veut l'embrasser, mon grand-père l'embrasse effectivement – dans la prime de joie que constitue peut-être la découverte de tant de cheveux gris autour des oreilles de l'aigle. Seul un homme de sa génération pouvait incarner l'aigle autrichien.

Ernst Watzek-Trummer est dépassé par la situation – c'est un homme instruit, il le voit bien, qui l'embrasse et boit à sa santé. Il a un mal fou à battre la mesure du *Volkslied*. Sa tête circule, manipulée avec révérence ; elle glisse de main en main, y laissant de sa graisse et un peu de son lustre.

Les vitres s'embuent de givre. Quelqu'un suggère qu'on

devrait trouver un système pour faire voler l'aigle – il faudrait le pendre et le balancer depuis la balustrade de Saint-Michael parce que là, Schuschnigg pourrait le voir. On offre des bretelles à la ronde ; l'aigle semble bien disposé, mais mon grand-père est ferme.

– Messieurs, dit-il en rendant une paire de larges bretelles rouges, messieurs je vous en prie ! » Son regard parcourt les visages vagues et ahuris d'hommes en train de retenir leurs pantalons, les pouces dans les passants de leur ceinture. « Nous avons ici ma fille, poursuit-il en tournant doucement le visage de celle-ci vers l'assemblée.

Les hommes battent en retraite, contrits, et l'aigle échappe à l'estrapade – car son vol aurait pu être encore plus élastique que prévu si l'on tient compte des différences de résistance entre les bretelles molles et les bretelles plus tendues.

Ernst Watzek-Trummer parvient au taxi de Zahn sain et sauf. A la demande de Grand-Père, il a neutralisé la pointe de son bec avec un bouchon de bouteille, pour ne pas blesser la foule sur son passage. C'est donc avec son bouchon au bec et la silhouette un peu voûtée d'être monté en voiture, qu'il occupe la banquette arrière, ayant pris mon grand-père et ma mère sous son aile. Zahn les véhicule avec maestria par la Michaelerplatz, sous les draps fripés qui bénissent Schuschnigg, le long des petites rues aux Kaffeehaüser, du côté du Graben.

Zahn annonce la délivrance de l'Autriche à grand renfort de coups de klaxon et en criant « *Côk ! Côk !* Le pays est libre ! »... Et à présent les observateurs las qui dessoûlent au café, derrière les lucarnes dans la buée, n'y font guère attention. Ils sont déjà fatigués des miracles. Ce n'est jamais qu'un gros oiseau sur la banquette arrière d'un taxi volant.

Et ma grand-mère, livre ouvert, thé froid, les attend de pied ferme. Quand elle voit l'aigle qu'on pousse dans la cuisine, elle se tourne vers Grand-Père comme s'il venait d'amener un animal qu'on n'arrivera jamais à nourrir.

– Mon Dieu, regarde-moi ça, elle lui dit, avec ta fille qui t'a pas quitté !

– *Côk !* dit l'aigle.

— Qu'est-ce qu'il veut, Zahn ? » lui demande ma grand-mère, puis, se tournant de nouveau vers mon grand-père : « Tu l'as pas acheté, au moins ? T'as rien signé ?

— C'est l'aigle autrichien, répond Grand-Père, un peu de respect !

Et Grand-Mère regarde, sans plus de respect que ça. Son regard passe sur le bouchon du bec pour aller se planter dans les yeux.

— Frau Marter, dit l'aigle, je m'appelle Ernst Watzek-Trummer, je suis de Hacking.

— C'est un patriote, dit Grand-Père en tapant sur l'épaule de l'aigle.

Une plume tombe, éternellement, on dirait.

— *Mutti*, dit Hilke, c'est lui qui a fait son costume.

Grand-Mère tend une main circonspecte vers le plumage du jabot de l'aigle.

— C'était rien que la dernière petite folie que je m'offrais, *Mutti*, dit doucement Grand-Père, et notre fille était entre de bonnes mains.

— Pour ça oui ! dit Zahn en donnant une claque dans le dos à l'aigle.

— Oh, c'est bien la dernière petite folie de l'Autriche aussi, *Mutti*, conclut tristement Grand-Père.

Et il adresse une génuflexion à l'aigle.

Ernst Watzek-Trummer se couvre les orbites ; ses plumes tremblent ; il se met à pleurer à gros sanglots qui grincent dans son bec.

— *Côk ! Côk !,* dit Zahn qui n'a rien perdu de sa gaieté. Mais le casque de l'aigle est secoué de sanglots métalliques.

— Allons, allons, dit Grand-Père, voyons, vous êtes un patriote magnifique. Et puis c'était une grande soirée, non ? Zahn va vous raccompagner chez vous en taxi, vous savez.

— Oh, le pauvre ! s'exclame Grand-Mère.

Ils s'y mettent à toute la famille pour raccompagner l'aigle au taxi.

— Vous allez avoir la banquette pour vous tout seul, dit Zahn.

— Enlève-lui sa tête, dit Grand-Père, il va se noyer !

Et Hilke lance à son père :

— Tout ça c'est ta faute, espèce de pessimiste !

— Monsieur Je-sais-tout ! dit ma grand-mère.

Mais Grand-Père claque les portes et règle une circulation imaginaire dans la rue déserte. Il fait signe à Zahn que la voie est libre.

Zahn traverse l'immobilité sépulcrale des banlieues – Hadik, Saint-Veit, Hütteldorf-Hacking, où, il ne peut s'empêcher de le conjecturer, les fantômes et les habitants actuels accueilleraient indifféremment Hitler ou le Saint Empire romain germanique. Pendant ce temps, l'aigle se défait sur le siège arrière et lorsque Zahn trouve le chemin de la ferme obscure cachée hors du cercle de lumière du poulailler, il y a un vieil homme hirsute dans son rétroviseur et des plumes qui flottent dans tout le taxi.

— Allons, dit Zahn.

Mais Ernst Watzek-Trummer est en train de s'en prendre à l'aigle vide, qu'il a acculé au siège avant. Il essaie de lui casser les reins, mais l'aigle est étonnamment bien fait ; il s'avachit sur le siège, son armure de moules à tarte plus solide qu'une colonne vertébrale.

— Allons, allons. Regardez dans quel état vous mettez votre costume, dit Zahn.

Mais Ernst Watzek-Trummer donne des coups de poing, arrache des poignées de plumes et traîne un pied vengeur sur le sol de la voiture pour tenter de trouver la tête et l'écrabouiller.

Zahn se coule sur le siège arrière et parvient de haute lutte à le sortir du taxi. Ernst Watzek-Trummer bat des bras. Zahn referme la porte et pilote l'éleveur de poulets jusque chez lui.

— Allons, je vous en prie. Vous allez bien dormir, d'accord ? Et puis je viendrai vous chercher moi-même pour aller voter.

L'homme aux œufs s'effondre, et Zahn le laisse tomber en avant, mais repasse devant lui pour lui tenir la tête. Ils sont à genoux, face à face.

— Vous vous rappellerez ? Je passerai vous prendre pour le référendum. Je vous conduirai aux urnes, d'accord ?

Ernst Watzek-Trummer le regarde fixement et soulève l'arrière-train comme un coureur en position de départ ; il secoue la tête comme pour charger, déroute Zahn et bondit autour de lui – à quatre pattes d'abord, puis redressé par sa course. Il s'arrête et se retourne pour regarder Zahn. Zahn projette un mouvement stratégique.

– Allons, allons. Vous allez vous coucher, d'accord? Vous n'allez pas vous attirer des ennuis, d'accord?

Mais Ernst Watzek-Trummer a les bras ballants.

– Il n'y en aura pas, de vote, dit-il. Ils ne vont pas nous laisser nous en tirer comme ça, pauvre nigaud!

Il se dirige vers son poulailler. Zahn part sur ses talons, puis s'arrête. Une porte éclairée s'ouvre au milieu de son horizon, et Ernst Watzek-Trummer la referme derrière lui. Tout le poulailler fait le dos rond en gémissant sous son propre toit. L'espace d'un instant, Zahn en est sûr, les œufs sont pris sur le vif, à mi-ponte. Et puis ça rouscaille; Zahn voit une poule passer à tire-d'aile, ou tomber derrière une fenêtre; à l'intérieur une lumière danse, ou valse. Une autre poule, ou éventuellement la même, piaille. Puis la lumière s'éteint; il n'y aura pas d'œufs, cette nuit. Zahn attend pour être sûr que Ernst Watzek-Trummer a trouvé une couchette – viré quelqu'un de son perchoir. Mais ce délogé souffre en silence.

Zahn retourne au taxi les jambes flageolantes; il s'assied sur le marchepied et descend une rasade de la bouteille de cognac que Grand-Père lui a laissée. Il essaie de fumer, mais sa cigarette s'éteint sans cesse. Et il est presque au volant, en train de partir, lorsqu'il aperçoit l'aigle désaffecté penché vers le siège avant. Il l'assied près de lui, mais l'aigle glisse toujours. Il retrouve sa tête, la lui pose sur les genoux et lui offre un peu du cognac de mon grand-père.

– Tu vas avoir un de ces mal au crâne, demain matin! lui dit-il dans un gloussement qui se termine en éternuement, une série d'éternuements, une convulsion assez bruyante pour faire caqueter au poulailler.

Il ne peut plus s'arrêter, c'est l'hystérie. Il se voit surgir dans le poulailler revêtu du costume d'aigle, allumer la lumière et faire « *Côk!* » jusqu'à ce que les poules en folie se lancent dans un marathon de la ponte, ou cessent de pondre pour toujours –

faire « *Côk!* » si fort que c'est Ernst Watzek-Trummer qui pondrait l'œuf le plus gros.

Mais il se contente de proposer un autre verre à la tête de l'aigle et comme elle ne réagit pas, il lui en enfile une bonne giclée par le trou.

Il a l'impression qu'ils parlent depuis plusieurs heures en se repassant la bouteille, qu'ils montent la garde devant le poulailler noir, veillant sur le sommeil d'Ernst Watzek-Trummer dans son nid princier.

— Bois un coup, brave aigle, dit-il en regardant le trou de la tête descendre la bouteille dont il lui présente le goulot.

## Mardi 6 juin 1967, 1 h 30 ; sixième quart

La relève de la garde s'est faite à minuit, et depuis les choses ne sont plus ce qu'elles étaient. Tout le monde est sur le qui-vive. Vraiment, ce zoo n'est qu'un vaste remue-ménage ; personne ne dort. Une insomnie générale s'est déclarée à minuit.

J'ai d'abord cru qu'ils étaient sur mes traces. Je me disais que le premier veilleur avait raconté au second qu'il y avait quelqu'un qui rôdait. Ou peut-être que les animaux s'étaient passé le mot. Une rumeur publique qui circulerait dans les battements de sabot, les gazouillis, les grognements et autres les aurait avertis. Ils attendraient maintenant de voir ce que j'allais faire.

Mais je ne crois pas que ce soit la vraie raison de la vigilance du zoo. La vraie raison, c'est le nouveau gardien. La petite sonnerie a préparé tout le monde ; les animaux l'attendaient. Les gardiens se suivent et ne se ressemblent pas, je peux vous le dire.

Il est passé près de moi. Il a une matraque, celui-là ; il la glisse dans un étui cousu à l'intérieur de sa botte gauche. Il porte des rangers adaptées, qui lui montent au-dessus de la cheville et qu'il lace sans les serrer au niveau du mollet. Il rentre son pantalon de twill gris dedans. Il porte un holster ouvert, à la cow-boy, et le canon de son pistolet automatique fait bien quinze centimètres de long. Il a une bonne combine pour le trousseau de clefs. Il passe le bras dedans et il le bloque sur son épaule, en l'attachant sous une épaulette — il faut dire que son uniforme a encore ses deux épaulettes. Toutes les clefs pendent sous son bras avec un bruit de ferraille. Ça ne me paraît pas très commode parce que, quand on a un trousseau de clefs sous l'aisselle, on tient son bras bizarrement, mais enfin c'est son bras droit, et ça le met peut-être dans une meilleure position pour porter la main à son holster, qui se trouve assez haut sur sa hanche droite. Je crois que, malgré son léger déséquilibre apparent, il n'a pas mal compris sa quincaillerie. Naturellement, il a aussi une torche électrique. Il la porte de la main gauche, par une lanière de poignet – pour ne pas être gêné quand il veut prendre sa matraque. C'est logique : si on est assez près pour se servir d'une matraque, on n'a pas besoin d'une torche pour y voir, et si on est assez loin pour tirer, il faut avoir une torche électrique qui ne bouge pas dans l'autre main. Je crois que ce gardien-là prend son boulot au sérieux.

Il a suivi toute la longueur de ma haie. Quand il est passé devant moi, je me suis avancé dans un interstice – juste assez pour voir le haut de son corps : le trousseau de clefs, les épaulettes, l'angle que fait le bras droit. Mais en entier, je n'ai pu le voir que de dos, et encore pas longtemps. Il a la torche électrique nerveuse. Il est là à la balancer doucement vers le bout de ses rangers et, tout d'un coup, il pirouette et peint un cercle de lumière autour de lui.

Voilà une heure et demie qu'il est arrivé et il est toujours à faire sa ronde et ses ronds de lumière. Peut-être qu'il pense que le premier gardien est négligent ; peut-être qu'il a besoin de se représenter le zoo paisible dans sa tête pour assurer une garde normale.

Ça doit les rendre très nerveux, les animaux, d'être dérangés comme ça toutes les nuits. Je vois les cercles de lumière soudains du gardien, parfois trois ou quatre fois dans le même coin. Et il a une façon très agressive de vérifier les verrous. Il ne se contente pas de tirer dessus – il secoue toute la cage.

Pas étonnant que tout le monde soit réveillé.

# Autobiographie hautement sélective de Siegfried Javotnik ; préhistoire I

11 mars 1938, vendredi noir. Peu après cinq heures et demie, les prêtres du petit matin dressent les autels des chapelles latérales à Saint-Étienne, et Kurt von Schuschnigg entre discrètement faire une prière très brève et très claire. Il est debout et en route pour la chancellerie depuis que Skubl, secrétaire à la Sécurité, lui a téléphoné que les Allemands ferment la frontière à Salzbourg et rappellent tous leurs responsables des douanes. Il paraît qu'il y aurait aussi une arrivée de troupes allemandes sur la route de Reichenhall à Passau. A la chancellerie, Schuschnigg découvre le télégramme – dur à avaler – du consul d'Autriche à Munich : Léo est prêt à voyager. Tout ça avant qu'il fasse jour, avant que la presse allemande du matin lui ait été télégraphiée. Ils ont tout juste une ombre de sentiment allemand, mais ça devrait suffire. L'agence de presse nazie, DNB, prétend que des drapeaux avec le marteau et la faucille ont été hissés à Vienne et que, dans la frénésie ambiante, des citoyens crient d'un même souffle : « Heil Schuschnigg ! Heil Moscou ! » L'agence annonce que le Führer pourrait être forcé de se lancer dans une « croisade antibolcheviks » pour le compte de l'Autriche. Le pauvre Kurt von Schuschnigg doit avouer que c'est une version tout de même très romancée de son référendum. Il sort d'un coup de téléphone en urgence au ministre britannique, qui à son tour envoie un câble à Lord Halifax, à Londres, pour savoir si la Grande-Bretagne va choisir son camp. Et puis il regarde la première lueur qui traverse les vitres noires de suie des salles d'exposition de la Hofburg et qui cherche les bijoux, rares et anciens, et l'or qui s'y trouvent.

La lente lumière de mars lève des stores dans Saint-Veit l'assoupi, et Zahn Glanz chante la bienvenue à l'aube. Il a de la chance qu'il soit tôt et qu'il y ait peu de circulation, parce que sa politique aux carrefours n'est guère cohérente. Comme les pavés lui donnent mal à la tête, il roule sur les rails du tramway chaque fois que c'est possible. La largeur du taxi ne correspond pas tout à fait à celle du tram, mais il réussit le plus souvent à avoir un côté sur rail.

Il approche du centre-ville par la Wahringerstrasse quand il s'arrête pour charger un client. C'est un homme qui sort, tête baissée, d'une messe matinale à la Votivkirche. Il s'engage dans la voiture et Zahn démarre avant même qu'il ait fermé la porte.

– *Côk ! Côk !* Où je vous emmène ?

L'homme, qui brosse de la main son pantalon où se sont déposées des plumes de poulet, s'écrie :

– C'est un taxi ou une basse-cour ?

En levant les yeux, il aperçoit le bec aquilin de Zahn dans le rétroviseur et ses épaules déplumées arrondies sur le volant. Il roule dehors par la portière qu'il n'avait pas encore bien fermée.

– Vaut mieux pas laisser la portière ouverte, dit Zahn.

Mais il s'adresse à une banquette arrière vide où il neige des plumes.

Alors il tourne dans la Kolingasse et s'y arrête ; il sort du taxi d'un pas traînant et retourne au coin de la Wahringerstrasse où il voit son client gagner le trottoir en boitant. A la sortie de la messe, comme ça, il doit se dire qu'il a vu un séraphin.

Et Zahn saute dans son taxi. Il fait peur à un cafetier qui enroulait son store pour profiter du chiche soleil. L'homme lâche la manivelle, le store lui tombe dessus tout chiffonné et la manivelle tourne comme une folle, lui écorchant le dos de la main.

– Qu'est-ce que je me suis levé tôt ce matin ! dit Zahn.

Et il lance un farouche cocorico depuis son tableau de bord. C'est que, les plumes de poulets, le chant du coq et les aigles, il mélange tout.

Il sent tout de même qu'il y a quelque chose qui cloche, et il décide que c'est qu'il n'a pas de pattes. Aigle, poulet ou autre volatile, il devrait en avoir. Alors il s'arrête à une boucherie du Kohlmarkt et s'achète un poulet entier. Puis il arrache les pattes et les attache dans la cotte de mailles, juste sous les larges manches trois quarts. Les pattes se recroquevillent sur ses mains et le griffent pendant qu'il conduit.

Mais il est bien connu que les bouchers sont une race tristement dénuée d'imagination, et celui du Kohlmarkt ne fait pas exception. Il appelle Radio Johannesgasse pour dénoncer un homme déguisé en oiseau qui pilote un taxi d'une main hasardeuse.

— Parce qu'il faut tout de même être spécial, pour acheter un poulet entier et arracher les pattes sur la porte d'un taxi. Comme ça, là. Il a claqué sa portière sur les pattes de son pauvre poulet jusqu'à tant qu'elles soient complètement sciées. Et le poulet, il l'a balancé ! dit le boucher, qui pense qu'il faut que les gens soient prévenus.

Mais Radio Johannesgasse a déjà entendu parler d'un objet à plumes non identifié — par un employé de la compagnie de taxis qui a téléphoné après l'arrestation, pour blasphème et troubles sur la voie publique dans la Wahringerstrasse, d'un homme qui aurait parlé d'un éventuel séraphin. Si bien que Zahn est sur toutes les lèvres. Le seul que ses aventures laissent froid, c'est Kurt von Schuschnigg, qui trouve la journée beaucoup trop longue.

La suite des événements pour le malheureux Kurt, c'est que Seyss-Inquart, un des nazis du cabinet, lui fait part d'un appel téléphonique de Goebbels, très excessif. Ce dernier, qui fulminait depuis Munich, lui a enjoint de prendre le contrôle du cabinet, et de s'assurer que Schuschnigg annule le référendum. Seyss-Inquart s'en excuse presque ; peut-être se demande-t-il si les choses ne vont pas un peu vite. Lui et Schuschnigg s'en vont trouver le président Miklas, non sans que le chancelier — ou une personne de son entourage — ait envoyé un page de la chancellerie pour ramasser le tas de draps de lit fripés qui gêne la circulation sur la Michaelerplatz.

Et Grand-Père Marter a de nouveau décidé que le conservateur en chef resterait chez lui ; en fait, depuis qu'il a entendu le premier rapport radiodiffusé sur la créature ornithomorphe qui pilote un taxi, il ne quitte plus sa fenêtre. Grand-Mère lui apporte son café, et Hilke observe la Schwindgasse avec lui. Le soleil n'arrive pas encore jusque dans la rue, mais c'est un soleil capricieux, et quand il sort, il n'atteint que les étages supérieurs et les toits d'en face – et il ne resplendit que quand il touche la boule de cuivre qu'un cupidon tient dans ses mains, au faîte de l'ambassade de Bulgarie. Des cupidons, il y en a partout, mais les Bulgares sont les seuls à avoir nanti le leur d'une boule de cuivre. A moins que ce ne soit l'œuvre d'un mauvais plaisant, pour insulter les Bulgares. C'est la seule ambassade de la Schwindgasse et elle aura occupé Grand-Père dans son attente. Il a remarqué qu'aujourd'hui même les Bulgares donnent et reçoivent des appels téléphoniques. Dans le bureau qui donne sur la rue, un petit homme massif, qui doit être velu comme un singe, a passé courbé au téléphone tout le temps que Grand-Père a monté la garde.

Quand Grand-Père entend les dernières nouvelles de l'affaire, le témoignage du boucher du Kohlmarkt, il demande un thé au rhum à Grand-Mère. Ce boucher a l'œil carré. Radio Johannesgasse diffuse le signalement d'un homme déguisé en oiseau, puant le cognac, au volant d'un taxi dont le capot porte l'inscription : **Ja Schuschnigg,** écrite à la craie.

Si Schuschnigg s'intéresse maintenant à cette affaire locale, c'est qu'il a assez d'imagination, lui, pour voir ce qu'une agence de presse nazie pourrait en faire : une société secrète de terroristes bolcheviks s'emparant des transports en commun pour empêcher les électeurs de participer au référendum prévu. Mais enfin les problèmes locaux ne peuvent guère que lui paraître mineurs. Il a assez de mal à convaincre le vieux président Miklas qu'il faudrait sans doute accéder à la demande de l'Allemagne en ce qui concerne Seyss-Inquart. Le vieux Miklas, inactif depuis si longtemps, saisit précisément cette occasion pour faire de la résistance.

Peut-être Schuschnigg a-t-il lu ce qui est écrit sur les murs de la chancellerie au cours de sa déambulation matinale dans les bureaux lambrissés de sombre ; Maria Theresa, Aehrenthal, la petite madone de bois placée là pour le défunt

Dollfuss – autant de décideurs autrichiens, de décideurs pour ou contre l'Allemagne.

D'aussi lourds pensers n'accablent pas Zahn Glanz. C'est un oiseau, il vole. Il remonte la Goethegasse, et c'est tout juste s'il s'arrête pour laisser passer le tram qui débouche de l'Opernring. Il est regrettable que Zahn ait le coup de frein *in extremis* si peu discret : ses crissements de pneus attirent l'attention d'un groupe d'ouvriers tapageurs qui attendent qu'on leur remplace un marteau-piqueur. L'un d'entre eux doit être passé devant une radio, parce que le **Ja Schuschnigg** du capot a l'air de lui dire quelque chose. Mais Zahn a quand même de la chance dans son malheur. Car, au lieu de dissimuler leur jubilation et d'approcher du taxi à la dérobée, les ouvriers poussent un cri affreux et chargent sur lui, si bien qu'il a le temps de voir venir le danger. Il traverse le carrefour comme une flèche ; un seul ouvrier a réussi à s'accrocher au marchepied. Et s'il était content de lui – il regardait Zahn d'un air narquois par la fenêtre –, il ne tarde pas à déchanter, car la voiture arrive sur la Schillerplatz et disperse une troupe de pigeons qui s'envolent et le conchient dans leur terreur.

– *Côk !* leur crie Zahn.

Entre oiseaux, on se comprend. Et l'ouvrier se dit qu'il aurait mieux fait de rester attendre le marteau-piqueur avec ses camarades, au lieu de se pendre à la poignée de la portière et de se taper la tête sur la vitre remontée derrière laquelle le foudroient l'espace d'un instant unique les orbites vides d'un aigle en armure.

La voiture fait le tour de la Schillerplatz et s'engage sous les arcades étroites de l'Académie des arts graphiques ; l'ouvrier s'aplatit contre le taxi et entend une plainte affreuse où il ne reconnaît pas le son de sa voix.

Le temps d'un passage à découvert, Zahn Glanz a la bonté de ralentir, puis il se dirige vers la dernière arcade de l'Académie des arts graphiques. Là, il ouvre sa portière sans brutalité, la laissant seulement suivre son propre mouvement ; l'ouvrier, surpris, décolle du marchepied. Il reste suspendu dans le vide, voit s'approcher l'arcade et lâche la poignée. Zahn referme la portière. Dans son rétroviseur, il voit l'ouvrier rétropédaler et presque rattraper la voiture dans son élan. Mais il retombe un peu bêtement et quitte le rétroviseur sur un saut périlleux.

Zahn décide qu'il serait prudent d'emprunter les ruelles, puisqu'il ne sait pas vraiment qui est à sa poursuite. Mais il tombe en panne sèche dans la ruelle du théâtre de l'Atelier. Son taxi arrive à bout de course juste sous l'affiche qui représente Katrina Marek, une actrice aux yeux noirs qui incarne depuis deux semaines une Antigone sensationnelle.

— Oh, pardon ! dit Zahn, qui cogne Katrina en ouvrant sa portière.

S'il va jusqu'à s'étonner vaguement que l'actrice se soit habillée d'un drap de lit pour héler son taxi, il ne s'en formalise pas outre mesure : il n'est pas lui-même un modèle d'élégance.

Et voici que, de nouveau, mon grand-père est troublé par ce qu'il appelle son don de double vue.

— Hilke, tu veux bien m'apporter mon manteau ? dit-il, je crois que je vais sortir.

Et, bien qu'il y ait deux issues dans la Schwindgasse, il choisit de n'en guetter qu'une.

Pendant ce temps, l'aigle accorde toujours sa préférence aux ruelles, et il écume l'itinéraire des poubelles ; ce n'est qu'en émergeant sur la Rilkeplatz qu'il réalise qu'il est dans le quartier de ma mère. Il se sent un peu alourdi d'avoir tant bourlingué sous sa cotte de mailles. Il monte sur la plate-forme arrière d'un tram de la Gusshausstrasse, qui démarre juste derrière le lycée technique. Il pense qu'il est judicieux de rester à l'extérieur, mais le tram prend un peu de vitesse et les moules à tarte de l'aigle se mettent à brimbaler. Le receveur jette un coup d'œil entre les sièges ; il croit que le tram est en train de perdre une de ses pièces, qu'il entend battre. Zahn se tient en retrait, accroché à la rampe et descend une marche. Quelqu'un le montre du doigt depuis la vitrine d'une pâtisserie ; il est tout seul sur la plate-forme, les plumes de sa queue apprennent à voler.

La chose lui réussirait, d'ailleurs, puisque aussi bien il n'est plus qu'à une ou deux rues, si une bande d'élèves du lycée technique, assis dans la dernière voiture, ne s'avisait pas de sortir fumer sur la plate-forme.

— Salut, les jeunes ! » dit l'aigle. Comme ils ne répondent pas, il demande : « Vous avez pas vu Katrina Marek, ce matin ? Elle s'est mis un drap de lit, hé !

Un des élèves mécaniciens dit :

— Vous seriez pas l'homme-oiseau, vous ?

— Quel homme-oiseau ? dit un autre.

— Quel homme-oiseau ? dit Zahn.

— Celui qui sème la terreur, dit l'élève en s'approchant un peu.

Du coup, l'un de ses camarades se rappelle aussi et s'approche à son tour.

Zahn regrette de ne pas pouvoir retirer sa tête ; il aurait un champ visuel plus vaste ; il verrait, en cas de saut, s'il risque de se cogner contre un poteau ou une poubelle.

— Je crois que je descends à la prochaine, dit-il.

Seulement, le tram ne ralentit nullement. Alors il met un pied sur la marche suivante en se penchant sur la rampe.

— Attrapez-le, dit l'élève le plus proche en lui abattant sa gamelle sur la main.

Mais l'aigle s'envole à reculons, en y laissant une de ses serres.

Zahn se retrouve sur le trottoir dans un abominable bruit de ferraille ; ses moules à tarte font des étincelles ; plusieurs petits fils de fer piquent le dos de l'aigle. Mais il est à moins d'une rue de chez ma mère, et il n'a pas le temps de s'attendrir sur les moules qui ont choisi la liberté et s'en vont rouler sur le trottoir.

— Tu peux éteindre cette fichue radio, Hilke, dit mon grand-père, qui vient d'entendre aux dernières nouvelles que l'homme-oiseau a sauvagement kidnappé un ouvrier de la voirie de l'Opernring.

Hilke a déjà son manteau sur elle ; elle passe son écharpe sans la nouer autour du cou. Elle suit Grand-Père sur le palier. Les yeux levés vers la spirale de marbre et de fer, il écoute avec attention portes et boîtes aux lettres puis, Hilke sur ses talons, il descend et traverse le long couloir pour arriver devant la grande porte, avec sa poignée de trente centimètres. Hilke regarde à droite et à gauche. Grand-Père ne regarde qu'à gauche, au coin de l'Argentinierstrasse. Un homme est en train de bourrer le fourneau de sa pipe avec son pouce, dos à l'Argentinierstrasse.

Et voilà qu'il tourne le coin, la tête dans les épaules, comme s'il venait d'entendre les bruissements d'une centaine de pigeons. Et Zahn Glanz, qui prend le virage sur l'aile déséquilibre l'homme et dégringole lui-même une courte volée de marches pour atterrir contre une porte de cave. Il se trouve donc au-dessous du niveau de la rue et tout à fait invisible lorsque l'homme se relève et secoue le tabac disséminé dans sa chevelure ; l'homme regarde des deux côtés de la rue et, ne voyant rien, s'enfuit vers l'Argentinierstrasse avec un battement d'ailes qui n'appartient qu'à lui.

Grand-Père fait un signe de la main ; Zahn est en train de se hisser sur le trottoir, lorsqu'une petite blanchisseuse affairée ouvre la porte de la cave. Elle pousse l'aigle avec un extenseur de chaussettes et se dirige avec allant vers le trottoir ; elle va donner un coup de poing à l'oiseau, mais Zahn pose la patte molle et froide qui lui reste contre son sein indigné. La lingère est convaincue que c'est du vrai, ses genoux se dérobent sous elle.

Zahn fait un signe de l'aile à ma mère. Il choisit de franchir les derniers mètres au vol et parvient presque à sauter une voiture en stationnement, à ceci près que son bec se coince dans l'antenne et qu'il s'arrache toute la tête. Grand-Père l'attrape par ses moules à tarte et le traîne à grand fracas dans le long couloir. Hilke recueille la tête sous son bras et la couvre de son écharpe. En aval de la rue, la lingère est toujours à genoux sur le trottoir, fesses en l'air ; on dirait qu'elle attend la visite un peu cavalière d'un dieu.

Ma mère ramasse scrupuleusement les plumes et les boules de duvet ; elle n'en oublie aucune sur le chemin de la voiture à la cuisine de Grand-Mère, où Zahn s'affale contre le four, volaille quasi plumée, prête à rôtir dans son papier aluminium.

— Zahn, dit Grand-Père, où as-tu laissé le taxi ?

— Avec Katrina Marek.

— Où ça ?

— Je lui suis tombé en panne sèche sous le nez.

— Mais loin d'ici ?

— Elle s'est mis un drap !

— Quelqu'un t'a vu laisser le taxi ?

— Le prolétariat. Il est en train de se soulever pour détruire la cité.

— Est-ce que quelqu'un t'a vu laisser le taxi ? hurle Grand-Père.

— Katrina Marek, il faut que je retourne m'occuper d'elle.

— Mettez-le au lit, ce pauvre garçon, dit Grand-Mère. Il est complètement tourneboulé. Sortez-le de ce costume et mettez-le au lit.

— Seigneur Dieu, dit Zahn, rude journée !

Et ma mère n'a pas le cœur de lui dire que le matin se lève à peine.

Et même si, comme j'en suis persuadé, Schuschnigg a déjà deviné l'issue, la journée doit lui sembler longue, à lui aussi. Il n'est que neuf heures et demie lorsque Hitler téléphone pour lui poser un ultimatum personnel : le référendum doit être remis d'au moins quinze jours, faute de quoi l'Allemagne envahira l'Autriche le soir même. Voilà donc le pauvre chancelier et son fidèle Skubl à conférer ; les réservistes de la classe quinze sont rappelés sous les drapeaux, officiellement pour maintenir l'ordre jusqu'au jour du scrutin. La compagnie pétrolière autrichienne Socony Vacuum se voit demander une rallonge de carburant pour motoriser d'éventuels mouvements de troupes. Et le chancelier Schuschnigg s'aperçoit avec accablement que, sur le coup de midi, la ville s'apprête à renouveler les célébrations de la veille, en l'honneur de son Autriche libre. Des tracts favorables au référendum flottent dans les rues. Le soleil brille clair et chaud. Les gens ne semblent pas remarquer le renforcement de la milice à la frange de la moindre fête. Et les miliciens, de leur côté, battent de la botte la mesure des valses et des marches patriotiques que diffusent les radios à pleines fenêtres.

Schuschnigg appelle Mussolini pour la troisième fois, mais le Duce est toujours *injoignable.* Quelqu'un envoie un autre message à la France.

Sur Radio Johannesgasse, le bulletin de la mi-journée reste évasif quant aux affaires internationales. Il roule sur la fermeture de la frontière à Salzbourg et l'afflux de troupes, qu'on ne peut chiffrer ; une assemblée de tanks aux allures de rhinocéros avance mètre par mètre, la nuit, une marée de phares lorgne de l'autre côté de la frontière, un écran de fumée plane sur les forêts allemandes – il vient d'un million de cigarettes qui s'allument et s'éteignent en signal. Le bulletin raconte aussi comment Radio Berlin a annoncé les émeutes bolcheviks de la veille et de l'avant-veille à Vienne, Vienne où la dernière émeute bolchevik remonte au grand siège et à la prise du palais de Schlingerhof, en 1934.

Les nouvelles locales sont plus détaillées. On a retrouvé l'ouvrier de la voirie ; molesté, jeté d'un taxi en pleine vitesse, il s'en tire par miracle avec des égratignures. Selon l'ouvrier, l'homme-oiseau mesure nettement plus de deux mètres. Après l'incident de la Schillerplatz, l'homme-oiseau a été repéré dans un tram de la Gusshausstrasse ; n'écoutant que son courage, un groupe d'élèves du lycée technique a essayé de le capturer, mais a dû s'incliner devant sa force. Enfin, dans la Schwindgasse, l'homme-oiseau a agressé une blanchisseuse, Frau Drexa Neff. Cette dernière soutient que la créature ne saurait être tout à fait humaine ; elle n'a pas vu de quel côté elle est repartie après l'avoir attaquée. Dans les jardins du Belvédère, qui sont tout proches, les autorités ratissent le moindre bosquet. Et toujours pas de nouvelles du taxi abandonné avec **Ja Schuschnigg** sur le capot.

Mon grand-père, lui, sait où chercher. Il a épluché la liste des théâtres et découvert que c'est à l'Atelier que Katrina Marek incarne une Antigone stupéfiante. Or l'Atelier est presque à mi-chemin entre l'ouvrier parachuté sur la Schillerplatz et la première apparition pédestre de l'aigle dans le tram de la Gusshausstrasse. Sur quoi Grand-Père vide une jarre à biscuits de deux litres, mouille une éponge et glisse un entonnoir dans la poche de son manteau. Comme Zahn n'a pas la clef de contact sur lui, il espère que l'aigle l'aura laissée enclenchée sur le tableau de bord. Hilke met l'éponge dans son sac à main, et

Grand-Père porte la jarre sous le bras avec un effort ostentatoire ; ils quittent l'appartement de la Schwindgasse en comptant bien que ma grand-mère veillera sur Zahn Glanz, qui dort comme un bienheureux dans le lit de ma mère.

Il est regrettable que Kurt von Schuschnigg soit plus accommodant que mon grand-père. Peu après deux heures et demie, le chancelier s'incline devant l'un des ultimatums allemands. Il demande à Seyss-Inquart de téléphoner à Goering pour lui annoncer que le référendum est retardé ; Seyss-Inquart en profite pour lui signaler que Schuschnigg n'a pas démissionné. Il en aurait, Grand-Père, des choses à dire à Kurt sur l'insatiable appétit du maréchal Goering...

Mais, dans l'immédiat, il n'accorde pas de consultations. Il sort en compagnie de ma mère de la *Tankstelle* de la Karlsplatz ; Hilke tient sous le bras une jarre à biscuits aux trois quarts pleine d'essence, aux trois quarts seulement, pour ne pas en renverser. Elle sourit plus qu'à l'accoutumée lors de petites sorties familiales, parce que Grand-Père vient de dire à l'employé de la *Tankstelle* que cette jarre à biscuits est une surprise pour un oncle qui boit trop et tombe toujours en panne sèche.

Ils traversent le Getreidemarkt en se chuchotant des secrets de famille et ralentissent pour regarder les panneaux du théâtre de l'Atelier.

— Oh, viens voir, dit Grand-Père en regardant les heures des représentations.

— Attends, je crois que la suite est de ce côté », répond Hilke, qui s'engage dans la ruelle bordant le théâtre et essaie de ne pas manifester d'étonnement devant le taxi arrêté pile sous le nez de Katrina. « Viens, dit-elle à Grand-Père. C'est vraiment la meilleure photographie d'elle que j'aie jamais vue !

— Attends une minute, répond Grand-Père, qui scrute toujours les horaires.

Tout en lisant, il se déplace et jette des regards des deux côtés de la rue ; il colle sa main sur l'angle de la ruelle et fait signe à ma mère. Celle-ci sort l'éponge humide de son sac à main et efface le **Ja Schuschnigg.** Puis elle recule pour mieux voir Katrina Marek et fait le tour du taxi en époussetant un flocon de craie ici ou là, sans avoir l'air d'y toucher. Enfin, elle sort de la ruelle et tire mon grand-père par le bras.

— Allez, va voir, je te dis qu'elle est formidable, cette photo.

— Lis ça, toi, lis un peu ça. C'est pas incroyable ? répond-il en tournant le coin, le doigt pointé sur les horaires.

Hilke secoue la tête, regarde des deux côtés et secoue son bracelet à l'intention de Grand-Père.

Depuis la ruelle, celui-ci confirme :

— Tu as raison, elle est superbe ! » et retire le bouchon du réservoir au premier voyage ; penché sur une aile, il introduit l'entonnoir en couvant Katrina Marek du regard. « Comment tu le trouves, cet horaire ? dit-il à ma mère.

Celle-ci secoue de nouveau son bracelet. Grand-Père vide donc la jarre dans le réservoir. En sortant de la ruelle, il passe devant la fenêtre du conducteur et constate avec un vif plaisir que la clef est sur le tableau de bord.

— Incroyable ! dit Hilke, pointant le doigt vers les horaires.

Elle prend le bras de Grand-Père et ils se mettent en route et remontent un pâté de maisons. Et puis Grand-Père s'incline devant elle, lui donne un baiser sur la joue et lui confie la jarre. Ma mère lui rend son baiser et continue tout droit, tandis que lui tourne à la première rue. Il débouche derrière le théâtre, entre dans la ruelle d'un pas de valse, face au taxi.

Ma mère avance tout en souplesse, tête rejetée en arrière, pour se faire voir par les vitrines. Elle serre la jarre contre ses petits seins hauts ; elle se voit transparente traverser des tringles de robes, des rangées de chaussures, des tourniquets de gâteaux et de pâtisseries ; par les fenêtres des *Kaffeehaüser* aussi, elle se voit faire lever des visages au-dessus des tasses — et passer indélébile quoique transparente dans les yeux de ceux qui regardaient dehors à l'instant où elle regardait vers l'intérieur. Elle s'imagine Zahn Glanz en train de la regarder, lui aussi, dans les rêves que lui apporte son lit au parfum de jeune fille. Mais elle n'est pas en transe au point d'en oublier de regarder aux carrefours ; à l'angle de la Faulmann et de la Muhlgasse, elle ralentit et attend de reconnaître le chauffeur pour héler le taxi qui arrive.

– Où je vous emmène ? », dit Grand-Père, menton sur la poitrine. Il attend d'être en route depuis un moment pour conclure : « C'est un débrouillard, ton père, non ? D'aller jusqu'à l'Elisabethstrasse pour se faire remplir le réservoir et de revenir te chercher à ce coin de rue, au quart de poil. Je t'ai vue arriver. Tu as pas eu besoin d'attendre. J'ai un chronomètre dans la tête, tu peux le dire.

Hilke passe ses cheveux derrière les oreilles et rit d'un rire clair, adorateur. Grand-Père hoche la tête en riant :

– Un petit débrouillard, oui ; c'est du travail sans bavures, je dois dire.

Quelqu'un qui les regarderait dans ce taxi en cavale se dirait : Eh bien, qu'est-ce qu'il peut bien lui raconter à une si jolie fille pour la faire rire, ce vieux-là ?

Mon grand-père s'acquitte de ce qu'il a à faire – en douceur et avec panache.

Goering aussi – avec moins de panache, et sans douceur aucune. Vingt minutes après avoir reçu la nouvelle de la première concession de Schuschnigg, il rappelle en disant à Seyss-Inquart que l'attitude du chancelier est inacceptable et qu'on lui demande de démissionner avec son cabinet. Le président Miklas devra nommer Seyss-Inquart à la chancellerie. Goering a une manière toute personnelle de s'exprimer ; il promet que l'Autriche recevra l'*aide* militaire de l'Allemagne si son gouvernement n'est pas capable de se remanier tout seul promptement.

Seyss-Inquart est donc bien embarrassé quand il doit annoncer la nouvelle à Kurt von Schuschnigg, qui fait alors son avant-dernier pas en arrière. A trois heures et demie, soit une demi-heure après l'appel de Goering, il dépose tout bonnement sa démission et celle de son cabinet sur le bureau du président Miklas. Ici intervient une question arbitraire. Ça aurait fait tellement mieux dans le décor, après guerre, s'il avait tenu une heure de plus – jusqu'à ce que le message de Lord Halifax parvienne par l'ambassade de Grande-Bretagne ; ce message qui dit que le gouvernement de Sa Majesté ne saurait prendre la responsabilité de conseiller au chancelier d'exposer son pays à des dangers contre lesquels le gouvernement de Sa Majesté ne serait pas en mesure de lui assurer Sa protection.

La question est de céder quand on est abandonné, ou de s'abandonner quand on sait qu'on va l'être ; mais enfin, c'est couper les cheveux en quatre : à trois heures et demie, Schuschnigg n'a pas besoin de preuves écrites pour savoir qu'on vient de le laisser tomber.

Il prévoit sans peine : que Lord Halifax va se défiler ; que M. Blondel, chargé d'affaires français à Rome, va s'entendre répondre par le secrétaire du comte Ciano que, s'il vient pour parler de l'Autriche, il perd son temps ; et qu'on ne joindra jamais Mussolini, qui se cache quelque part en entendant sonner son téléphone indéfiniment.

Schuschnigg laisse donc au président Miklas la décision de nommer un autre chancelier. Le vieux Miklas a déjà connu ça. Lors du *putsch* nazi, il y a quatre ans, quand le pauvre Dollfuss s'est fait assassiner dans le sanctuaire de son bureau et que la cour était pleine de gros-bras prêts à manipuler la foule du côté du manche ; il s'est tourné vers Schuschnigg, alors. Et maintenant il a jusqu'à sept heures et demie ; le voici donc en quête d'un nouveau chancelier.

Il y a bien le fidèle Skubl, chef de la police. Mais il décline l'offre : il est connu à Berlin, et sa nomination exaspérerait Hitler. Il y a bien le Doktor Ender, expert en droit constitutionnel, mais il trouve que son besoin d'être chancelier a déjà été satisfait puisqu'il a été chef d'un précédent gouvernement. Quant au général Schilhawsky, inspecteur général des Forces armées, il déclare être un soldat et pas un politique. Miklas ne trouve pas preneur pour le poste.

Dommage qu'il ne connaisse pas mon grand-père, qu'une nouvelle intrigue amuserait sans doute.

Grand-Père, qui a garé et bouclé le taxi sur le parvis de l'église Saint-Charles, raccompagne Hilke et la jarre à biscuits à la maison. Ignorant les protestations de Grand-Mère, ils entrent dans la chambre jeter un coup d'œil sur Zahn. Dépouillé de ses moules, dessaisi de sa dernière serre, l'aigle a les pieds qui dépassent du lit de la petite fille. Douillettement installé sous une courtepointe rose, il a une plume de poulet accrochée à l'oreille ; il dort au milieu de la bimbeloterie et du royaume de pacotille de ma mère. Elle le reborde et il dort jusqu'au dîner ; il dort jusqu'au bulletin de sept heures, mais Grand-Père ne peut pas le laisser rater les informations.

La remise du référendum est annoncée, ainsi que la démission de tout le cabinet, à l'exception de Seyss-Inquart, qui garde son poste de ministre de l'Intérieur.

Zahn Glanz n'a pas bien récupéré ; lorsqu'il retourne se coucher sans un mot, le vieux Miklas est assis tout seul dans son bureau de président, à regarder la pendule s'acheminer vers sept heures et demie. Les délais du maréchal Goering ont expiré et Seyss-Inquart n'a pas été nommé chancelier de l'Autriche. Miklas refuse de rendre la chose officielle.

C'est alors que Kurt von Schuschnigg exécute la dernière reculade de sa carrière, la plus concluante aussi. Il ordonne au général Schilhawsky de retirer les troupes autrichiennes de la frontière, de n'opposer aucune résistance, de rester derrière l'Enns à regarder, ou qui sait, saluer de la main. De toute façon l'armée autrichienne n'a que quarante-huit heures de feu continu dans ses munitions, à quoi bon une telle effusion de sang ? Quelqu'un appelle de Salzbourg pour dire que les Allemands passent la frontière ; ce n'est pas vrai ; c'est une fausse alerte, mais encore des cheveux coupés en quatre ; Schuschnigg n'attend pas les vérifications ; il recule.

A huit heures, il demande à Radio Johannesgasse le privilège d'une diffusion exclusive sur les ondes nationales. On glisse des micros dans la balustrade du grand escalier de la Ballhausplatz. Et Grand-Père réveille Zahn pour la deuxième fois.

Schuschnigg n'a pas le moindre reproche à la bouche ; il est toute tristesse. Il parle de céder devant la force, supplie le peuple de ne pas opposer de résistance. Il précise tout de même qu'il n'y a pas un mot de vrai dans les rapports de Radio Berlin sur les révolutions ouvrières qui terroriseraient l'Autriche. L'Autriche de von Schuschnigg n'est pas terrorisée, elle est réduite à la tristesse. Dans tout ce programme, la seule chose qui aille droit au cœur furtif de mon grand-père, c'est la sortie du commissaire à la Propagande, le vieux Hammerstein-Equord, qui est invalide ; dès que le chancelier a fini, et avant que les techniciens aient débranché le contact, il saisit un micro et bredouille : « Vive l'Autriche ! Aujourd'hui, j'ai honte d'être allemand ! »

C'est triste à entendre pour Grand-Père. Même un vieux dur à cuire d'invalide comme Hammerstein-Equord considère que la Germanie est quelque chose qu'on a dans le sang et tient les Allemands pour une race à laquelle l'Autriche doit appartenir.

Mon grand-père, lui, n'a jamais considéré les choses sous cet angle.

— Fais les valises, *Mutti*, dit-il. Il y a un taxi au coin de la rue, et le plein est fait.

Et ma mère prend le bras de Zahn Glanz ; elle s'accroche à lui plus qu'elle ne s'est jamais accrochée à un être vivant ; elle attend qu'il lève les yeux vers les siens ; sur son bras, ses doigts parlent ; ils disent que Hilke Marter ne va pas se préparer ni préparer ses bagages tant que cet aigle-là ne sera pas sorti de son brouillard pour prendre une décision et l'énoncer clairement.

Pendant ce temps, Miklas, qui est tout seul, a pris la sienne ; il refuse la démission personnelle de Schuschnigg, et parle encore de résistance quand il n'y a plus un seul soldat autrichien entre la frontière allemande et l'Enns. Dans le bureau du président, le lieutenant-général Muff, attaché militaire allemand à Vienne, explique que le passage de la frontière par les troupes allemandes était une fausse alerte, mais qu'elles vont bel et bien passer si Miklas ne nomme pas Seyss-Inquart chancelier. La résistance du vieux Miklas est peut-être moins futile qu'il n'y paraît ; il se peut même qu'il ait perçu ce besoin apparent qu'a Hitler de légitimer le coup de force. Mais Muff continue de le travailler patiemment : le président sait-il que les provinces sont maintenant aux mains des responsables nazis autrichiens ? Sait-il que Salzbourg et Linz ont donné leur cachet aux membres du Parti nazi sur place ? A-t-il seulement jeté un coup d'œil dans le couloir devant son bureau ? Des Jeunesses nazies viennoises sont en train d'allumer des cigarettes et de lancer des lazzi par-dessus le balcon du grand escalier. Ils font à la madone qui prie pour le pauvre Dollfuss des auréoles de fumée.

A onze heures du soir, Muff continue patiemment à faire défiler des images. Seyss-Inquart a modifié la liste qu'il propose pour la composition du cabinet. Miklas en est à sa onzième heure de résistance ; il raconte une anecdote sur Maria-Theresia.

A onze heures mon grand-père tranche le dilemme argenterie/vaisselle. La vaisselle se casse, et se vend moins bien que l'argenterie. C'est donc l'argenterie qu'on emporte, et la vaisselle qui reste à Vienne. La question de savoir si Zahn Glanz reste ou part se pose encore dans les doigts de ma mère.

— Ça ne veut pas forcément dire qu'ils vont entrer ici comme en pays conquis, dit Zahn. Et puis vous irez où avec mon taxi ?

— Si, ça veut précisément dire qu'ils vont entrer ici comme en pays conquis. Avec ton taxi, on ira chez mon frère ; il est receveur des postes à Kaprun.

— C'est en Autriche, Kaprun aussi.

— C'est les villes qui vont être exposées ; les montagnes de Kitzbühel, c'est très rural.

— Assez rural pour mourir de faim, peut-être ?

— Les bibliothécaires ont tout de même un peu d'argent de côté.

— Et vous allez faire comment pour le sortir de la banque, au milieu de la nuit ?

— Si tu décides de rester un peu, je pourrai te confier mon portefeuille bancaire, et toi tu m'enverras un mandat.

— Chez votre frère le receveur ? Ah oui, évidemment.

— Pourquoi on attend pas demain matin pour partir ? demande Hilke. Pourquoi Zahn viendrait pas avec nous ?

— Il peut très bien, s'il veut. A ce moment-là, j'attendrai demain matin, et c'est lui qui vous conduira.

— Pourquoi on partirait pas tous demain matin ? demande Grand-Mère. Peut-être qu'on s'apercevra que tout se passe bien, finalement.

— On sera pas tout seuls à partir demain matin, objecte Grand-Père. Et puis ça fait longtemps que Zahn est pas passé à la compagnie avec son taxi. Tu crois pas qu'ils vont commencer à trouver le temps long, Zahn ?

— Il vaudrait mieux que le taxi parte cette nuit, dit Zahn.

— Mais si Zahn reste, demande Hilke, comment il ira à Kaprun ?

— Zahn est pas obligé de rester s'il veut pas, dit Grand-Père.

— Et pourquoi il voudrait rester ? demande Hilke.

— Je sais pas, moi, répond Zahn, pour voir la tournure des événements, un jour ou deux.

Ma mère continue à lui prendre le pouls, elle lui parle en braille, elle lui dit :

— Oh ! Zahn, il y a rien à voir ; rien du tout.

Mais un peu avant minuit, dans la cour du Ballhaus, il y a quarante gros bras de la quatre-vingt-neuvième Standarte SS, dont l'assassin Otto Planetta était membre. Peut-être est-ce alors que le vieux président, en les voyant, se met à partager un peu de l'appréhension de Schuschnigg : le massacre est possible à Vienne. Peut-être est-ce alors que Miklas baisse pavillon devant Muff, l'intermédiaire.

Zahn Glanz aussi doit se faire l'effet d'être un intermédiaire, le portefeuille bancaire bien garni en poche. Il va de la Schwindgasse à la Karlskirche à pied, ma mère toujours pendue à son bras. Au coin de la Gusshausstrasse, ils sont forcés de sauter du trottoir.

Cinq garçons arrivent de front, bras dessus bras dessous, en marchant au pas. Ils doivent rentrer d'un de ces meetings des Jeunesses nazies à Vienne où les membres sont classés par ordre alphabétique ; ce sont sans doute les S du quatrième arrondissement. Les insignes qui portent leurs noms ont été cousus tout récemment et luisent : P. Schnell, peut-être, G. Schritt, F. Samt, J. Spalt, R. Steg et O. Schrutt —, pour mentionner quelques noms ordinaires.

Zahn ne leur dit pas un mot ; ma mère lui a arrêté le pouls. Il déverrouille le taxi sur le parvis de Saint-Charles et le ramène dans la Schwindgasse par un autre chemin. Il vaut mieux que les jeunes en chasse ne les voient pas si subitement motorisés. Zahn conduit tous phares éteints. Mon grand-père ouvre à deux battants la porte du couloir et Zahn recule sur le trottoir pour entrer dans l'immeuble.

Il est tard, mais il est peu probable que les appartements

dorment d'un sommeil bien profond cette nuit. Ils entendent certainement le moteur de Zahn avant qu'il l'éteigne. Se demandent-ils si c'est le camion des poubelles qui fait une collecte monstre qui ne peut attendre le matin ? Personne ne s'avise de descendre ses ordures. Pas de visages apeurés sur la balustrade en spirale — seuls des lambeaux de lumière venus des boîtes aux lettres et des portes entrebâillées. Grand-Père attend que le dernier rayon furtif ait déserté les escaliers, et il poste ma grand-mère le long de la balustrade avec pour mission de guetter le bruit d'une manivelle de téléphone.

Il est une heure du matin, samedi, lorsqu'ils commencent à charger le taxi.

## Mardi 6 juin 1967, 2 h 15 ; septième quart

Il y a des animaux qui commencent à s'endormir. Il règne toujours une ombre de nervosité dans ce zoo, mais le gardien est retourné dans le Pavillon des petits mammifères, et certains d'entre nous ont les yeux qui se ferment.

Quand le gardien est entré dans le pavillon pour la première fois, j'aurais bien fait un petit somme moi-même. J'ai entendu les Antilopes assorties s'effondrer l'une après l'autre, tout doucement. Je me suis vraiment dit que j'allais dormir un moment et j'étais en train de me pelotonner dans les racines quand le Pavillon des petits mammifères a changé de couleur. Comme ça. Au-dessus des cages, la lueur qui était blanche a viré au rouge sang. Le gardien venait d'allumer l'infrarouge.

Voilà où ils en sont : on éteint une lumière, on en allume une autre qu'ils ne peuvent pas voir, et les voilà qui croient que la nuit tombe décidément très vite.

Je me suis caché le long de mes haies, et je suis même passé à découvert un instant, pour me poster là où je voyais la porte.

Pourquoi est-ce qu'il a fait ça, le gardien ? Est-ce qu'il aime les voir quand ils sont éveillés ? C'est quand même égoïste de mettre fin à leur sommeil pour son plaisir ; il n'a qu'à venir pendant les heures d'ouverture, s'il y tient tant que ça. Mais je ne crois pas que ce soit la raison.

Je ne crois pas qu'il fonctionne de cette façon, ce gardien ; surtout maintenant que je l'ai vu de plus près. Quand je dis ça, c'est que j'y suis allé ; je voulais voir ce cagibi.

J'étais posté derrière une cage ; je n'y voyais pas très loin à l'intérieur ; la lune n'éclairait que les contours. Mais j'étais sûr de me trouver dans le Complexe mixte – enceinte et parc extérieur – des singes. Je regardais vers le corridor violet du pavillon quand deux mains brutales m'ont attrapé par la tête et secoué contre les barreaux. Je ne pouvais pas me dégager, mais j'ai pu faire volte-face dans les mains de la créature. J'avais devant moi la poitrine rouge et chauve du babouin gelada mâle, bandit puissant et sauvage des hauts plateaux d'Abyssinie.

– Je suis là pour vous aider, j'ai chuchoté.

Mais il a ricané.

– Faut pas faire de bruit, j'ai supplié.

Mais il a enfoncé les pouces derrière mes oreilles ; la créature était en train de m'endormir dans son étau. J'ai plongé la main dans ma veste et je lui ai tendu ma pipe en écume de mer.

– Et si tu en essayais une ?

Il a regardé. Un de ses avant-bras s'est vaguement relâché sur mon épaule.

– Vas-y, prends-la, j'ai chuchoté, en espérant que je ne serais pas obligé de lui enfoncer le tuyau au fond de sa narine épatée.

Il a pris. L'une de ses mains s'est détachée de mon cou pour venir couvrir mon poing, pipe et tabac compris. Puis l'autre est allée fouiller délicatement entre mes doigts pour trouver la pipe. J'ai dégagé ma tête, mais je n'ai pas pu libérer mon poing ; le babouin gelada a fourré la pipe dans sa bouche et m'a agrippé le bras à deux mains. Je n'étais pas de taille, mais j'ai poussé mes pieds contre les barreaux, et je me suis lancé de tout mon poids. J'ai réussi à tomber hors de sa portée, loin de la cage. Et le babouin gelada, qui mâchait ma pipe en écume de mer et la recrachait sur le sol de sa cage, a su qu'il venait de se faire avoir. Il a fait un raffut de tous les diables.

Il éructait, il courait en rond dans sa cage, il se lançait depuis les barreaux, il mettait les pieds dans l'abreuvoir; tout le Complexe des singes a compris : un babouin venait de se faire rouler par une créature d'une espèce inférieure.

Si certains animaux étaient enfin en train de trouver le sommeil, qu'ils m'excusent. Ils se sont réveillés au son d'une clameur primato-indifférenciée. Les fauves ont répondu en rugissant; les ours ont grogné; le zoo n'était plus qu'un frottement de sabots d'une palissade à l'autre, et moi, j'étais en train de descendre l'allée à reculons en me cassant la figure, cap sur ma haie, quand j'ai vu le gardien au détour de son couloir mauve.

Ça m'a surpris. Je m'attendais à ce que l'infrarouge s'éteigne. Je m'attendais à ce que le garde, en treillis et à plat ventre, dans le style commando, vienne m'attaquer par-derrière avec sa matraque. Mais il était debout, il regardait le couloir rouge sang bouche bée, figé et hagard; il aurait fait une cible facile.

J'étais à l'abri dans ma haie jusqu'à ce que sa lampe de poche vienne faire des moulinets dans l'allée; dès qu'elle a commencé, le zoo s'est tu. Il pirouettait de buisson en buisson et de cage en cage. Quand il a dépassé l'endroit où je m'étais fait agresser, j'ai pensé que les ennuis commençaient. Mais le babouin gelada avait dû rassembler les morceaux de ma pipe et se couler par la porte du fond, pour se perdre par les parapets et les promenades à deux niveaux du Complexe des singes.

Le garde semblait savoir que c'était de là que tout était parti, pourtant. Il s'est arrêté pour braquer sa torche, depuis le coin des cages jusqu'au sommet des arbres qui l'entouraient. Il a donné un petit coup de pied timide dans la cage que le babouin avait fréquentée. « C'est toi qui fais tout ce bruit? » il a crié d'une voix aiguë et zézayante.

Le zoo était bien réveillé et ne pipait pas. Une centaine de souffles étaient retenus, et s'échappaient au compte-gouttes.

Le gardien s'est mis à courir le long du Complexe des singes; il s'est arrêté de nouveau au coin de ma haie; la lueur sanglante diluée qui provenait du Pavillon des petits mammifères le touchait faiblement dans l'allée. Il nous a fait quelques moulinets en hurlant : « Qu'est-ce qui s'est passé ? »

Une créature avec des sabots a fait un faux pas, s'est pris les pattes et n'a plus bougé. La lumière du gardien a bondi vers chez les Australiens, après avoir balayé le ciel. Il l'a projetée sur un arbre voisin, pour y débusquer les léopards et les ocelots prêts à bondir. « Écoutez-moi tous, il a crié, il faut dormir maintenant ! »

Il tenait sa torche électrique sur la hanche, braquée vers le haut, et elle l'illuminait : pleins feux sur le gardien.

Je l'ai vu de face, son visage de vieillard à peine teinté par l'infrarouge, avec une profonde cicatrice bordeaux, aiguë et mince, qui partait du haut de sa tête coiffée en brosse pour longer l'oreille et la narine gauche et plonger jusqu'à la gencive. Une partie de sa lèvre supérieure s'en trouve rentrée ; on dirait un hameçon ; elle découvre tout l'écarlate de sa gencive supérieure gauche. Ce n'est pas dans un duel à la loyale qu'il s'est fait ça. Un fleuret en folie, peut-être.

Oui je l'ai vu de face – et quelle face, et quel devant d'uniforme ! Ce n'est pas seulement qu'il a réussi à sauver ses épaulettes ; son uniforme porte toujours un insigne avec son nom. Il s'appelle, ou s'est appelé, O. Schrutt. Et si ce n'est plus O. Schrutt qui est dans cet uniforme, pourquoi aurait-il gardé l'insigne ? O. SCHRUTT, avec le point presque effacé. Quel avantage ça semble donner de trouver le nom de quelqu'un avant qu'il ait pu voir votre visage ! Ce gardien s'appelle O. Schrutt.

C'est curieux, mais je me suis déjà servi de ce nom-là. Je l'ai déjà eu sur les lèvres. Il est possible que j'aie connu un O. Schrutt. J'ai bien dû connaître un Schrutt, c'est un nom très répandu à Vienne. Et je crois aussi m'en être servi dans l'une de mes fictions. Voilà, c'est sûrement ça. J'ai déjà inventé un O. Schrutt.

Mais cet O. Schrutt-ci est vrai. Il fouille les hautes branches pour y débusquer les ocelots et autre félins. Les animaux ne peuvent pas dormir quand O. Schrutt rôde, et moi non plus.

Non, je n'arrive toujours pas à dormir, bien qu'il soit retourné à son Pavillon des petits mammifères. Il est parti de mes haies, feignant le désintérêt ; il descendait l'allée à reculons, d'un air détaché. Puis subitement il se mettait à cracher des cercles pour exposer chaque parcelle de la ténèbre embusquée autour de lui. Il produit des sons vocaliques en faisant des moulinets de lumière, des oh et des ah qui surprennent les ombres dissimulées hors de portée immédiate de son rayon.

Maintenant les animaux s'endorment ; on gémit, on s'étire, on soupire, on s'effondre ; une querelle éclair et suraiguë dans le Complexe des singes, et une créature renvoie un trapèze contre l'écho d'un mur. Mais moi, je n'arrive pas à dormir.

Quand il émergera pour faire sa prochaine ronde, je veux entrer dans sa tanière teintée de rouge sang pour voir ce qui le pousse à allumer l'infrarouge, l'ami O. Schrutt. J'ai ma petite idée : déjà, il n'est pas homme à aimer se faire voir ; même des animaux.

## Autobiographie hautement sélective de Siegfried Javotnik ; préhistoire I

Samedi 12 mars 1938, une heure du matin à la chancellerie de la Ballhausplatz. Miklas a cédé. Seyss-Inquart est chancelier d'Autriche.

Il est en conférence avec le lieutenant-général Muff. Ils veulent s'assurer que Berlin est au courant qu'ils contrôlent la situation – et que les troupes allemandes stationnées devant la frontière n'envisagent plus de la traverser.

Pauvre Seyss-Inquart, il est bien naïf.

*Amène les lions chez toi,*
*Ils s'invitent à dîner.*

Mais, à deux heures, c'est Muff qui téléphone à Berlin et tente la dissuasion. Peut-être qu'il dit : « Tout va bien, vous pouvez rapatrier vos armées, à présent ; tout va bien, nous avons aligné notre politique sur la vôtre ; plus la peine de traîner sur nos frontières, tout est rentré dans l'ordre. »

Et à deux heures, après des tiraillements frénétiques entre le ministère de la Guerre, celui des Affaires étrangères et la chancellerie du Reich, l'aide de camp personnel de Hitler s'entend demander de réveiller le Führer.

« Réveillez n'importe qui, même un homme raisonnable, à deux heures du matin, dit mon grand-père, et vous verrez le résultat. »

A deux heures et demie, Zahn Glanz presse ma mère contre la grande porte du couloir, et Grand-Mère n'a encore entendu aucune manivelle de téléphone. Grand-Père charge maintenant les petits objets : un carton d'ustensiles de cuisine, un autre de provisions et de vin, un paquet pour les cache-nez et les bonnets, ainsi que les couvre-lits au crochet.

– Si on peut pas emporter toute la vaisselle, on pourrait peut-être prendre la saucière ? demande Grand-Mère.

– Non, *Mutti*, répond Grand-Père, seulement le nécessaire.

Il va jeter un dernier coup d'œil dans la chambre de Hilke et enveloppe le costume d'aigle au fond d'un sac militaire.

Dans la cuisine, il vide le casier à épices, dans l'idée que, bien assaisonné, n'importe quel ersatz peut passer pour de la nourriture. Et puis il fourre la radio dans le sac.

Depuis la cage d'escalier Grand-Mère chuchote :

– Je viens de regarder dans la voiture, tu vas avoir tout un siège de libre.

– Je le sais, dit Grand-Père, qui le réserve à quelqu'un qui va quitter Vienne avant l'aube.

Ce n'est pas Schuschnigg. Il quitte la Ballhausplatz, serre la main d'un garde aux bord des larmes, en ignorant le salut nazi que lui adresse une file de citoyens, croix gammée sur le brassard.

Confus, Seyss-Inquart le reconduit chez lui – il va passer dix semaines assigné à résidence, et sept ans dans les prisons de la Gestapo. Tout ça parce qu'il a dit bien haut qu'il n'avait commis aucun crime, parce qu'il a refusé la protection de l'ambassade de Hongrie, et qu'il n'a pas rejoint les rangs des monarchistes, des juifs et des quelques catholiques qui s'entassent aux douanes tchèque et hongroise depuis minuit.

Grand-Père découvre que le flot de la circulation va dans l'autre sens, c'est-à-dire vers l'est ; mais lui semble penser que la Tchécoslovaquie et la Hongrie ne vont pas tarder à suivre, et il n'a pas envie de déménager une deuxième fois ; surtout qu'alors, ouest ou est, il n'y aurait plus le choix ; il faudrait pousser vers l'est, autrement dit la Russie ; et, dans ses cauchemars, Grand-Père se voit acculé à la mer Noire, traqué par des cosaques et des Turcs échevelés. Donc, vers l'ouest, il ne trouve personne sur la route. Il fait noir à Saint-Veit, plus noir encore à Hacking. Seuls les tramways éclairés vont encore dans la direction de mon grand-père ; les receveurs agitent des petits drapeaux avec la croix gammée et, aux arrêts, des hommes qui portent brassards et insignes chantent ; quelqu'un souffle la note unique d'un tuba.

— C'est le plus court chemin vers l'ouest, ça ? demande ma grand-mère.

Mais Grand-Père sait où il va. Il s'arrête devant le seul poulailler obscur des environs de Hacking.

Ernst Watzek-Trummer a plumé et embroché trois poulets anonymes sur un feu de braises à même le sol du poulailler. Il ronge un os sur son perchoir. Grand-Père et ce patriote prennent de l'eau et ramassent un seau d'œufs, qu'ils font durcir. Watzek-Trummer tue et plume son meilleur chapon ; on le jette dans le seau pour le faire bouillir. Puis ils entravent trois poules et un coq champions. Hilke les roule violemment dans une couverture ; ils deviennent fous sous le siège arrière, contre le long sac qui sépare ma mère et ma grand-mère. Ernst Watzek-Trummer prend le siège avant près de mon grand-père, le carton d'ustensiles de cuisine et le seau à œufs entre eux. Avant de partir, Watzek-Trummer libère ses poulets et met le feu à son poulailler. Dans la boîte à gants, il range son meilleur couteau à saigner.

Grand-Père conduit, et Ernst Watzek-Trummer démembre et coupe les trois poulets anonymes à la broche ainsi que le chapon bouilli qui manque un peu de cuisson ; il distribue les portions avec des œufs durs tandis que Grand-Père oblique vers le sud, pour traverser Gloggnitz et Bruck an der Mur, puis vers l'ouest, et même un peu vers le nord, autour des montagnes. C'est à Saint-Martin qu'il met le cap droit vers l'ouest.

C'est loin de Vienne. Ça les mène presque au sud de Linz et au bord de la panne sèche.

Sur la banquette arrière, ma mère ne dit pas un mot. Elle croit encore serrer le genou de Zahn Glanz entre les siens et sentir désespérément son poids imprimer le dessin du bois dans son dos, contre la grande porte du couloir.

Grand-Mère fait remarquer que les poulets vivants sentent fort, et Grand-Père qu'il va falloir de l'essence.

A Pruggern ils découvrent que la fête continue ; Grand-Père baisse sa glace et ralentit pour s'arrêter devant un policier dont le manteau d'uniforme est ouvert sur sa poitrine ; curieusement, un brassard à croix gammée a été étiré pour lui servir de col ; il est difficile de dire s'il l'a fait lui-même ou si on lui a tenu la tête pendant que quelqu'un d'autre le lui enfilait.

Watzek-Trummer entrouvre la boîte à gants et la maintient telle quelle avec le genou. Son couteau à saigner lui fait de l'œil. Mon grand-père sort le bras par la vitre pour faire le salut nazi.

— Ça fait plaisir de voir que tout le pays dort pas, par une nuit pareille ! dit-il.

Mais le policier jette des regards soupçonneux à l'intérieur, à cause du seau à œufs et des poulets en vrac.

Ernst Watzek-Trummer donne une grande claque dans le dos à mon grand-père.

— Son frère a reçu une charge officielle à Salzbourg ! dit-il. Si vous voyiez Vienne, avec tous les bolcheviks qu'on a croisés en route ! Ils se carapatent vers l'est !

— Votre frère a reçu une charge ? demande le policier.

— Ils vont peut-être m'envoyer à Munich ! dit gaiement mon grand-père.

— Eh bien, Dieu vous garde, dit le policier.

Watzek-Trummer lui fait passer un œuf dur.

– Continuez comme ça, dit Grand-Père. Il faut que la ville fasse la fête jusqu'à l'aube !

– J'aimerais quand même bien savoir ce qui se passe, dit le policier, savoir vraiment, je veux dire.

– Continuez comme ça », dit Grand-Père. Il met la voiture en route et puis il s'arrête. « Vous n'auriez pas un peu d'essence pour nous par hasard ?

– Il y a bien des réservoirs qu'on pourrait siphonner, si. Vous n'auriez pas un tuyau ?

– Si, tiens, justement, dit Watzek-Trummer.

Ils trouvent un camion postal dans l'obscurité du dépôt, derrière la poste. Le policier va jusqu'à aspirer pour amorcer le siphon, si bien qu'ils lui donnent une cuisse de chapon.

Et ma mère pèse de tout son poids sur ce genou imaginaire entre les siens ; elle essuie la buée de la fenêtre comme si c'était une boule de cristal qui lui montrait tous les gestes avisés et sagaces que Zahn Glanz accomplira pour arriver à quitter Vienne.

Et presque tout le reste est basé sur des on-dit. Ma mère présume que Zahn découvre, au moins aussi tôt que cet ahuri de Muff, que les troupes allemandes passent la frontière quand même. Parmi les rares faits tangibles, il est bien certain que Zahn fait effectivement suivre le produit du portefeuille bancaire au receveur des postes de Kaprun. Il est possible que Zahn n'ait lu qu'à midi l'éditorial de Lennhoff sur le putsch allemand ; et qu'il ait alors entendu la nouvelle de l'accueil chaleureux que Hitler a reçu à Linz – sur laquelle il était en train de marcher, avec tanks et soldats, pour « s'incliner sur la tombe de sa mère ». Et c'est peut-être Zahn, ou quelqu'un dans son genre, qui a emprunté ou volé le taxi avec lequel Lennhoff, l'éditorialiste scélérat, a passé la frontière hongroise à Kittsee, après s'être vu refuser le droit d'asile par les Tchèques. Si Zahn Glanz n'était pas au volant de cette voiture-là, pourquoi n'est-il jamais allé rejoindre ma mère à Kaprun, alors ? Il devait bien y être. Et il a emporté avec lui la moitié de ce que j'étais à ce moment-là, parce que je n'étais guère qu'une idée de ma mère – dont la moitié, si elle n'a pas passé la frontière à Kittsee, a suivi Zahn Glanz où qu'il soit allé.

Et tout le reste aura consisté à vivre sept ans dans l'ombre protectrice du frère de mon grand-père, le receveur des postes de Kaprun, qui a conservé ses fonctions en s'inscrivant au Parti nazi. Kaprun n'était pas grand à l'époque, les fonctions pas trop absorbantes et la comédie nazie assez facile à jouer, sauf en présence du club de Jeunesses hitlériennes dont il s'occupait : un jour, un des membres qui avait des doutes sur sa sincérité a fini par le surprendre dans les latrines mal insonorisées des baraquements, sur quoi il l'a grillé au chalumeau SS dont le malheureux avait expliqué le fonctionnement le matin même. Mais ça s'est passé peu avant la fin de la guerre et je ne crois pas que ma mère et mes grands-parents aient eu beaucoup à souffrir, de la faim surtout, étant donné que Watzek-Trummer était le génie de la cambuse et que mon grand-père avait eu la sagacité d'embarquer les épices dans le dernier paquetage.

Et le reste est dans le télégramme que Goering envoie à Hitler, quand il entend sur Radio Berlin que le Führer a reçu un accueil triomphal à Linz. « Puisque l'enthousiasme est si grand, télégraphie Goering à Linz, pourquoi ne pas pousser l'avantage ? » Hitler n'y manque pas. A Vienne seulement, la première vague d'arrestations par la Gestapo rafle soixante-seize mille personnes. (Et si Zahn Glanz n'était pas au volant du taxi en cavale pour Lennhoff, est-ce qu'il ne compterait pas parmi elles ? Donc il était bien au volant de ce taxi.)

Et le reste, pour ce qui me concerne, devra attendre l'arrivée du second prétendant de ma mère. Non que j'essaie de dire que ce second prétendant ne valait pas le premier, ou que je reproche à ma mère de ne pas avoir laissé ma paternité à Zahn Glanz. Même si ce n'est pas passé par les gènes, je tiens quelque chose de lui. Je veux seulement montrer que c'est Zahn Glanz qui a instillé l'idée de ce que je serais à ma mère. A défaut de lui avoir instillé autre chose.

## Mardi 6 juin, 3 heures ; huitième quart

Presque tout le monde dort. L'un des Oiseaux aquatiques balbutie, prophéties ou indigestion. Moi, j'ai l'œil ouvert ; quant à O. Schrutt, je ne crois pas qu'il connaisse le repos. Mais tous les autres ont fini par trouver le sommeil.

Je me disais : Comment ils le savent que le dernier grand pingouin est mort, ces Irlandais de la baie de la Trinité ? Ils ont recueilli ses dernières paroles ? Il leur a vraiment dit : « Il n'en restait qu'un, et j'étais celui-là » ?

Il paraît qu'ils sont tout le temps soûls, les Irlandais. Qu'est-ce qui leur prouve que ce grand pingouin rejeté par la mer était le dernier ? C'était peut-être un stratagème. Les grands pingouins voyaient peut-être venir le moment où ils allaient disparaître, alors ils ont dépêché un martyr avec pour mission de se présenter comme ultime. Et maintenant, quelque part au pays de Galles, dans des cottages abandonnés du bord de mer, peut-être, les grands pingouins vivent, croissent et multiplient en apprenant à leurs enfants le martyre de celui qui s'est laissé rejeter par la mer afin qu'eux puissent vivre et ne plus pécher par crédulité.

Je me demande s'il est amer, le grand pingouin. Je me demande si les jeunes sont belliqueux et s'ils s'organisent en escouades pour descendre en piqué sur les petits bateaux de pêche et les envoyer par le fond, répandant ainsi des légendes aussi vieilles et aussi invraisemblables que les serpents de mer et les sirènes, dans l'attente du jour où la marine des grands pingouins aura l'hégémonie sur les ondes du globe. Chez les humains, l'Histoire, c'est comme ça que ça se passe. Est-ce que les grands pingouins survivants sont rancuniers, je me le demande.

Et puis j'ai réfléchi à O. Schrutt. C'est curieux que j'aie

inventé son homonyme. J'ai feuilleté à l'envers mes diverses fictions, vraies et fausses, et j'ai trouvé l'autre O. Schrutt ; il a un âge nettement plus tendre que ce gardien. Mais il est curieux que mon O. Schrutt fictif soit un figurant, un second couteau, membre des Jeunesses nazies, lettre S. C'est même très curieux, non ?

Parce que, enfin, imaginez un peu. Si mon O. Schrutt fictif avait participé à toutes les figurations que je lui ai prévues, qu'est-ce qu'il ferait aujourd'hui ? Qu'est-ce qu'il pourrait faire de plus fidèle à son personnage que ce boulot de gardien de nuit dans la deuxième équipe du zoo de Hietzing ?

## Autobiographie hautement sélective de Siegfried Javotnik ; préhistoire II

Je n'arrive pas à caser mon père sur les cartes ethnographiques de la Yougoslavie. Il est né à Jesenice en 1919, autant dire croate, sinon slovène et en tout cas pas serbe. Cela dit, c'était un tel citoyen du monde qu'il devait bien être le seul Yougoslave à ne pas se soucier d'être serbe plutôt que croate, et les arguties entre les Serbes et les Croates lui auraient semblé absurdes. En politique, il jouait personnel.

J'entends par là qu'il n'avait pas d'allégeances. Né à Jesenice, il avait vraisemblablement été baptisé catholique. Dans le cas contraire, il n'était pas assez près de la Serbie pour être orthodoxe. Mais pour lui, dans un cas comme dans l'autre, la chose ne comptait pas.

Un autre élément semblait plus déterminant. Mon père avait une vocation de linguiste, et Jesenice est à moins de quatre-vingts kilomètres de l'université de Zagreb, où il apprenait les langues. C'était peut-être une prémonition de sa part, ce pessimisme à un âge aussi tendre ; il voulait maîtriser les langues des diverses armées d'occupation avant même de les voir arriver.

Quelles qu'en soient les raisons, Vratno Javotnik se trouvait à Zagreb le 24 mars 1941, lorsque Tsintsar-Markovič, ministre des Affaires étrangères, quitta Berlin pour Vienne et que les étudiants de l'université de Belgrade manifestèrent sur le campus serbe et envoyèrent des piquets de grève dans tous les cours d'allemand, en brûlant les manuels.

Le moral des Croates dut en prendre un coup ; ils entretenaient le sentiment que les Serbes finiraient par les faire tous tuer avec leur défiance maniaque de l'Allemagne. Vratno, pour sa part, pensait seulement qu'ils se trompaient de lutte. Quelque camp qu'on ait choisi, le jour où l'Allemagne envahirait la Yougoslavie, on pourrait sauver sa peau en parlant allemand, et brûler les manuels relevait du geste irréfléchi.

Le lendemain, mon père quittait donc Zagreb pour Jesenice. J'ai la conviction qu'il voyageait léger.

Ce jour-là, le pacte tripartite fut signé à Vienne. Vratno était probablement en route pour Jesenje quand il apprit la nouvelle. Il se douta, j'en suis persuadé, que cet accueil chaleureux à l'Allemagne serait jugé irrecevable par divers fanatiques serbes. Je suis non moins persuadé qu'il se mit *illico* à réviser ses tournures idiomatiques allemandes.

Je l'entends d'ici réviser sur tout le parcours.

En fait, le lendemain soir, pendant que le Conseil général de la révolution en était à sa dernière séance, au moment des décisions, il était sans doute en train de repasser ses verbes irréguliers. Des hommes étaient en train de s'emparer du pouvoir hardiment, en projetant une impossible résistance contre l'Allemagne, et mon père s'entraînait à prononcer les *umlaut*.

A Belgrade, le gouvernement collabo fut renversé et Tsvetkovič, le Premier ministre, arrêté à deux heures et demie du matin. Plus tard, le prince Paul fut capturé dans un train et exilé en Grèce. A Belgrade, il y eut des héros : le lieutenant-colonel Danilo Zobenitsa, commandant du corps des tanks et sauveteur du jeune roi Pierre ; le professeur Radoye Knezevič, ancien précepteur du roi Pierre ; Ilya Trifunovič Birchanine, commandant des Tchetniks, ces guérilleros jusqu'au-boutistes de la

Guerre de quatorze, dont on disait qu'ils étaient les seuls à pouvoir combattre au corps à corps contre les Turcs.

Et à Jesenice se trouvait mon père, qui s'appliquait à parler couramment toutes les langues de Babel, pour préparer sa survie en homme avisé.

## Mardi 6 juin 1967, 3 h 15 ; neuvième quart

Il y a quelques minutes, j'ai éprouvé le besoin pressant d'aller souhaiter bonne nuit aux éléphants. Je suis sûr que tout le monde, tôt ou tard, a entendu dire, comme moi, que les éléphants ne dorment jamais. C'est comme ça que j'ai décidé d'aller les voir, quitte à déranger les autres animaux qui, eux, avaient fini par s'endormir, quitte même à attirer la redoutable attention d'O. Schrutt, insomniaque par profession. Après tout, il n'y a pas tant d'occasions de mettre les mythes à l'épreuve, dans la vie. Et ce mythe de l'éléphant qui ne dort jamais, je m'étais souvent dit qu'il faudrait le vérifier.

Pour tout vous dire, j'avais déjà des doutes. Je m'attendais à trouver le Pavillon des pachydermes comme un grand champ de pierres rondes, autant d'éléphants profondément endormis, des cages de montagnes éléphantesques. Je me les figurais en tas, formant des cercles comme les attelages de l'Ouest, ou bien trompes enchevêtrées comme de gros pythons qui prendraient le soleil sur leur rocher.

Mais l'exemple de cette nuit accrédite le mythe. Le quartier des éléphants était invraisemblablement réveillé. Ils formaient un rang parfait, leur grosse tête contre les barreaux de leur box, comme des chevaux qui piaffent dans une écurie. Ils hochaient la tête et agitaient la trompe en respirant au ralenti.

Lorsque je suis passé devant leurs boxes, ils m'ont tendu la trompe, narines palpitantes. Leurs trompes me baisaient les mains. L'un d'entre eux avait un rhume, la trompe qui coulait avec un bruit de crécelle.

– Quand je reviendrai pour le grand soir, je te rapporterai des gouttes, j'ai chuchoté.

Il a hoché la tête : Bon, bon, si tu y penses ; mais j'en suis pas à mon premier rhume.

Les éléphants ont hoché la tête avec ennui : Apportes-en beaucoup, parce que d'ici là on sera probablement tous enrhumés ; tout est si contagieux, ici.

Ça m'intrigue. Peut-être y a-t-il un rapport entre leur insomnie et leur longévité. Soixante-dix ans sans fermer l'œil ? Ça me semble improbable, mais enfin, il y a peut-être un mythe qu'on se transmet de trompe à oreille : si on s'endort, on meurt.

Il faudrait trouver moyen de leur dire que dormir n'est pas mauvais pour la santé.

En revanche, je doute qu'on puisse en convaincre O. Schrutt.

Je l'ai entendu en retournant à pas feutrés dans ma haie. Je l'ai entendu hypothéquer le sommeil des animaux. Au Pavillon des petits mammifères, des portes grinçaient, et des panneaux coulissants coulissaient.

Tapi dans le résidu d'infrarouge, O. Schrutt ne mijote rien de bon, je parie. Mais tant qu'il choisit de rester à l'intérieur du pavillon, je n'ai plus qu'à attendre mon heure.

A moins de retourner demander aux éléphants narcophobes et certainement sagaces : Qu'est-ce qui pousse O. Schrutt à s'adonner à l'infrarouge ? et encore : Qu'est-ce qu'il pouvait bien faire au juste, l'ami O. Schrutt, il y a vingt ans et des poussières ?

# Autobiographie hautement sélective de Siegfried Javotnik ; préhistoire II

Je me demande bien où était mon père quand la Luftwaffe a bombardé Belgrade, ville ouverte, sans la moindre déclaration de guerre. Je suis à peu près sûr qu'il n'observait pas le protocole, lui non plus.

Le 6 avril 1941, les Heinkels et les Stukas servirent en même temps. La Wehrmacht pénétra en Yougoslavie avec trente-trois divisions, dont six de panzers, et quatre motorisées. Le but était de marcher sur la Russie vers la mi-mai, à la belle saison, quand les routes seraient encore praticables. L'assaut de l'Allemagne contre ce début de révolution fut donc féroce. Si féroce que, le 4 mai, l'Allemagne annonçait qu'il n'y avait plus d'État yougoslave. Mais, le 10 mai, le colonel Dražá Mihajlovič et sa bande de farouches Tchetniks hissaient le drapeau yougoslave sur la montagne de Ravna Gora. Lui et ses fanatiques de la liberté continuèrent ce genre d'actions tout l'été.

Les histoires circulaient, je vous le dis. Et les collabos croates et autres capitulateurs yougoslaves avançaient avec les Allemands en traquant les Tchetniks ; les Tchetniks se déguisaient en collabos croates pour avoir l'air de se traquer eux-mêmes. Et Mihajlović était le magicien des montagnes — il tirait les Allemands comme des lapins dans toute la Serbie. De fait, dans la vigilante Amérique, le magazine *Time* l'élut Homme de l'année. De son côté, la presse communiste ne tarissait pas d'éloges. Après tout, les Allemands n'avaient pas réussi à marcher sur la Russie à la mi-mai. Ils avaient pris cinq semaines de retard et s'embourbaient sur des routes détrempées, et ils n'étaient plus forts de trente-trois divisions ; ils avaient dû en laisser entre dix et vingt comme armée d'occupation — pour continuer à traquer les fanatiques Tchetniks.

Mais je parle de héros, et je me demande bien où était mon père. Je soupçonne qu'il était en villégiature à Jesenice, où il maîtrisait la langue des vainqueurs probables, allant jusqu'à apprendre des noms de soupes et de vins étrangers, des marques de cigarettes et des noms de vedettes du cinéma. Néanmoins, ses coordonnées me sont inconnues, jusqu'à l'automne 41, où il fit sa première apparition à Slovenjgradec.

La ville était pleine de Slovènes et de Croates qui capitulaient sans s'inquiéter outre mesure de l'occupation allemande et en voulaient beaucoup aux Serbes de leur folle résistance au sud-est. Les seules personnes que mon père ait eu à redouter à Slovenjgradec, c'était une poignée de Serbes déracinés. Ils se firent remarquer le 21 octobre 1941 en protestant contre des rapports contradictoires sur les massacres de Kragujevac faisant état, l'un de 2300 Serbes mitraillés en représailles contre 10 soldats allemands tués et 26 autres seulement blessés par les tireurs d'élite tchetniks, et l'autre d'un minimum de 3400 victimes serbes, ce qui aurait dépassé les chiffres promis par l'Allemagne en représailles contre les tireurs tchetniks, à savoir 100 Serbes pour un Allemand tué et 50 pour un blessé.

Quels que soient les chiffres corrects, du mercredi au dimanche, les femmes de Kragujevac creusèrent des tombes, et dans son ensemble Slovenjgradec fut un peu apaisée d'apprendre que les Allemands avaient fait présent au conseil municipal d'une somme de 380000 dinars pour les pauvres – c'est-à-dire à peu près tout le monde après le massacre.

Curieusement, le montant de la donation allemande fut estimé à un peu moins de la moitié de ce que les 2000 ou 3000 victimes serbes pouvaient avoir en poche.

Mais le massacre de Kragujevac fit sortir tout Slovenjgradec dans la rue, à défaut d'autre chose, ne serait-ce que pour écouter les rapports contradictoires, et percevoir le sentiment de la cité dans des conversations de trottoir. En fait, le massacre fit sortir au grand jour des gens qui autrement se seraient tenus à l'écart.

Mon père, pour ne pas le nommer, sortait écouter son serbo-croate maternel et attraper quelques expressions allemandes familières de café en café.

Ou encore, pour ne pas la nommer, toute la horde Slivnica, comme on les appelait, des vrais diaboliques, tous tant qu'ils étaient, au service de l'organisation terroriste oustachie, censément dirigée par le fasciste Ante Pavelič. C'est un tueur à gages de Pavelič qui, nous dit-on, avait assassiné le roi Alexandre et le ministre français des Affaires étrangères, Barthou, à Marseille, en 1934.

Le bruit courait que l'Italie fasciste était derrière les Oustachis ; il est bien connu que l'interminable différend entre les Serbes et les Croates a toujours été mis à profit par les voisins de la Yougoslavie. Mais la famille Slivnica était à part ; ce n'était pas par idéal politique que ses membres faisaient régner la terreur ; non, simplement, leur travail à la solde des Oustachis nourrissait bien son homme. D'ailleurs, ils étaient précisément en train de se nourrir lorsque Vratno les rencontra – au grand complet, même si seule la ravissante Dabrinka avait attiré son regard.

La horde Slivnica était installée autour d'une longue table, à la terrasse d'un restaurant qui dominait la Mislinja, et la belle Dabrinka en train de verser du vin à ses deux sœurs et à ses quatre frères. Ses sœurs n'avaient rien de ce que Vratno lui trouva. Il y avait Baba la courtaude et sa bouche de poisson, et Julka la boudeuse et ses rondeurs de melon. Or Dabrinka était une créature au visage modelé et au corps délié – elle était plus en traits qu'en volumes, se plaisait à dire mon père ; Dabrinka était un filet d'eau fraîche, plus en tige qu'en fleur. Il la prit pour la serveuse sans se douter une seconde qu'elle faisait partie de la famille taillée dans la masse qu'elle servait.

Depuis la table à côté il leva son verre vide en lui lançant : « Vous me servez un petit coup, mignonne ? » Dabrinka se détourna en serrant la carafe contre elle. L'élément mâle de la horde se tourna comme un seul homme vers mon linguiste de père, qui venait de s'exprimer en serbo-croate. Il sentit monter la colère autour de lui. Hé oui, ils étaient quatre : les jumeaux costauds, Gavro et Lutvo ; l'aîné, Bijelo, qui était aussi leur chef, et le terrible Todor, effroyable montagne humaine.

– Et nous, qu'est-ce qu'on te verse ? demanda Bijelo.

— Ce sera des clous, ou du verre pilé ? dit Todor.

— Ah ! mais vous êtes tous de la même famille, je vois, s'écria mon père.

Car, à l'exception de Dabrinka, ils se ressemblaient tous de façon frappante. D'eux, elle n'avait que le noir et le vert olive – dans ses yeux. Elle n'avait pas leur front fuyant ni leur teint moricaud ; elle n'avait pas les joues en goutte d'huile dont même Baba et Julka étaient affligées ni les yeux bridés et rapprochés des jumeaux ; elle n'avait pas les fossettes caricaturales de Bijelo, l'aîné, ni rien de la masse de son grand frère Todor, avec ce menton fendu qui semblait être le produit de longues heures de limage.

— Et vous êtes sept, eh bien, quelle belle famille ! dit mon père qui pensait : Quel inconcevable duo a bien pu s'accoupler pour les concevoir ?

— Vous nous connaissez ? demanda Bijelo.

Les jumeaux firent un signe de dénégation sans piper mot ; Baba et Julka se passaient la langue sur les lèvres en essayant de se rappeler ; Dabrinka rougissait sous son corsage ; Todor carrait sa masse.

— Mais je serais très honoré », dit mon père en serbo-croate courant. Il se leva, les jambes flageolantes, et ajouta en allemand : « Je serais ravi », puis en anglais : « Très heureux de faire votre connaissance », et enfin en russe, langue mère, espérant éveiller une éventuelle slavophilie : « Enchanté, absolument !

— C'est un linguiste, s'exclama Todor.

— Un linguiste, répéta Bijelo.

— Il est plutôt sympa, dit Baba.

— C'est un gamin, souffla Julka.

Lutvo et Gavro n'ouvrirent pas la bouche.

— Et nous ne nous sommes jamais rencontrés ? dit Bijelo, le chef.

— Mais je ne demande pas mieux, répondit mon père dans son serbo-croate le plus académique.

— Apportez votre verre, ordonna Bijelo.

— On pourrait peut-être réduire le bord en poudre extra-fine et vous faire boire la poussière de verre, suggéra Todor.

— Ça suffit, l'humour, Todor, coupa Bijelo.

— Je me demandais quelle langue il parlerait avec de la poussière de verre dans le larynx, c'est tout.

Bijelo donna une calotte à l'un des jumeaux :

— Donne ta chaise au linguiste et va t'en chercher une autre !

Gavro et Lutvo se levèrent d'un même mouvement pour s'exécuter.

Lorsque mon père s'assit, Baba dit :

— Oh ! il est pour toi.

— Je te le laisse, si tu veux, répondit Julka.

Gavro et Lutvo revinrent avec une chaise chacun.

— Mais qu'ils sont bêtes, dit Baba.

— Des muets doublés de crétins, dit Julka.

— Ils ont une cervelle pour deux, dit Todor, ça fait un peu maigre pour vivre.

— Ça va bien, l'humour, Todor, dit Bijelo.

Et Todor resta assis sans mot dire avec les jumeaux qui spéculaient intérieurement sur la présence de la chaise surnuméraire.

Quand la jeune Dabrinka lui fit face, mon père eut du mal à lever son verre.

C'est ainsi que mon père rencontra la horde Slivnica, artistes aux talents multiples à la solde des Oustachis — qui se trouvaient avoir besoin d'un linguiste.

Les Oustachis étaient sur un projet délicat, si délicat, à vrai dire, que les Slivnica étaient singulièrement inactifs depuis deux semaines, dans l'attente de l'homme sur mesure. Ils devaient commencer à s'impatienter — ou du moins attendre avec impatience un travail moins aléatoire que la chasse au linguiste. Leur dernière opération, ayant requis les services de toute la famille, avait aussi gratifié tout le monde. Un journaliste français qui n'avait pas reçu d'autorisation de mener son enquête en Yougoslavie voulait faire un séjour dans une famille typique de Slovenjgradec pour se faire une idée de l'avance du fascisme et du sentiment pro-italien et pro-allemand chez le Slovène et le Croate moyens. Les Oustachis se souciaient peu de ce genre de publicité : la France avait sans doute une assez solide rancune après l'assassinat de Barthou. Le journaliste français se vit donc attribuer le foyer Slivnica comme famille typique.

Or ce monsieur Pecile ne les trouva pas représentatifs ; en tout cas, il demanda une famille *sans* jumeaux muets, mais *avec* parents vivants. Peut-être douta-t-il comme Vratno que ces monstres aient eu des géniteurs naturels, peut-être fit-il des avances à Dabrinka malgré les offres généreuses de Baba et Julka, toujours est-il qu'il froissa les Slivnica dans leur sens de la famille. Et l'épilogue fut dessiné par Gavro et Lutvo, les joyeux jumeaux, sur le capot poussiéreux de la voiture du Français : ce petit monsieur avait fait un plongeon de torpille dans la Mislinja.

Ça, c'était une opération qui les avait tous concernés ; un vrai projet familial. Rien à voir avec cette chasse au linguiste. Todor avoua l'avoir trouvée tellement ennuyeuse qu'il craignait que son humour ait tourné à l'aigre.

Eh oui, le travail que les Oustachis proposaient à Vratno était nettement plus délicat que la pure et simple élimination d'un Français clandestin. Le nouveau sujet à traiter était un Allemand du nom de Gottlob Wut. Son titre de séjour était le même que celui de sa horde, et le travail spécial que l'on demandait à Vratno – dans un premier temps – n'était pas une élimination. Gottlob Wut était le chef de l'élément de reconnaissance de l'unité motocycliste Balkan 4, et les Oustachis ne voulaient pas s'attirer d'ennuis avec les Allemands. En somme, ils voulaient que mon père se lie rapidement d'une amitié indéfectible avec Gottlob Wut.

Et les Slivnica devaient préparer mon père à cette tâche considérable, car, pour autant qu'on ait pu le savoir, Gottlob Wut n'avait jamais eu d'ami.

Le malheureux avait été déraciné par la guerre, ce qu'on ne pourrait pas dire de tous les Allemands. Il avait quitté un art pour le service de la patrie, et les Oustachis s'intéressaient à ce qu'il pourrait bien révéler de son mystérieux passé à un ami, lui qui dans sa situation actuelle ne pouvait qu'être nostalgique des jours meilleurs.

Ce qu'ils avaient contre Gottlob Wut n'est pas très clair, mais je soupçonne que c'était une blessure d'amour-propre. Il avait été mécanicien de course pour l'usine de motocyclettes NSU, à Neckarsulm, avant guerre. Dans le monde des motards, on disait partout qu'il avait la main incantatrice. Les Oustachis lui trouvaient aussi une main de fer, voire une main d'assassin : en 1930, un nouveau modèle de moto de course de chez NSU avait créé la surprise en remportant le Grand Prix d'Italie, avec le pilote britannique Freddy Harrell ; or, d'après les Oustachis, le rôle de Gottlob Wut dans ce succès ne s'était pas borné à son génie du contrôle des soupapes. Leurs homologues italiens avaient apporté la preuve que ses manipulations ne s'étaient pas arrêtées aux ressorts de soupapes en épingle à cheveux ; on prétendait qu'il avait également manipulé avec le même bonheur la tête du favori italien, Guido Maggiacomo, dont le corps avait été retrouvé après la course dans le garage du Grand Prix, paisiblement étendu auprès de sa Vélocette sur laquelle tous les regards avaient été braqués, et qui avait raté la course. La tempe de Maggiacomo était salement défoncée, ce que les experts attribuèrent à un coup de carburateur Amal trouvé sur les lieux du crime ; or, à l'époque, Wut passait pour ne jamais sortir sans son carburateur Amal. C'était en réussissant à monter ces carburateurs légèrement vers le bas qu'on avait amélioré les performances des motos de course, chez NSU.

Malheureusement, les homologues italiens des Oustachis avaient soutenu un grand nombre de syndicats qui avaient misé sur Maggiacomo et sa fameuse Vélocette. Quand le montant des enjeux fut connu, il apparut que l'équipe de chez NSU, Freddy Harrell et l'Allemand Klaus Worfer, faisait un malheur. Mais on raconte que celui qui avait misé sur cette équipe n'était autre que le mécanicien aux mains incantatrices, et c'est lui qui empocha le magot.

Mais cela s'était passé en 1930, et si les Oustachis allaient révéler le crime aux supérieurs nazis de Gottlob Wut, ils se feraient rire au nez. Gottlob Wut était un chef précieux pour l'unité Balkan 4.

Non que l'unité elle-même ait semblé précieuse, à l'époque. Les Allemands s'étaient rendu compte que leurs éclaireurs en moto étaient passablement inadaptés à la campagne de Yougoslavie. Ils constituaient des cibles aisées dans les montagnes serbes, surtout étant donné les techniques de guérilla des Tchetniks. Par ailleurs, maintenir l'unité de Wut à Slovenjgradec n'avait rien de vital non plus. Il n'y avait pas de vraie guerre en Slovénie ni en Croatie ; c'était une occupation tranquille ; et pour le travail de la police, il y avait des moyens plus efficaces que les motos.

Les farouches cavaliers de Wut avaient l'air un peu bêtes dans une ville calme.

Naturellement, la rancune des Oustachis contre lui n'était pas purement financière. On pensait qu'il serait bon de prendre le vieil incantateur en flagrant délit, surtout s'il s'agissait d'un délit qu'on pourrait présenter comme anti-allemand. On avait déjà connaissance d'un scandale mineur. Si Wut n'avait pas d'ami, il avait une maîtresse, une Serbe, plus ou moins hors-la-loi politique à Slovenjgradec. Il apparaîtrait qu'il ne prenait pas son sang allemand très au sérieux ; pour tout dire, la guerre, il avait l'air de s'en ficher éperdument.

C'est ainsi que commença le haro sur Wut, mon père étudiant les très riches heures de l'histoire de la moto sur la table de cuisine des Slivnica. Et il apprit le nom des pilotes, la date des courses ; il apprit le rapport de la course à l'alésage, les taux de compression significatifs ; il sut distinguer le modèle à soupapes latérales du modèle bicylindre à double arbre à cames en tête avec compresseur, sur les 300 et les 500 cc. Comme il n'était jamais monté sur une moto, les Slivnica le firent profiter de leurs compétences.

Le vaste Todor se mettait à quatre pattes et mon père l'enfourchait. Il lui tendait ses coudes en guise de guidon et lui faisait voir comment prendre les tournants. Bijelo décrivait les conditions de route.

– Virage sec à droite !

– Penche-toi à partir de la colonne vertébrale, disait Todor. Bouge pas mes coudes ; c'est pas comme un volant, un guidon, ça sert qu'à se tenir. Une moto, tu la conduis en la penchant, depuis la tête jusqu'aux hanches. Allez, envoie-moi un petit coup à droite.

— Virage sec à droite, dit Bijelo.

Il vit mon père se pencher avec circonspection sur le côté gauche du large dos, ses genoux glissant.

— Tu l'aurais pas eu celui-là, dit Todor. Tu te serais fichu dans le décor, mon p'tit gars. Il faut que ça serre des genoux, vas-y, fais-moi voir un peu.

Et Baba gloussa :

— Allez, à moi ! je veux faire la moto !

— Todor fait une très bonne moto, dit Bijelo, l'aîné.

Il s'y connaissait. Il avait volé la Norton d'un Italien, de l'autre côté de la frontière, à Tarviso – ah, avant d'avoir ses responsabilités de chef de famille –, et il l'avait ramenée par les montagnes en Yougoslavie, sa vieille bécane, en évitant les postes frontières parce qu'il évitait les routes. Mais ça lui avait tellement monté à la tête de l'avoir ramenée chez lui, et d'être enfin sur une vraie route, qu'il s'était balancé dans la Save du côté de Bled. Il était ressorti de la rivière trempé, mais fou de joie à l'idée qu'il saurait comment faire la prochaine fois, si prochaine fois il y avait, et comment aller jusqu'à Slovenjgradec – disait-il.

Ce fut un bon professeur, pour mon père en tout cas. Mon père montait Todor Slivnica sous l'œil critique de Bijelo, plusieurs heures tous les soirs, tandis que Baba offrait son large dos pour le cas où Todor flancherait, et que Julka prétendait qu'elle serrerait un réservoir, ou la cage thoracique de son frère, mieux que Vratno.

Pendant toutes ces longues heures de moto dans la cuisine nocturne des Slivnica, mon père apercevait une fois de temps en temps sa timide Dabrinka. Elle servait le vin, elle versait le café, elle se faisait pincer par ses sœurs et elle ne croisait jamais son regard. Un soir, sur un virage sec à gauche, il lui fit un sourire ; il était prêt à attendre indéfiniment qu'elle lui rende son regard. Mais Todor tourna la tête, qui figurait généralement le phare et les cadrans nécessaires. Il envoya mon père dans le fossé sur ce virage à gauche.

— T'as dû trop te pencher, Vratno, dit-il à mon père en se rapprochant d'où il se retrouvait assis. C'est des grandes filles qu'il te faut, à ton âge. On a ça ici, si tu veux, pas besoin de te crever !

Il joignit à cette aimable information un geste de l'index et du majeur qui figurait des ciseaux gros comme un sécateur, sécateur dirigé juste au-dessous de la ceinture de mon père.

Ah, maintenant que la chasse au linguiste était finie, on voit que l'humour de Todor Slivnica retrouvait sa fraîcheur !

## Mardi 6 juin 1967, 3 h 45 ; dixième quart

Ça m'a donné sommeil de voir ces éléphants, mais, enfin, s'ils peuvent tenir soixante-dix ans et plus sans dormir, je peux bien tenir encore quelques heures. Simplement, à cause de l'accalmie qui règne ici, pendant un instant je me suis ennuyé.

Quand je suis rentré du Pavillon des pachydermes, tout était si tranquille que j'ai longé ma haie sans y rentrer. J'ai descendu l'allée qui mène à l'enclos de l'oryx ; je me suis rendu compte que j'avais différé ma visite chez lui sans raison valable.

Je n'ai eu aucun mal à escalader l'enclos, mais, dès que j'ai mis le pied à l'intérieur, j'ai vu que l'oryx était dans sa cabane. Ses sabots de derrière étaient étalés sur le devant de porte en planches ; il avait des poils blancs soyeux sur les fanons. On aurait dit quelqu'un qu'on aurait assommé à coups de maillet quand il rentrait chez lui, quelqu'un qui serait tombé dans une embuscade sur le pas de sa porte. Mais je suis monté derrière lui avec précaution, et il a passé la tête par la porte, dans le clair de lune ; j'ai touché son nez noir humide ; il a poussé une sorte de petit « mouu ». C'était un peu décevant, cette docilité. Je m'attendais à ce qu'il me tienne tête ; je m'attendais à être acculé au mur de sa cabane, menacé du sabot et de la corne, jusqu'à ce que je lui prouve que j'étais un type fiable. Mais il n'avait pas besoin de preuves ; il s'est recouché, étiré, relevé de nouveau en poussant sur sa vaste hanche ; il s'est mis à genoux, en fait ! Ses grandes bourses cognaient les planches. Il s'est levé avec lassitude, comme pour dire : Ça va, je vais te montrer où elles sont, les toilettes ; t'es pas fichu de les trouver toi-même.

Il m'a fait entrer dans sa cabane. Il s'est effacé pour me laisser passer, puis, avec des petits coups de tête, il m'a fait faire le tour du propriétaire : Je couche là quand il fait froid ; quand il fait meilleur, tu as vu, je passe un bout de ma viande par la porte ; là je prends mon petit déjeuner, près de cette fenêtre sans vitre. Et c'est là que je viens m'asseoir pour lire.

Il tournait dans sa cabane, attendant sans doute que je lui donne à manger ; mais quand je lui ai fait voir que je n'avais rien, il est sorti de sa maison avec une certaine indignation. Le clair de lune ricochait sur le mur ; ses couilles ballottaient sous l'effet stroboscopique des reflets de lune.

Il faudrait revenir plus précisément sur la question de leur grosseur. C'est pas des ballons de basket, il faut pas exagérer. Mais elles sont plus grosses que des balles de base-ball et alors, nettement plus grosses que celles des éléphants que j'avais vus au garde-à-vous quelques moments auparavant. Elles sont comme des ballons de volley, sauf qu'elles sont trop lourdes pour être parfaitement rondes. C'est des ballons de volley sur lesquels on se serait assis, ou qui seraient un peu dégonflés – ça fait des petits creux là où le ballon s'est dégonflé. Je peux pas mieux vous dire, sauf à signaler qu'elles pendent dans de longues sacoches postales en cuir souple, et aussi qu'elles sont un peu crottées – à cause de la gadoue du taudis de ce malheureux oryx, j'en suis sûr.

Il est né au zoo de Hietzing, rendez-vous compte ! Conditionné ! Il croit qu'on peut rien faire d'autre avec ses couilles que les trimbaler. Personne lui a dit. Il saurait probablement pas quoi faire d'une dame.

Et c'est là que j'ai commencé à me dire : Pourquoi est-ce qu'on trouverait pas une antilope ou une autre, une chèvre des montagnes ou une gnou expérimentée qui montrerait à ce pauvre oryx à quoi servent ses couilles de volley ?

Ma religion est faite : c'est l'abstinence qui les a hypertrophiées !

J'ai donc fait le tour des enclos voisins pour chercher une dame qui puisse déniaiser cet oryx lymphatique. Eh bien, c'était pas commode. La blesbok était trop petite et effarouchée ; elle ne lui aurait appris que la frustration. J'ai trouvé la gnou à queue blanche beaucoup trop velue. L'antilope des roseaux avait l'air ridiculement virginale ; la petite koudou avait trop peu à offrir ; la hartebeest avait l'échine trop maigre, et la seule femelle wildebeest portait la barbiche. Dans tout le zoo de Hietzing, il n'y avait rien qui ferait l'affaire de notre oryx aussi bien qu'une bonne vache bien douce.

Alors voilà ce que j'ai décidé : plutôt que de corrompre l'oryx avec une lama lascive, je m'en remettrai à la chance au moment du grand soir, en espérant qu'il s'échappera à jamais vers les pâturages des bords du Danube pour rafler des vaches princières et faire la loi sur des troupeaux frappés d'une terreur sacrée.

C'est sur ces encouragements que je me suis faufilé le long du Pavillon des petits mammifères. O. Schrutt était parti quelque part dans les venelles du labyrinthe, toujours à faire grincer des portes et glisser des panneaux.

Mais là, devant la porte ouverte, sur la maladresse sonore d'O. Schrutt s'entendait désormais autre chose : il avait réveillé ses protégés ; ça frottait, ça grattait, ça claquait des griffes contre les parois de verre. Au moment où je me disais que ce réveil préludait à l'apparition d'O. Schrutt en personne dans le couloir pour bondir vers la porte ouverte, au moment où j'avais fait demi-tour dans l'allée pour regagner ma haie, j'ai entendu une plainte qui venait d'un des corridors perdus du labyrinthe. Un cri sectionné net, comme si O. Schrutt avait ouvert une porte sur le cauchemar d'une pauvre bête, pour la claquer aussitôt, de peur d'entrer dans le monde des chimères, peut-être.

Mais la plainte était contagieuse. Tout le pavillon geignait et pleurait. Les cris retentissaient, puis étaient interrompus, assourdis sans être éliminés. Comme si un train d'animaux était passé en pleine vitesse et que le cri des bêtes effarées vous avait cinglé au passage comme le fouet d'un cocher ; et les cris ont plané un instant alentour, comme s'attarde la morsure du fouet sur le cou après que le cocher est passé.

Je me suis donc enfoncé tête la première dans le trou de la haie le plus proche et je l'ai traversée à quatre pattes, en retenant ma respiration.

Quand j'ai soufflé et que j'ai entendu des centaines d'autres créatures souffler en même temps, je me suis rendu compte que le reste du zoo était réveillé de nouveau.

## Autobiographie hautement sélective de Siegfried Javotnik ; préhistoire II

Le dimanche 26 octobre 1941, les Slivnica estimèrent que Vratno Javotnik était fin prêt pour faire la connaissance de Gottlob Wut, dont les habitudes dominicales étaient propices à une rencontre.

L'élément de reconnaissance avait ses dimanches. Il n'y avait pas de garde au quartier de Balkan 4, rue Smartin, ni au garage à motocyclettes, dans une rue voisine, tout près de la Mislinja.

Le dimanche était le jour où Wut prenait le temps de petit-déjeuner avec sa maîtresse serbe, qu'il avait installée au vu et au su de tous dans un appartement de la rue Smartin, à mi-chemin entre le quartier et le garage. Tous les dimanches matin, il quittait la caserne d'un pied léger dans son peignoir de bain et ses chaussures de ville délacées, l'uniforme sous le bras ; c'était le seul jour de la semaine où on le voyait sans son casque sur la tête ou à la main. Il traversait la rue, et comme il avait la clef de l'appartement, toute la rue Smartin le regardait entrer.

De temps en temps, l'un des membres de l'élément restait de garde le dimanche, auquel cas l'une des NSU 600 cc à soupapes latérales et side-car était en faction au quartier. Mais le reste du temps toutes les motos étaient bouclées au garage, plus bas dans la rue.

Wut avait aussi la clef du garage. Il quittait sa maîtresse en fin d'après-midi, et descendait retrouver ses motos, impeccable dans son uniforme, cette fois, peignoir de bain sous le bras. Alors il bricolait sur ses motos jusqu'à la nuit. Il les faisait démarrer, les arrangeait, sautait dessus, resserrait des boulons et laissait des petits tickets sur les diverses poignées pour indiquer la nature des maladies qu'il avait découvertes et noter les complications de celles qu'on n'avait pas soignées, suggérant parfois des punitions pour les pilotes les plus négligents.

Quand il s'affairait, il laissait la porte du garage ouverte à cause des gaz d'échappement, et aussi pour laisser entrer son public, essentiellement composé d'enfants. Ils s'encadraient dans la porte en faisant leurs propres vroum vroum ; il les laissait monter sur les side-cars, mais jamais sur les motos qui risquaient de les écraser en glissant de leur béquille. Il rapportait des pâtisseries de chez la Serbe et mangeait un morceau avec eux avant de fermer. Mais ceux qui volaient — ne serait-ce qu'un insigne — ils ne les acceptait plus jamais ; et il savait toujours qui avait volé quoi.

C'était un homme filiforme, sans hanches ni fesses, le dos voûté, raide dans tous ses mouvements ; il avait une démarche saccadée, comme si plier les articulations avait été douloureux pour lui ; c'était sans doute le cas d'ailleurs : au fil de sa vie, il s'était cassé tous les doigts et la moitié des orteils, les deux poignets et les deux chevilles, une jambe et le coude opposé, toutes les côtes gauches sauf la plus haute, le menton une fois, le nez deux fois, et trois fois la joue gauche, qui était enfoncée — mais jamais la droite. Il n'avait jamais été pilote de course, mais c'est lui qui faisait tous les essais avant que les machines soient au point, et c'est par lui que la mise au point se faisait : le pauvre Wut, rivé au sol par l'un des modèles qu'il testait, la main traversée par une poignée de frein avant, du carburant lui giclant sur la poitrine, le levier de vitesse d'une Tourensport planté dans la cuisse, tandis que des mécanos le délivraient du monstre, trouvait moyen d'articuler : « *Ja,* je serais tenté de dire qu'il n'y a pas de suspension, et il va falloir laisser la fourche à l'avant si on veut une bonne suspension, parce que là, ça m'a beaucoup manqué, quand même, la suspension, dans ce virage que j'ai raté. »

Mais à présent il faisait un boulot ennuyeux, à écrire ses petits tickets : Bronsky, tes pneus sont toujours mal gonflés ; Gortz, c'est pas avec du papier de soie que tu vas arrêter ta fuite ; tu as perdu un joint de transmission, et je veux plus voir une saloperie de papier de soie dans ton moteur ; Wallner, tu te couches trop sur tes virages, tu m'as scalpé tes tuyaux d'échappement et tordu ta béquille – si tu continues à faire le fou comme ça tout ce que tu vas gagner, c'est un side pour te ralentir, idiot. Vatch, la croix de fer de ton garde-boue a disparu, et ne me dis pas que c'est mes enfants qui l'ont prise, je les surveille, alors je sais qu'à tous les coups tu l'as donnée à une fille ou bien envoyée à ta famille pour faire croire qu'on t'a donné une médaille – il y a des trous de vis dessus, à qui tu vas faire croire ça ? – remets-la sur ton garde-boue ; Metz, tes bougies sont encrassées ; c'est pas moi qui vais décalaminer ; c'est du boulot de manœuvre ça, c'est bon pour toi – lundi, au lieu d'aller déjeuner.

Oui, il était bien morne, son boulot ; avoir survécu à des aventures pour mourir d'ennui. Il aurait aimé dire à Wallner, son meilleur pilote, comment il pouvait raboter ses tuyaux d'échappement jusqu'à les réduire en poussière, comment il pouvait se coucher sur ses virages et les mettre en bouillie, sauf qu'il fallait se méfier de la béquille pour qu'elle ne vous fasse pas sauter, ce qui est la raison pour laquelle on n'en met pas sur les motos de course, et souvent pas de tuyaux non plus. Mais il écrivait ses tickets du dimanche, ces tickets qui maintenaient Balkan 4 intact, même dans son inadaptation. Les pièces détachées et les pilotes ne se remplaçaient pas aussi facilement à Slovenjgradec qu'à la vieille usine de Neckarsulm.

Le dimanche 26 octobre était certes un jour finement choisi par les Slivnica pour apporter un élément d'animation à la vie fastidieuse de Gottlob Wut.

C'était aussi le cinquième et dernier jour que les veuves de Kragujevac passaient à faire les fossoyeuses, elles étaient lasses, des ampoules aux mains.

Et c'était sans doute un jour comme tant d'autres d'escarmouches et d'embuscades pour les Tchetniks de Mihajlović, et pour les Partisans communistes qui les soutenaient à l'époque contre les Allemands, Partisans communistes menés par un obscur fils de forgeron croate du village de Klanyets. A l'origine, ce fils de forgeron était parti sur le front russe avec l'armée austro-hongroise, mais il était passé chez les Russes et avait combattu avec l'Armée rouge pendant toute la guerre civile. Il était ensuite rentré chez lui pour y devenir l'un des leaders du Parti communiste yougoslave, moyennant quoi il avait été arrêté comme communiste en 1928, et avait passé cinq ans en prison ; on racontait qu'il avait ensuite été à la tête du Parti communiste yougoslave pendant sa clandestinité, mais ceux qui avaient des rapports avec la clandestinité balkanique à Vienne à l'époque jurent leurs grands dieux qu'ils n'ont jamais entendu parler de fils de forgeron.

Certains membres de la Résistance balkanique prétendent que le fils de forgeron n'était qu'un agent secret russe et qu'il était resté en Russie jusqu'à ce que cette invasion différée par les Allemands soit bien avancée. Quelle que soit la vérité, il menait les Partisans communistes sans que son identité soit connue, avec les Tchetniks contre les Allemands, quand ce n'était pas aussi contre les Tchetniks. C'était un communiste ; il avait une belle tête slave ; il s'était battu aux côtés de Mihajlović avant de se retourner contre lui ; c'était vraiment le grand inconnu.

Au moment où mon père se préparait à rencontrer Gottlob Wut, rares étaient ceux qui avaient entendu parler de Josip Broz dit Tito, fils de forgeron.

Mon père n'était certainement pas du nombre : je l'ai dit, il s'intéressait peu à la politique. Il s'absorbait dans des détails moins volatils : les divers usages du carburateur Amal, les avantages du bicylindre à arbre à cames en tête, les *umlaut* et les conjugaisons. A vrai dire, le dimanche 26 octobre 1941, mon père avait appris sa présentation par cœur.

Il se parlait tout bas en allemand, prêtant même des répliques à Wut. Puis il entra d'un pas dégagé par les portes ouvertes du garage à motos, un casque de course indigo à visière rouge légèrement en arrière, mentonnière lâche et ballante, et au niveau de l'oreille, une paire de drapeaux à damiers, avec une auréole qui disait : « Le carburateur Amal, premier à la course, dernier à bout de course. »

— *Herr Komandant* Wut ! s'écria-t-il. Ah oui, je vous reconnais bien ! Vous avez pris de l'âge, bien sûr, j'avais onze ans, hein, alors moi aussi j'ai pris de l'âge, quoi ! Sacré Wut, si seulement mon pauvre oncle était encore là pour vous voir !

— Quoi ? dit Wut en faisant dégringoler des outils et des gosses. Qui ça ? demanda-t-il, une clef à molette dans sa vieille main bouffie.

Mon père n'en avait jamais vu d'aussi sale, ni d'aussi crevassée.

— Je me présente, Javotnik, Vratno Javotnik.

— Vous parlez allemand... et puis qu'est-ce que vous fabriquez avec cette tenue de cuir ?

— Wut, je suis venu m'engager dans votre équipe.

— Ma quoi ?

— Je suis venu tout réapprendre à zéro, Wut, maintenant que j'ai trouvé le maître.

— Mais j'ai pas d'équipe, et je connais pas de Javotnik !

— Vous vous souvenez, le Grand Prix d'Italie en 1930 ? Ah, Wut, vous avez vraiment fait un malheur...

Gottlob Wut fit sauter la fermeture de son étui-revolver.

— C'est mon pauvre oncle qui m'y avait emmené, j'avais que onze ans. Il disait que vous étiez le meilleur, tonton.

— Le meilleur en quoi ? demanda Wut, étui ouvert.

— Ben sur les motos, évidemment. L'entretien, la conduite, les tests, l'entraînement des pilotes. Un génie, qu'il disait, tonton. Et puis, la politique s'en est mêlée, hein, sinon mon oncle se serait engagé dans votre équipe.

— Mais j'ai pas d'équipe !

— Écoutez, moi, j'ai un vrai problème.

— Désolé pour vous, dit Gottlob Wut avec sincérité.

— Je faisais mes débuts comme pilote quand mon oncle s'est tué. Il a flanqué sa Norton dans la Save, à la sortie de Bled. Ça m'a fichu en l'air. Je suis jamais remonté sur une moto depuis.

— Je comprends pas ce que vous voulez.

— Vous pouvez m'apprendre. Il faut que je redémarre à zéro. J'étais bon, mais ça m'a cassé quand mon pauvre tonton s'est flanqué dans la Save. Il disait que vous étiez le meilleur, tonton.

— Mais comment il me connaissait, votre oncle ?

— Le monde entier vous connaissait. Le Grand Prix d'Italie, ce malheur que vous aviez fait !

— Vous vous répétez, protesta Wut.

— Mon oncle était en train de m'apprendre. Il disait que mes gestes étaient bons. Mais ça m'a cassé, vous comprenez. Il me faudrait un maître pour me remettre en selle.

— On est en guerre, en ce moment, imbécile. Et vous êtes quoi, vous, au fait ?

— Euh, croate, je pense ; qu'est-ce que ça peut faire ? Le monde de la moto est international.

— Oui, mais seulement on est en guerre, et moi je suis le chef de l'élément de reconnaissance de l'unité motocycliste Balkan 4.

— C'est l'équipe que je veux !

— C'est pas une équipe, on est en GUERRE !

— Vous la faites sérieusement cette guerre, vous ? Qu'est-ce que ça va rapporter à NSU, cette guerre ?

— Ça va nous renvoyer dix ans en arrière. On fabriquera plus de motos de course, il y aura pas de perfectionnements des modèles, et quand on rentrera il y aura peut-être plus d'usine et mes pilotes auront peut-être bien perdu leurs guiboles. Toutes les motos nous reviendront peinturlurées pour le camouflage.

— Ah, vous avez sûrement raison, la politique et les motos, ça fait pas bon ménage. Dites, Wut, est-ce qu'il y aurait moyen que je dépasse ma peur ?

— Mais, bon Dieu, vous avez rien à faire avec une unité allemande !

— Vous pouvez m'aider, je le sais. Vous pourriez refaire de moi un pilote.

— Et pourquoi vous parlez allemand, d'abord ?

— Vous parlez serbo-croate, vous ?

— Bien sûr que non !

— Eh ben, il vaut mieux que je parle allemand alors, non ?

Parce que, vous comprenez, j'ai parcouru tout le continent, moi ; des rencontres amicales, surtout. Mais j'étais remplaçant du pilote pour le Grand Prix, en 1939. Dommage que NSU ait pas gagné, cette année-là – il était un peu lourd votre modèle de 39, non ? – enfin j'ai un peu appris les langues dans mes virées.

– Ça c'était avant que vous soyez... cassé ? demanda Wut qui était perdu.

– Oui, avant que mon pauvre tonton pique une tête avec la Norton.

– Et vous n'aviez que onze ans pour le Grand Prix d'Italie ?

– Onze ans, oui, Wut ; un gosse en admiration.

– Et vous avez retrouvé ma trace ici ?

– Eh oui, Wut.

– Mais comment vous avez fait ?

– Le monde entier vous connaît, Wut. Le monde de la moto.

– Oui, oui, c'est vrai, vous l'avez déjà dit.

– Comment vous vous y prendriez pour surmonter une angoisse pareille ?

– Vous êtes complètement cinglé, dit Wut, et puis vous allez faire peur aux enfants.

– Réfléchissez, s'il vous plaît. J'avais tous les réflexes et maintenant je suis bloqué.

– Il faut vraiment que vous ayez perdu la tête, dit Wut.

Mon père parcourut le garage d'un œil désespéré et tenta :

– Des tas de side-cars, mais enfin, ça, c'est pas vraiment des motos, et puis alors, soupapes latérales, couple en première, c'est bien gentil pour la guerre, mais, bon, c'est pas avec ça qu'on gagne une course, hein ?

– Minute ! j'ai deux 600 à soupapes en tête, et elles tracent pas mal.

– Oui, mais enfin, il y a pas de suspension arrière. Le centre de gravité était trop haut, ça les rendait dures à conduire, si je me rappelle bien l'année 38.

– Et comment que vous vous rappelez ! Et vous aviez quel âge, dites-moi, mon petit ?

– Rien que des modèles de 38, compta dédaigneusement mon père, des soupapes latérales et ces bœufs de side-cars. Excusez-moi, Wut, je me suis trompé, vous avez rien qui puisse faire mon affaire. » Il prit la direction de la porte. « A la fin de la guerre, NSU en sera réduit à plus fabriquer que des cyclos.

– Et ils m'envoient même pas où il y a de quoi rouler pour de bon ! dit Wut.

Mon père sortit dans la rue suivi de Gottlob Wut à la démarche désarticulée, sa clef à molette coincée dans sa botte.

– Ils se sont peut-être dit que vous étiez trop vieux pour aller au front. Peut-être qu'ils ont pensé que votre avenir était derrière vous, que vous aviez plus la rage, vous comprenez ?

– Vous avez pas vu la moto de course qui est là, dit Wut timidement. Je mets une bâche dessus.

– Quelle moto de course ?

– Celle du Grand Prix de 39, dit Wut, en équilibre instable, les pieds en dedans, croisant et décroisant les mains derrière son dos.

– Celle qui était trop lourde ?

– Je peux l'alléger. Bien sûr, il a fallu que je lui mette quelques accessoires pour qu'ils la prennent pour un cheval de trait, comme les autres. Mais de temps en temps je lui enlève toute sa quincaillerie, la béquille, la boîte à outils, le porte-bagages, les éléments radio et toute ces saloperies de sacoches. Il m'a fallu la rembourrer un peu, pour qu'elle fasse militaire, mais c'est toujours la 500 du Grand Prix de 39 !

Mon père revint vers la porte d'un air soupçonneux.

– C'est la bicylindre à arbre à cames en tête, hein, avec compensateur ? s'enquit-il.

– Vous voulez la voir, hein ? dit Wut en rougissant.

Mais sous la bâche se trouvait la moto de course, déguisée en moto de guerre, la peinture de camouflage un peu plus foncée à cause des couches d'émail noir qui étaient dessous.

– Elle monte à combien ? demanda mon père.

— Toute nue, elle vous fait du 240. Seulement elle est encore lourde, une affaire de 220 kilos, mais c'est beaucoup de l'essence, elle la bouffe ; à sec, elle pèse pas plus de 180.

— Tenue de route ? dit Vratno en donnant ostensiblement des petites bourrades à l'avant, comme un qui n'ignore rien des chocs.

— Ah ! elle est encore un peu raide ; c'est peut-être les poignées qui sont dures, mais la batterie vous laisse jamais en plan.

— Ça je veux bien le croire, dit Vratno.

Gottlob Wut regarda les pavillons croisés sur son casque et envoya un des enfants chercher le sien à la caserne.

— Javotnik, vous dites ?

— Javotnik, Vratno Javotnik.

— Bon alors, Vratno, cette angoisse-là…

— Je voudrais la dépasser, Wut.

— Je crois, Vratno, que les bons pilotes doivent déplacer leur peur.

— Et la déplacer sur quoi ?

— Il faut faire semblant que c'est autre chose, petit. Que c'est la peur qu'on a quand on n'est jamais monté.

— Faire semblant ?

— Si c'est pas trop difficile, il faudrait que vous fassiez comme si vous étiez jamais monté sur une moto.

— Ça devrait pas être trop difficile, dit mon père en regardant Gottlob Wut faire des flexions du genou, graisser ses vieilles articulations ankylosées pour chevaucher le monstre du Grand Prix de 39.

Si on ne se méfie pas de l'allumage, la béquille peut vous revenir assez fort pour vous expédier la cheville cogner la rotule — et alors là, on a le fémur qui remonte engueuler les poumons.

C'est du moins ce que prétendait Gottlob Wut, maître motard et détenteur clandestin du modèle du Grand Prix, un homme qui s'intéressait aussi peu à la politique que mon père, et qui, pas plus que lui, n'avait entendu parler de Josip Broz dit Tito.

## Mardi 6 juin 1967, 4 h 15 ; onzième quart

Pas la moindre idée de ce qu'O. Schrutt peut bien leur faire. Je les entends toujours ; tout le zoo est à l'écoute. De temps en temps, il y a une porte qui s'ouvre brusquement sur une atroce musique animale, pour se refermer aussitôt en étouffant le cri.

Je spécule : O. Schrutt les frappe, chacun son tour.

Pas de doute, c'est bien de l'angoisse. Chaque fois que le cri s'élève dans toute sa force, le reste du zoo réagit. Un singe râle, un félin tousse, les Divers Oiseaux aquatiques s'entraînent au décollage et à l'atterrissage ; les ours arpentent leur cage ; le grand cogneur boxe son ombre avec hargne et, plus sournoisement, dans le Pavillon des reptiles, les grands serpents s'enroulent et se déroulent. Tout le monde semble crier vengeance pour les victimes de l'infrarouge.

Je spécule : O. Schrutt s'accouple avec eux, chacun son tour.

Il y a un troupeau d'Animaux de la savane juste au-dessous de ma haie ; ils sont blottis les uns contre les autres, à conspirer. Je devine ce qu'ils disent en s'entre-grignotant les oreilles de leurs drôles de dents d'herbivores : Tu as entendu le dernier ? C'est le rat géant de Brannick. Je reconnaîtrais son aboiement terrible entre mille.

Oh ! ça cause au zoo.

Il y a un instant, je me suis coulé hors de ma haie pour aller au *Biergarten*, dire un mot aux ours. Ils étaient en effervescence. Le très célèbre et très féroce Ours d'Asie était accroupi ; sur mon passage il a rugi en se dressant sur ses pattes de derrière et en s'élançant contre les barreaux. J'étais déjà à un pâté de cages de lui qu'il tendait encore ses pattes hirsutes pour m'attraper. Il doit penser à celui qui l'a capturé, ce Hinley Gouch. Pour lui, les innommables diableries d'O. Schrutt ne sont rien qu'une capture de plus à mettre au passif de cette race de traîtres. Pour le terrible Ours d'Asie, nous sommes tous des Hinley Gouch – surtout O. Schrutt.

J'ai essayé de les calmer, mais l'Ours d'Asie était insensible à des arguments raisonnables. J'ai bien susurré aux ours polaires qu'il ne fallait pas s'en prendre chacun à son voisin, et là-dessus ils se sont laissés flotter, mal à l'aise ; j'ai bien prié le grizzly de s'asseoir pour se remettre, et il s'est exécuté, avec réticence et non sans m'avoir chargé presque à l'aveuglette ; mon gentil couple d'Ours à lunettes était si inquiet que chacun serrait l'autre dans ses bras.

Oh ! je spécule : O. Schrutt, fétichiste fou, quel est donc ce coupable penchant qui déchaîne tout le zoo ?

Mais personne ne peut me le dire. Je suis dans un bazar hanté où il s'ourdit plus de machinations qu'à Istanbul ; dans leurs cages, derrière leurs barreaux, les animaux déblatèrent dans une langue qui m'est plus violente et plus étrangère que du turc.

J'ai même essayé quelques mots de serbo-croate avec un gros ours brun de type slave. Mais personne ne peut rien me dire.

Je ne peux que spéculer sur le sens du dernier hurlement : O. Schrutt, avec une lenteur sacrificielle, est en train d'étrangler le coati-mundi. Le cri force son passage à travers les murs du labyrinthe mauve, et il est sectionné comme les autres.

Maintenant des panneaux coulissent et le zoo me fournit une réponse de Turc.

## Autobiographie hautement sélective de Siegfried Javotnik ; préhistoire II

Vratno apprit à piloter la moto du Grand Prix au cours d'un rituel exclusivement dominical. Il attendait Gottlob Wut sur le trottoir de la rue Smartin, devant la porte de la Serbe. Wut était ponctuel, il arrivait dans son peignoir de bain, son casque sur la tête, aux pieds ses chaussures délacées, et sous le bras son uniforme. Dans la tenue de motard de Bijelo Slivnica, mon père l'attendait en astiquant son casque indigo.

Il lui fallait un bain de deux heures à Gottlob Wut, le dimanche matin. La baignoire avait un rebord sur lequel poser des pâtisseries et du café. Mon père prenait son petit déjeuner sur le siège des w.-c., couvercle rabattu. Tous deux se parlaient autour, voire au travers de la masse de la maîtresse serbe, qui changeait le café, l'eau du bain, ou se contentait de rester sur ses talons entre baignoire et siège des w.-c., à regarder les nombreuses cicatrices de Gottlob Wut passer par toutes les couleurs de l'arc-en-ciel, sous l'eau.

Zivanna Slobod était la maîtresse la moins compliquée qu'on puisse trouver. Quarante ans, le maxillaire et la hanche lourds, avec ses cheveux d'un noir lustré, elle avait une espèce de vigueur bohémienne. Elle ne disait jamais un mot à Wut, et lorsque mon père la complimentait sur ses services en serbo-croate, elle levait un peu la tête et lui faisait voir la belle veine palpitante qui courait le long de son cou et toutes ses grosses dents éclatantes.

Elle lui enlevait Wut après le bain, pour le lui restituer une demi-heure plus tard. C'était la séance de massage. Wut, tout ramolli par le bain, se faisait entortiller dans des serviettes et escorter dans sa chambre – seule pièce de l'appartement qui fermait – par la vigoureuse Zivanna. Vratno montait la radio et vidangeait bruyamment la baignoire pour ne pas entendre les articulations de Wut qui se détendaient au-delà de ce qu'on peut imaginer sur la montagne de coussins divers. Il l'avait vue une fois, cette montagne, par la porte entrouverte, un matin qu'il accompagnait Wut dans la salle de bains. A dormir dans ce lit – si lit il y avait sous la literie –, on devait se faire l'effet de dormir sur un ballon : il était jonché de soieries, de peaux de bêtes, de coussins en fourrure et de grandes écharpes moirées ; tout en haut de cette moelleuse montagne, une coupe à fruits se tenait en équilibre.

Dieu bénisse Gottlob Wut pour ses dimanches sybarites. En voilà un qui savait rompre la monotonie des semaines.

Et il n'ignorait rien de sa moto du Grand Prix. Il pouvait lui retirer ses accessoires en dix minutes. Mais à son éternel chagrin, cependant, il n'avait pas le temps de remédier à la peinture du camouflage. Il fallait bien sauver certaines apparences. Il avait déjà la chance d'avoir une unité fort agréable sous ses ordres. Ses soldats ne signalaient jamais la présence de la moto de course aux inspecteurs des éléments de reconnaissance allemands. Il se ménageait leurs bonnes dispositions en les laissant monter sur la moto chacun à son tour, malgré toute la peine que ça lui faisait. Wallner frimait trop, il faisait souffrir la batterie ; Vatch avait peur de la machine, il ne passait jamais en seconde ; Gortz faisait grincer les vitesses ; Bronsky prenait ses virages trop flous, à une vitesse de trop ; Metz était un maniaque du frein, il la rapportait toujours fumante, même en dehors de Slovenjgradec, en rase campagne. Ça le rendait nerveux, Gottlob Wut, quand quelqu'un d'autre que lui montait sa moto. Mais il fallait bien faire quelques sacrifices.

Avec mon père, il fut très prudent. Ils commencèrent par monter à deux, lui aux commandes, bien sûr, et commentant tout ce qu'il faisait pour la gouverne de son passager. « Là, tu vois ? » disait-il en prenant un virage bien net, avec un impeccable bruit de moteur qui rétrogradait à la naissance du tournant. Mon père gardait les yeux hermétiquement fermés, le vent lui hurlait aux oreilles et tirait sur son casque. « Tu peux même le prendre en passant une vitesse si t'as des accotements. Là, tu vois ? » Et il ne cassait jamais l'allure qui augmentait régulièrement quand il changeait de vitesse, et il ne sautait jamais une vitesse. « Ne saute jamais une vitesse », il disait, « tu as trop de poids derrière toi pour sauter une vitesse et tenir la route. » Et il montrait l'exemple : il tirait l'embrayage et laissait la moto prendre le tournant en roue libre. « Tu sens ? il demandait. Tu le tiendrais jamais ce virage, sans embrayage, hein ? – Oh, mon Dieu, non », répondait mon père pour montrer sans délai qu'en effet il était sûr qu'ils allaient partir dans le décor. Et Wut lâchait gentiment l'embrayage ; ils sentaient l'attraction ferme et douce des vitesses les ramener sur le milieu de la route.

Un sourd n'aurait jamais pu savoir à quel moment Gottlob

Wut changeait de vitesse ; il était bien plus doux que la transmission automatique. « Tu sens, Vratno ? il lui disait tout le temps. – Un vrai réflexe conditionné, cent pour cent Pavlov », répondait mon père.

Mais le mois de novembre 1941 était à peine commencé qu'il neigeait, si bien que mon père dut attendre un moment avant de dépasser le stade du passager. Wut le laissait sentir le passage des vitesses sur la grosse 600 à side-car et soupapes latérales, mais il refusait de le laisser conduire une moto tant que la glace n'aurait pas fondu sur les routes.

Pour lui-même, il était nettement moins prudent. C'est ainsi qu'un dimanche de février 1942, sur l'une des 600 bicylindre à arbre à cames en tête, modèle 1938, mon père derrière lui, il prit le chemin du village de Bukovska Vas, au nord de Slovenjgradec, où l'on disait qu'un coude de la Mislinja avait gelé plus profondément qu'ailleurs. Mon père resta à claquer des dents dans un bois de pins sur le bord de la rivière tandis que Wut amenait la moto sur la glace avec précaution.

– Là, tu vois ? » demanda-t-il en commençant à décrire de courts arcs de cercle, très lentement sans quitter la première. Il tourna, puis revint de droite à gauche et recommença de gauche à droite, en seconde, cette fois. Quand il tournait en seconde, sa roue arrière dérapait et un tuyau d'échappement touchait la glace ; il redressait la moto, passait sur l'autre tuyau et redressait de nouveau. Il revint, de droite à gauche, mais cette fois en troisième. « Là, tu vois ? cria-t-il en lançant une jambe vers l'extérieur du virage tandis que la moto penchait jusqu'au moyeu de la roue arrière ; il se leva, les deux pieds sur la même pédale en tenant le ralenti pendant que la moto se redressait.

Il se rassit et recommença ; chaque fois qu'il tournait, il allait un peu plus loin à droite, un peu plus loin à gauche ; mon père en était baba ; il lui fallut sortir du bois et rester planté, les orteils sur les glaçons du bord de la rivière, pour ne pas perdre de vue l'envergure croissante des prodigieux virages. Et la moto roulait sur ses tuyaux d'échappement, et le dessus de la roue arrière touchait la glace, et Wut passait une jambe bien tendue pour redresser la machine. « Là, tu vois ? » hurlait-il ; et, sous lui, la rivière nasillarde se mit à chanter. Il allait et venait, de plus en plus vite, dans un rayon de plus en plus vaste ; la moto était presque couchée sur la rivière et le moyeu de la roue entamait la glace de plus en plus profondément, au risque de trouver l'eau vive. Alors Wut donna un petit coup à son frein arrière en laissant la moto glisser sous lui au moment où il passait sa jambe, et enfin il la coucha délicatement et la laissa se reposer, en restant debout sur le réservoir tant que les roues tournaient encore.

La seule opération qui lui donna du mal fut de remettre sa machine sur ses roues ; c'était le modèle de 38, il était lourd : chaque fois qu'il essayait de le relever, ses pieds patinaient sur la glace. Mon père le rejoignit, et, à eux deux, ils redressèrent la machine et essuyèrent le réservoir qui avait craché un peu d'essence.

– Tu vois, dit Wut, ça demande un peu de jugé, mais c'est comme ça qu'on fait.

– Qu'on fait quoi ? qu'on roule sur les rivières ?

– Mais non, idiot, qu'on roule sur du goudron frais, ou sur une tache d'huile. Tu tiens ton régime, tu passes la jambe par-dessus, et si tu touches pas au frein, elle doit revenir toute seule.

Ils revinrent tout doucement sur la glace et roulèrent la moto jusqu'à l'endroit où la berge était la plus plane. Et de l'autre berge arriva dans un traîneau un quatuor bruyant de gaillards venus pêcher sous la glace ; ils avaient observé la performance et venaient maintenant applaudir de toutes leurs moufles, image insolite.

Gottlob Wut n'avait peut-être jamais eu un pareil public ; il avait l'air tout ahuri. Il retira son casque et le prit sous son bras, comme pour attendre la gerbe, le trophée, ou peut-être simplement l'accolade du pêcheur barbu. Il était subitement intimidé, tout emprunté. Or, dès que le traîneau des Slovènes arriva, mon père vit qu'ils étaient fin soûls et totalement oublieux de l'uniforme de Wut. Ils arrêtèrent leur traîneau nez contre sa botte ; l'un d'entre eux mit sa moufle en porte-voix et lui brailla en serbo-croate :

— Vous êtes sûrement le roi des cinglés !

Sur quoi ils se mirent tous à rire et applaudir. Wut sourit, son regard quémandant une traduction à mon père.

— Il dit que tu es sûrement le roi de la moto », lui dit celui-ci, non sans ajouter gaiement en serbo-croate, à l'intention des soûlards du traîneau : « C'est ça, bande d'abrutis, souriez, souriez, et puis en partant, faites-lui un petit salut. C'est un officier allemand, ce type ! encore un mot et il vous tire dans la vessie !

Ces paroles eurent le don de les faire sourire alors qu'ils reculaient en dérapant sur la glace ; le plus costaud se mit à genoux pour grogner contre les lames du traîneau. Ils se rassirent sur leur engin en se tenant par la taille ; on aurait dit des enfants qui seraient entrés dans un endroit où les luges sont interdites, ou déplacées.

Mon père tint la moto à Wut pendant qu'il faisait des signes de la main à ses admirateurs. Pauvre Gottlob Wut, casque sous le bras, menton levé ; il était naïf, il était vulnérable sur la glace qui crissait !

— C'était formidable, Wut, lui dit mon père. T'as été impeccable !

## Mardi 6 juin 1967, 4 h 30 ; douzième quart

J'étais glacé jusqu'à la moelle, terré au plus profond de ma haie, quand j'ai entendu O. Schrutt prendre l'allée centrale dans un cliquetis de clefs ; je suis sorti en tapinois pour le regarder une seconde au bout de l'allée. Il est apparu, titubant sur les marches rougeâtres.

O. Schrutt boit pendant les heures de service ! Il fume de l'herbe, prend de l'acide ou des amphés. O. Schrutt deale de l'héroïne — aux animaux ! Enfin, peut-être.

Oh là là, il était affreux. Il avait l'air de planer. Une de ses jambes de pantalon était sortie de sa ranger ; il avait une épaulette déboutonnée qui pendait ; sa torche avait la tremblote ; il portait son trousseau de clefs comme un casse-tête.

Peut-être que son cerveau est écartelé, déchiré puis remodelé comme une pâte par des forces ténébreuses, des lames de fond quasi lunaires. Peut-être qu'il subit une moyenne de trois transformations par nuit.

Mais quels que soient les cycles de sa démence, quelle qu'en soit la phase actuelle, sa vue a eu un effet hypnotique sur moi. J'ai failli rester tapi un instant de trop dans l'allée ; je me serais retrouvé paralysé à ses pieds s'il ne m'avait pas fait me carapater sous ma haie en se mettant à aboyer subitement contre le Complexe des singes.

« Wouf ! » il aboyait – peut-être qu'il n'avait pas oublié le babouin gelada – « Rwouf ! » Mais soit haine ou pitié, les primates se sont tenus cois.

Et quand il a repris sa ronde, il s'est mis à grogner :

« Aaaaarh, il feulait, Uuuuuurgh ! »

De son côté, l'assemblée extraordinaire des Animaux de la savane faisait son possible pour que ce rassemblement de population et cette effervescence aient l'air tout naturel. Mais O. Schrutt, qui longeait ma haie, avait l'œil sur eux. Quand il a pris vers le *Biergarten*, j'ai couru courbé en deux derrière mes buissons, jusqu'au coin, pour ne pas le perdre. Changement à vue ; c'était un autre homme ; il avançait d'un pas de promenade et avec un air de défi, je vous en réponds. Il s'est retourné d'un coup vers les Animaux de la savane :

– Alors, on est réveillés ?

Il a piaillé si fort que le minuscule hémione, l'âne sauvage du Tibet, s'est échappé du troupeau.

Puis, la tête haute et le torse bombé, pour autant que je puisse en juger, O. Schrutt s'est dirigé vers le *Biergarten*. Il s'est arrêté à quelques pas de la cage du Célèbre Ours noir d'Asie, et il s'est penché en lui faisant retentir son trousseau de clefs comme un gong contre les barreaux.

– Si tu crois m'avoir, en te roulant en boule pour faire croire que tu mijotes pas de traquenard ! il lui a hurlé.

L'ours s'est jeté contre ses barreaux comme un perdu ; je ne l'avais jamais entendu rugir comme ça. Il a terrifié les fauves au point qu'ils n'ont pas osé lui répondre et qu'ils se sont bornés à se racler la gorge, avec des petits miaulements indignes, comme pour dire : Bon, écoutez, vous me donnez à manger, vous me laissez mourir de faim – et j'avalerais bien O. Schrutt ou un de ses pareils –, mais en tout cas, pour l'amour du ciel, ne laissez jamais sortir cet Oriental d'Ours. Tout, mais pas ça !

Mais O. Schrutt continuait ses rodomontades ; épuisé, l'Ours d'Asie s'est effondré contre ses barreaux, ses grandes pattes de devant traînant dans les cosses de cacahuètes de l'allée ; il était en deçà de la corde de sécurité, et O. Schrutt hors d'atteinte, à une quinzaine de centimètres.

Et O. Schrutt a poursuivi sa ronde, dans ce qui doit être sa phase agressive ; je l'ai entendu lancer une pierre dans le trou d'eau de l'ours polaire.

Mais il n'est pas encore assez loin pour mon goût ; il ne doit pas avoir dépassé les mares des Oiseaux aquatiques. Je crois que c'est lui que j'entends faire des ricochets, en attrapant parfois au passage un oiseau aussi rare qu'outré.

Qu'il aille un peu plus loin. Qu'il aille jusqu'au Pavillon des pachydermes, qu'il réveille le rhinocéros, ou qu'il fasse carillonner ses clefs du côté de chez l'hippopotame ; quand il y aura tout le zoo entre nous, j'irai faire un tour au Pavillon des petits mammifères, pour voir de quoi il retourne.

Et si j'ai le temps, mon vieux Schrutt, j'ai d'autres projets en tête. Ça n'est pas bien compliqué. Il suffit de déplacer la corde de sécurité de quinze ou trente centimètres – du côté de l'ours. C'est rien du tout, une corde tendue entre deux poteaux ; d'accord, ils ont une base encombrante, en béton, mais quoi, ils sont pas immuables.

Qu'est-ce que tu dirais de ça, O. Schrutt ? Ça ne ferait que changer ta ligne de sécurité de vingt-trente centimètres ; tu te retrouverais plus près que tu croyais, mon vieux Schrutt, et quand tu secouerais ta tête de matamore, on la regarderait tous se faire bouffer.

Et maintenant, si c'est bien lui que j'entends, le voilà à braire son empathie avec les éléphants narcophobes. Il est donc assez loin.

## Autobiographie hautement sélective de Siegfried Javotnik ; préhistoire II

La 500 du Grand Prix de 1939 était une 90 chevaux qui faisait 8 000 tours/minute. Délestée de ses accessoires, elle pouvait faire du 210 ; mais quand il se mit à la conduire, au printemps 42, mon père ne fut jamais autorisé à dépasser le 125. Sur la machine, il gardait l'essentiel, à savoir Gottlob Wut, et sa voix qui le corrigeait sans relâche, contre l'indigo du casque.

— Tu devrais déjà être en troisième ; ton dernier virage, c'était du guidon ; faut te pencher. T'es beaucoup trop nerveux, t'es tout raide, tu vas prendre des crampes. Et puis alors, jamais de frein arrière en descente ; freine à l'avant s'il faut absolument ; tu te ressers du frein arrière, je te le déconnecte. Tu sais que t'es drôlement nerveux !

Mais Gottlob Wut n'eut pas un mot pour s'émerveiller du naturel avec lequel mon père faisait semblant de n'être jamais monté sur une moto. Ce ne fut qu'après avoir été obligé de déconnecter le frein arrière qu'il lui demanda où il habitait et de quoi il vivait. Mon père répondit qu'il faisait un travail de bureau, des traductions par-ci par-là pour des Slovènes et des Croates pro-Allemands, dans un service sous-gouvernemental. *Sic*. Wut se le tint pour dit.

Certes, il serait un peu injuste de dire que les Oustachis étaient pro-Allemands ; il étaient seulement pro-gagnants, et, au printemps 42, les Allemands gagnaient encore. Il y avait même une milice oustachie qui portait des uniformes de la Wehrmacht. D'ailleurs Gavro et Lutvo, les jumeaux Slivnica, avaient leurs propres uniformes de la Wehrmacht, qu'ils mettaient dans les grandes occasions ou pour sortir le soir. Vratno ne croyait pas savoir qu'ils aient fait partie d'une unité quelconque, et il entendit un jour Bijelo leur reprocher la façon dont ils les avaient acquis ; apparemment ils en avaient tout un jeu. Le contrôleur des Oustachis pour la famille Slivnica fut alerté et déclara que les jumeaux étaient une « relation à risques ».

— Dans notre famille, dit Todor, les relations risquées, ça nous a jamais fait peur.

Mais Todor avait souvent la repartie acerbe, en ce printemps 42. Après tout le travail que les Slivnica avaient fourni, les Oustachis avaient cessé de s'intéresser à Wut, ou doutaient qu'il trahirait jamais quelque chose d'assez vital pour se faire coincer. En somme, tant que les Allemands gagnaient — et que les Oustachis étaient pro-gagnants — Wut semblait tout à fait à l'abri d'une vengeance. Il n'était guère coupable que de détenir une moto de course déguisée dans une unité faite pour avoir des modèles moins rapides et moins délicats. Quant à Zivanna Slobod, sa maîtresse ritualiste, il apparaissait qu'elle était serbe par accident plus que par inclination ; et si elle était « hors-la-loi politique », comme l'indiquait le fichier, c'était seulement parce que la liste de ses amants comportait une variété inimaginable de spécimens, politiques et apolitiques. Elle ne faisait guère un chef d'accusation valable. Les dimanches étaient libres ; ce que Wut faisait avec la moto, ou avec mon père, il le prenait sur son temps de repos. On aurait même pu soutenir que l'usage qu'il faisait de ses loisirs dénotait un certain zèle chez le chef d'une unité de motocyclistes : ça s'apparentait à de la mise en forme. De sorte que les Oustachis n'avaient pas le moindre chef d'accusation contre Gottlob Wut.

— On pourrait lui voler sa moto chérie, suggéra Bijelo, ça le pousserait peut-être à faire une bêtise.

— Ou kidnapper la Serbe, dit Todor.

— Cette grosse vache ? » grogna la jalouse Baba, pou-qui-glousse, comme mon père l'appelait intérieurement. « Il faudrait un camion, alors !

— Moi, je crois que Wut est plus attaché à la moto, dit Julka.

— Ça, c'est certain, dit mon père, mais la lui voler n'avancerait à rien, il aurait des moyens militaires tout à fait orthodoxes pour la récupérer, ou pour la rechercher, tout au moins. Et je suis même pas sûr que ça gênerait tellement la Kommandantur, qu'il ait une moto de course.

— Eh ben, y a qu'à le tuer, alors, conclut Todor.

— Les Oustachis recherchent une certaine légitimité, signala Bijelo.

— Les Oustachis, ils commencent à me courir, répondit Todor.

— Il faut qu'ils restent dans le bon camp, dit Bijelo. Wut est allemand et ils sont dans le camp des Allemands. Ce qu'il faut, c'est faire passer Wut pour un mauvais Allemand.

— Impossible, dit mon père. Ça lui fait ni chaud ni froid d'être allemand, alors je vois mal comment il pourrait être un mauvais Allemand.

— Bah, dit Bijelo, je crois que les Oustachis s'intéressent plus tellement à Wut. Les gens passent leur temps à changer de camp, alors pour eux ça devient dur de choisir celui des vainqueurs.

C'est qu'il y avait trop de guerres particulières dans la guerre ; des camps entiers changeaient de camp. Au printemps 42, la presse communiste mondiale changea subitement d'avis sur le colonel tchetnik Dražá Mihajlovič — devenu général depuis. Une station de radio qui s'appelait Radio Yougoslavie libre, et qui, détail suspect, émettait depuis la Russie, annonçait que Dražá Mihajlovič et ses Tchetniks étaient dans le camp des Allemands. Radio Yougoslavie libre et à sa suite la BBC même disaient que, depuis la première heure, le seul défenseur de la liberté était un certain fils de forgeron. C'était Josip Broz, dit Tito, le chef de la vraie Résistance, et les défenseurs de la Yougoslavie étaient les Partisans russes et non pas ces Tchetniks velus. Apparemment, la Russie voyait loin ; avec un optimisme remarquable, elle voyait, semblait-il, au-delà de l'occupation allemande, un problème plus crucial pour la Yougoslavie.

Qui gouvernerait le pays à la fin de la guerre ?

— Les communistes, répondait Bijelo Slivnica. Ça fait pas un pli. Les Tchetniks se battent contre les Allemands, les Partisans se battent contre les Allemands, bientôt toute l'Armée rouge va débarquer ici — pour se battre contre les Allemands. Et entre-temps, et puis après aussi, les Partisans et l'Armée rouge se battront contre les Tchetniks en disant que les Tchetniks sont dans le camp des Allemands. Ce qui compte, c'est la propagande bien faite.

— Un plan génial, dit Todor.

— C'est la publicité qui fait tout, reprit Bijelo. Un exemple : les Tchetniks écrasent les Allemands en Bosnie, d'accord ? Mais Radio Yougoslavie libre raconte que ce sont les Partisans qui les ont écrasés, et qu'ils ont découvert des Tchetniks sous les uniformes de la Wehrmacht.

A ces mots, Gavro et Lutvo partirent enfiler leurs uniformes.

— Mais quels crétins ! s'écria Julka.

Dans la cuisine la belle Dabrinka rinçait des verres à vin. Mon père n'osait plus lever les yeux sur elle.

— Ce qui nous ramène à Wut, dit Bijelo Slivnica.

— Je ne vois pas du tout comment, répondit mon père.

— Parce que les Oustachis ont besoin de certitudes. Wut est allemand. Les Allemands tuent les Tchetniks, qui sont serbes, et depuis quelque temps ils tuent aussi les Partisans. Les Oustachis tueront tous ceux que les Allemands voudront ; mais ils préfèrent éviter de tuer des Partisans, autant que possible.

— Pourquoi donc ? demanda mon père.

— Parce que très bientôt il leur faudra tuer des Allemands pour le compte des Partisans. Parce que c'est les Partisans qui finiront par gagner.

— Et alors ? demanda Todor.

— Et alors, qui sont ceux que tout le monde veut tuer ?

— Les Serbes ! s'exclama Todor.

Et Bijelo Slivnica de conclure ;

— Eh bien, c'est un Serbe qui devrait tuer Gottlob Wut. Les Oustachis appliqueront la proclamation allemande sur les pourcentages, et ils tueront cent Serbes pour un Allemand, en l'occurrence Wut. Comme ça, les Allemands s'estimeront quittes, et quand l'Armée rouge fera équipe avec les Partisans pour sortir les Allemands de Yougoslavie, les Oustachis se seront fait une bonne réputation en tuant des Serbes, des salauds de Tchetniks. Les Partisans seront bien contents de les trouver, et eux bien contents d'être bien vus des vainqueurs. Et, par-dessus le marché, ils auront réglé leur compte avec ce vieux Wut. C'est pas puissamment raisonné, ça ? je vous le demande.

— Où vous allez trouver un Serbe qui veuille tuer Wut ? demanda mon père.

— C'est toi, ce Serbe, dit Bijelo. Mais tu vas t'arranger pour qu'on croie que c'est Zivanna Slobod qui a fait le coup, parce que, elle, c'est une vraie Serbe. Évidemment, il faudra la tuer aussi. Comme ça, les Allemands et les Oustachis arrêteront quatre-vingt-dix-neuf autres Serbes et les liquideront pour faire le compte. Cent pour un, tu piges ?

— Bijelo a toujours une attention délicate pour tout le monde, dit Todor.

Mais mon père déclara :

— Je crois pas que j'aie envie de tuer Gottlob Wut.

Julka serra les cuisses ; elles firent « flop ». Dans la cuisine, Dabrinka cassa un verre.

— Allons bon, dit Baba.

Et mon père dit à Bijelo :

— Bon, si tout se passe comme tu dis, la guerre finira bien par l'avoir, Wut, de toute façon ? Et les Oustachis s'en désintéressent, tu l'as dit toi-même.

Les jumeaux entrèrent dans la pièce en uniforme et se mirent à parader.

Bijelo annonça très calmement :

— Écoute, ça pourrait se passer un dimanche. Tu vois les uniformes des jumeaux ? Tu en emportes un dans un sac en papier. Wut est en train de prendre un de ses bains qui durent des heures, d'accord ? Et le couvercle de la chasse d'eau derrière le w.-c., c'est de la porcelaine, hein ? Et il est très, très lourd. Alors Zivanna part chercher ses pâtisseries au four, et toi tu fais tomber le couvercle sur la tête de Wut pendant qu'il se baigne bien tranquillement. Ça devrait suffire à le faire couler. Et son étui-revolver, il est où ? Pendu au miroir de la salle de bains, non ? Tu prends son flingue et tu descends Zivanna quand elle rapporte ses gâteaux. Après ça tu mets l'uniforme de Gavro ou Lutvo et tu appelles la Kommandantur. Pense que c'est dimanche. L'unité des motocyclistes a sa journée. Pense que c'est le printemps ; ne crois pas qu'ils vont rester à transpirer au quartier. A la Kommandantur, on te prend pour l'un des hommes de Wut, tu connais leurs noms, t'as qu'à en choisir un. Fais gaffe à tes verbes irréguliers. Tu racontes deux ou trois bobards sur la Serbe, t'as entendu parler d'un complot, mais t'es arrivé trop tard. Il y a plus de deux millions de Serbes en Slovénie et en Croatie, alors les Allemands et les Oustachis devraient pas avoir trop de mal à en arrêter quatre-vingt-dix-neuf à Slovenjgradec. Ils les fusilleraient le jour même que ça m'étonnerait pas.

Seulement, Vratno dit :

— Mais je l'aime bien, moi, Gottlob Wut.

— Bien sûr, répondit Bijelo. Moi aussi.

— On l'aime tous bien, Gottlob Wut, dit Todor. Mais tu aimes bien travailler avec nous aussi, Vratno, hein ?

— Mais bien sûr qu'il aime ça, dit Bijelo. Et si tu allais essayer un uniforme à présent, Vratno ?

Mais mon père alla à reculons jusqu'à la porte de la cuisine ; par-dessus son épaule, le crissement du torchon à vaisselle se faisait entendre ; Dabrinka s'activait avec de petits bruits aigus et nerveux.

— Si tu en essayais **un** tout de suite ? dit Todor.

Lutvo passait à proximité ; Todor attrapa son pantalon par les chevilles, secoua et en éjecta le malheureux.

Baba-les pieds-palmés donna une bourrade à son frère Gavro, qui était encore en uniforme, et lui montra le visage levé de Lutvo. Sur quoi Gavro, en bon jumeau, se déshabilla. Todor ramassa les uniformes et les lança à mon père, sur le seuil de la cuisine.

— Choisis-en un ; ils devraient t'aller tous deux.

En reculant dans la cuisine, mon père entendit la douce Dabrinka casser un autre verre ; il se tournait pour lui prêter main-forte, lorsque les poignets délicats de la jeune fille glissèrent sur ses épaules ; ses doigts fuselés piquèrent légèrement la jugulaire de mon père avec la pointe acérée du pied de verre qu'elle venait de briser.

– Vous allez l'essayer cet uniforme, dites ? susurra-t-elle à l'oreille de mon père qui rougit.

Ce fut la première et la dernière fois qu'il y eut des mots entre eux.

## Mardi 6 juin 1967, 4 h 45 ; treizième quart

Il se passe quelque chose de louche ici, pas de doute.

Pendant qu'O. Schrutt agaçait les insomniaques au Pavillon des pachydermes, je suis entré dans le Pavillon des petits mammifères. Ça faisait très irréel là-dedans avec ces animaux qui vivent sous l'infrarouge en croyant que les nuits durent vingt heures. Ils étaient tous bien réveillés et plutôt agités, pour la plupart, tapis ou même tournant en rond dans leurs cages de verre.

Mais je ne voyais rien qui me mette particulièrement la puce à l'oreille ! Il n'y avait pas de sang, personne n'avait l'air d'avoir été battu ou drogué, personne à l'article de la mort. Simplement, ils étaient trop sur le qui-vive, trop méfiants, trop aux aguets pour des créatures censées à l'aise dans un environnement nocturne. Prenez la civette tachetée, par exemple ; elle était couchée sur le ventre, le souffle court, les pattes de derrière étalées comme une queue de phoque ; sa queue battait comme si elle avait attendu le rat ou le fou qui allait faire irruption d'une seconde à l'autre par la porte du fond de sa cage.

Les portes du fond des cages donnent, je l'ai découvert, sur des couloirs intérieurs qui divisent les groupes de cages du pavillon. Ces couloirs ressemblent plutôt à des trous à charbon. Si un gardien veut passer par-derrière, donc, il faut qu'il avance à genoux et qu'il vérifie l'étiquette au-dessus de chaque porte.

C'est très ingénieux ; un gardien, un employé qui viendrait nourrir les animaux, un balayeur, pourrait passer de ce côté-là et savoir quelle cage il est en train d'envahir en lisant les noms sur les portes. C'est plus prudent. On n'aimerait pas comme ça, à l'improviste, passer sa tête dans une cage en croyant bêtement y trouver le mini-ouistiti du Brésil, pour se retrouver nez à nez avec un fourmilier géant griffu ou une mangouste acariâtre et effrontée.

De là on peut se faire une idée de la façon dont les animaux voient le monde extérieur. J'ai ouvert la porte de la cage du ratel, en pensant que ça devait être un tout petit rat, et, à ma surprise, j'ai découvert qu'il s'agit d'une créature féroce, apparentée au blaireau et d'ascendance afro-indienne, fourrure soyeuse et longues griffes. Avant de fermer la porte à son nez menaçant, j'ai pu avoir un aperçu de la façon dont il voit le monde. Plus sombre que sombre, comme un rectangle de noir épais, plus noir que l'entrée d'une grotte, il y avait un vide tiré comme un store contre la paroi de verre.

Quand j'ai refermé la porte, il m'est venu des sueurs froides à l'idée que si O. Schrutt était revenu en douce dans sa tanière, il pouvait très bien être en train de regarder le ratel de l'autre côté, et alors il me verrait tout d'un coup apparaître par la porte du fond et la refermer aussitôt avec une mimique de frayeur. Je suis sorti du boyau en rampant ; je m'attendais à tout instant à tomber sinon sur O. Schrutt en train de grogner à quatre pattes, du moins sur un gorille tout spécialement entraîné à débusquer les intrus.

Alors, quand je suis ressorti du labyrinthe principal, je suis allé droit au but, faire ce que j'avais à faire sans tergiverser. Je suis allé dans la pièce d'O. Schrutt, le cagibi où le veilleur de nuit se repose. Une cafetière électrique, une tasse avec un fond de café, un registre sur le désordre du bureau — le listing des animaux du zoo, avec des colonnes réservées aux points particuliers, aux choses à surveiller :

*Le hylochère a une défense incarnée qui le fait souffrir ; en cas de douleur, donner des cubes (2) de sel à l'aspirine.*

*L'ocelot va mettre bas d'un jour à l'autre.*

*Le binturong a une maladie rare ; il faut faire très attention.*

*Le péramèle est mourant.*

Et chaque animal a un matricule ; sur le plan général du zoo, les cages sont soigneusement numérotées dans le sens des aiguilles d'une montre.

Seigneur ! Une maladie rare, et qu'est-ce qu'ils font ? *Très attention ?* Le binturong a une maladie incurable et innommée. Et le péramèle est mourant ! Comme ça ! Il est mourant, ce petit lutin d'Australie. Tenez-le à l'œil, un coup de balai quand ça sera fini.

Et c'est dans un monde pareil que l'ocelot va donner la vie. Seigneur ! Arrêtez la machine !

Le repaire d'O. Schrutt. Ce registre, cette cafetière glauque et, accrochée par une lanière de cuir à un clou dans la porte, une perche électrique pour le bétail ; et à côté, une autre perche avec un crochet comme un grappin au bout.

Sous la torture, je ne trouverais pas ce qu'O. Schrutt a fabriqué ici.

J'ai regardé autour de moi aussi longtemps que j'en ai eu le courage, et puis je l'ai entendu revenir du côté de chez les ours. J'ai entendu la célèbre frustration de l'Ours noir d'Asie, à qui manquait juste un peu d'allonge pour attraper les rangers d'O. Schrutt. Je me suis rendu compte que j'avais raté une belle occasion de faire avancer la corde de sécurité d'une trentaine de centimètres côté danger. Et je me suis sauvé, par le Complexe des singes.

Cette fois-ci, je ne suis pas passé trop près. Je l'ai vu, cet enfrotté de babouin gelada ; il m'attendait, tapi immobile sur la plate-forme extérieure obscure devant sa cage ; il espérait que j'allais raser les barreaux cette fois encore. Et quand il a vu que je ne risquais pas de m'approcher de lui, il a sauté sur le trapèze le plus proche et il s'est balancé en hurlant dans la pénombre, pour atterrir tout là-haut dans les barreaux, face à moi. Il a poussé un hurlement, et tout le complexe s'est mis à brailler à l'unisson, en un chahut qui a surchauffé le zoo où les bavardages ont repris.

O. Schrutt est arrivé en balançant sa torche, mais j'avais une bonne longueur d'avance sur lui, et j'étais dans ma haie qu'il n'était pas encore au complexe.

Et comme de juste, quand il est arrivé, il n'y avait même pas un atèle sur la terrasse. Ils se balançaient tous silencieusement à l'intérieur ; on a entendu un trapèze cogné, des tapes sèches — comme si un grand singe faisait des soleils, se frappait la poitrine et les genoux de ses poings, singeant le rire dans une pantomime de liesse bruyante et énorme.

— Ça recommence ! a dit O. Schrutt. Qu'est-ce que vous mijotez ? » Il a perdu un peu de son agressivité ; il a commencé à s'en aller à reculons, en dardant sa torche au sommet des arbres, tête en arrière pour fuir les formes griffues qu'il imaginait fondre sur lui. « Qu'est-ce qui se passe, là ? » il a crié. En battant en retraite pour retrouver la sécurité du Pavillon des petits mammifères, il a gueulé : « Si tu crois que tu vas m'avoir comme ça, saleté de babouin ! C'est pas aux vieux singes qu'on apprend à faire des grimaces.

Là-dessus, il s'est retourné et il a regagné la porte du pavillon à toute allure, non sans regarder par-dessus son épaule en trébuchant dans l'escalier qu'il montait tête baissée.

Je me disais : Si seulement l'Ours noir d'Asie était là, en cet instant, lui ou son mirage, dans la porte, si seulement une seconde, au moment où O. Schrutt regardait par-dessus son épaule avant d'entrer, la grosse patte bourrue s'abattait sur sa nuque — il en crèverait de peur, là, sans un mot.

Mais il est rentré. Je l'ai entendu jurer. Et puis j'ai entendu des portes grincer, mais maintenant je savais du moins lesquelles et où elles menaient. Et puis de nouveau des panneaux de verre qui coulissaient ; alors je me suis dit : Quels panneaux de verre, moi je n'en ai vu aucun qui soit coulissant ?

Mais, presque aussitôt après, les cris et les grondements me sont parvenus à leur façon décousue et j'ai compris qu'il fallait que je voie le Pavillon des petits mammifères pendant qu'O. Schrutt y fait son sale boulot ; je n'ai pas le choix.

Je sens qu'il faut que je risque le coup, ne serait-ce que pour le péramèle qui est mourant, et l'ocelot au poil lustré qui va mettre bas, d'un jour à l'autre.

## Autobiographie hautement sélective de Siegfried Javotnik ; préhistoire II

Ils avaient le nez exceptionnellement creux, les Slivnica. Le projet de noyer Gottlob Wut dans sa baignoire fut agréé par les Oustachis. D'ailleurs les représailles au centuple, ils connaissaient. C'étaient eux qui organisaient les massacres de Serbes depuis le printemps 41 ; il y avait bien eu quelques contre-massacres, mais enfin les Oustachis étaient numériquement très en avance. Ils avaient diffusé une proclamation de pourcentage, comme les Allemands : cent Serbes pour un Oustachi. Résultat, vers l'été 42, les Serbes voyaient dans tout Slovène et tout Croate un terroriste oustachi, et les Slovènes et les Croates dans tout Serbe un Tchetnik velu. On était en pleine confusion, comme Bijelo Slivnica l'avait judicieusement prévu, et chaque coup de Trafalgar venait renforcer les partisans de Tito. Les Allemands quittaient Slovenjgradec pour Moscou en rangs dispersés, et les Italiens, qui tenaient désormais la côte dalmate de la Yougoslavie, soutenaient royalement les Oustachis.

– La voilà gentiment réglée, l'affaire Wut, conclut Bijelo Slivnica en mordant dans un énorme sandwich.

Mais à sa façon, mon père avait du nez, lui aussi.

Un certain dimanche d'août – dimanche de Wut, comme disaient les Slivnica –, mon père était assis dans la salle de bains tandis que Wut lui-même trempait. Lorsque Zivanna

Slobod s'en fut dans la cuisine jeter un coup d'œil à son four, mon père annonça :

— Il y a une drôle de voiture garée le long du trottoir d'en face, Wut, et une drôle de famille dedans, une famille nombreuse en virée, comme qui dirait.

— Ah bon ? répondit Wut.

Mon père souleva le couvercle des toilettes et l'installa sur ses genoux.

— Tu as besoin d'exercice ? demanda Wut.

— Je suis censé te liquider. Te couler sous ce couvercle de chiottes et descendre ta petite dame quand elle rapportera les gâteaux.

— Et pourquoi ?

— Oh, une sombre histoire.

— T'es un Tchetnik ? un Partisan ?

— Je suis actuellement au service des Oustachis.

— Mais ils sont dans notre camp, à présent ?

— Peut-être, mais ils étaient aussi dans celui de Guido Maggiacomo pour le Grand Prix d'Italie, en 1930. Alors ça doit être une situation inconfortable, pour eux aussi.

— Oh là là, en effet, dit Wut. Oui, ça doit être très délicat, évidemment.

Il se leva dans sa baignoire, tout embarrassé de lui-même ; ses profondes cicatrices retenaient l'eau et dégoulinaient comme des blessures ouvertes.

Quand Zivanna Slobod revint de la cuisine, elle vit bien que son rituel avait été perturbé ; elle en laissa tomber ses pâtisseries dans la baignoire désertée. Pendant ce temps, Wut remettait le couvercle des toilettes en place et mon père passait son uniforme de la Wehrmacht. Puis ce fut au tour de Wut de revêtir le sien tandis que Zivanna repêchait un petit pain aux noix dans l'eau du bain, en pleurant à gros sanglots. La surprise ne lui seyait pas.

On aurait pu en dire autant des Slivnica. Lorsque Gottlob Wut apparut tout seul, se dirigeant tranquillement vers le garage de l'unité, il faut croire que Bijelo se contenta de dire « Pas un geste » à son petit monde, car ils restèrent tous assis dans la voiture à regarder passer Wut en attendant de voir foncer Vratno.

Ils attendirent tout le temps qu'il fallut à Wut pour faire démarrer l'un des side-cars 600 et le rouler jusque dans le cadre du portail ouvert, nez en avant, prêt à partir. Il retira ensuite tous les carburateurs des autres motos, sauf celle du Grand Prix de 39. Il les mit dans le side-car, avec une boîte à outils, des vis platinées, des bougies, des câbles, un assortiment de pièces détachées, une bobine et une chaîne, plus des cartes d'état-major de Slovénie et de Croatie, ainsi que deux douzaines de grenades. Il prit une grenade à la main et mit sa moto en route.

Et les Slivnica attendaient toujours lorsque Wut remonta la rue Smartin sur la moto du Grand Prix, moins les accessoires ; ils durent croire qu'il avait des ennuis mécaniques, parce qu'il roulait penché en avant, une main sous le réservoir — pour le cas où l'essence se serait mise à fuir. Ils le regardèrent donc remonter vers eux en zigzag, tête baissée, tripotant le réservoir, et il est fort possible qu'ils ne l'aient même pas vu rouler la grenade dégoupillée sous leur voiture.

A mon avis, Bijelo Slivnica et toute sa vilaine famille étaient encore assis bien droit sur les banquettes quand la voiture a explosé.

Au bruit de la déflagration, mon père fonça dans la rue et sauta derrière Wut sur la moto du Grand Prix ; Wut retourna au garage et installa mon père sur le side-car qui piaffait.

— Pourquoi t'as fait ça ? demanda mon père.

— Ça fait déjà un petit moment que j'avais envie de reprendre la route.

Vrai ou pas, tacitement, ils considérèrent qu'ils étaient quittes. Mon père n'avait pas noyé Gottlob Wut, Gottlob Wut n'avait pas abandonné mon père.

Ils ne furent pas suivis. L'élément de reconnaissance de Balkan 4 était difficile à réunir le dimanche, et, une fois réuni, il fut difficile à mobiliser — faute de carburateurs.

Arrivés à Dravograd, Wut et mon père entendirent des informations soigneusement censurées. Une famille oustachie aimée de tous avait été assassinée au cours d'un attentat rue

Smartin, à Slovenjgradec. Les Oustachis et les troupes allemandes avaient arrêté une certaine Zivanna Slobod, prostituée serbe notoire, responsable du meurtre. Selon les proclamations germano-oustachies, cent Serbes seraient tués pour chaque Allemand ou Oustachi. A Slovenjgradec, on recherchait des Serbes pour répondre du crime. Six Slivnica égalaient six cents Serbes, soit Zivanna Slobod et cinq cent quatre-vingt-dix-neuf autres.

A Dravograd mon père se disait : Comment ça six ? ils étaient sept, les Slivnica : Bijelo, Todor, Gavro, Lutvo, Baba, Julka et Dabrinka, ça fait sept. Celui qui s'en était sorti avait sauvé la vie à cent Serbes. Mais mon père ne s'intéressait pas à la politique, l'idée ne le réconforta pas.

— A mon avis, c'est Dabrinka qui n'a pas sauté, dit-il à Wut. C'est elle qui avait le moins de masse à offrir aux projectiles.

— Improbable, répliqua Wut. Ce serait plutôt le chauffeur. C'était le seul qui ait pu voir venir le coup, et puis il pouvait s'accrocher au volant pour pas passer à travers le toit.

Ils poursuivirent le débat dans l'urinoir d'un bouge de Dravograd.

— Qui est-ce qui conduisait, d'après toi ?

— C'était toujours Todor, mais si tu suis ma théorie, c'était aussi lui qui offrait le plus de masse aux projectiles.

— Je suis jamais aucune théorie, dit Gottlob Wut. Mais c'est bien agréable de reprendre la route.

## Mardi 6 juin 1967, 5 heures ; quatorzième quart

Je cale. Mais j'ai mes raisons.

D'abord, il commence à faire jour, dehors, comme s'il n'y avait pas eu assez de ce clair de lune ! Et surtout, je ne vois pas comment j'entrerais dans le Pavillon des petits mammifères sans qu'il me voie ; si j'étais déjà dedans et que lui revienne, ça serait une autre affaire ; je pourrais l'entendre et l'éviter dans le labyrinthe. Mais je n'aime pas du tout l'idée de m'élancer dans ces escaliers et de passer par la porte sans savoir exactement dans quelle partie du labyrinthe il se trouve.

Alors voilà ce que j'ai décidé : je vais devoir attendre que ce petit farceur de babouin gelada ressorte. Maintenant que le jour se lève, je vois bien la terrasse du Complexe des singes, depuis ma haie. Quand le babouin gelada sortira, je me lancerai.

C'est simple. Je me posterai derrière la fontaine où boivent les enfants, près de l'entrée du pavillon. Là j'attirerai l'attention du babouin ; je lui lancerai des cailloux ; je sortirai de derrière la fontaine et je lui ferai un vilain geste insultant. Il démarrera au quart de tour, j'en suis sûr. Et quand il piquera sa crise, O. Schrutt descendra les marches quatre à quatre, paré à tuer. Et pendant qu'il se livrera à son rituel parano au complexe, je me glisserai sans bruit comme une ombre, pieds nus, dans le pavillon. Je m'engagerai loin dans le labyrinthe. Peut-être qu'O. Schrutt sera sorti si précipitamment qu'il aura laissé des traces révélatrices, cette fois. Et même dans le cas contraire, je serai sur place quand il recommencera.

En tout cas, il n'y a pas apparence qu'il décompresse. Ce démon a dû jurer d'empêcher tout le monde de dormir jusqu'à la réouverture du zoo. Pas étonnant que les animaux aient toujours l'air si somnolent.

Tu trouves peut-être que je vais trop loin, Graff. Mais si j'ai une arrière-pensée en envisageant le casse du zoo, c'est bien celle de démasquer ce vieux Schrutt – même si je ne sais pas encore exactement qui il est.

Je sais d'où il vient, déjà. Il y a vingt ans et quelques, tout le monde le sait ce qu'ils faisaient, les O. Schrutt de tout acabit. Je connais son itinéraire, et je parierais que, parmi ceux qui l'ont croisé, il y en a qui seraient surpris d'entendre reparler de lui. En tout cas, il y en a qui seraient plus qu'intéressés de trouver un O. Schrutt qui porte encore son insigne et qui a gardé ses deux épaulettes.

Ah, pour toutes les atrocités commises sur des précédents

petits mammifères, comme il est adéquat que ce vieil O. Schrutt finisse ici !

## Autobiographie hautement sélective de Siegfried Javotnik ; préhistoire II

Gottlob Wut et mon père passèrent deux ans dans les montagnes du nord de la Slovénie. Par deux fois, la solitude leur fit projeter des voyages. Le premier, censé les mener en Autriche, se termina au col de Radel, le long de la frontière. Les gardes de l'armée autrichienne apparurent, très stricts et très consciencieux, avec leurs fusils et leur paperasse au poste frontière. Wut jugea qu'il faudrait abandonner les motos s'ils envisageaient sérieusement de passer, si bien qu'ils retournèrent dans les montagnes slovènes le soir même. Le second voyage, vers la Turquie, se termina juste au sud-est de Maribor, devant la Drave, là où les Oustachis venaient, la nuit précédente, de perpétrer un nouveau massacre de Serbes. Un méandre du fleuve était engorgé de cadavres. Mon père ne devait jamais oublier un radeau coincé dans un enchevêtrement d'arbres morts le long de la rive. On y avait soigneusement dressé un édifice de têtes ; l'architecte avait voulu faire une pyramide, et elle était presque parfaite. Seule, près du sommet, une tête avait glissé ; ses cheveux étaient pris entre les autres têtes et elle se balançait d'un visage à l'autre, au vent de la rivière ; certains visages la regardaient, d'autres se détournaient. Une fois de plus, Gottlob Wut et mon père retournèrent dans les montagnes slovènes, près du village de Rogla, et cette nuit-là, ils dormirent dans les bras l'un de l'autre.

A Rogla, un vieux paysan nommé Borsfa Durd leur permit de subsister en échange d'un privilège : des balades dans le side-car de la 600. La moto du Grand Prix lui faisait peur, il ne comprit jamais ce qui la faisait se tenir droite, mais il adorait prendre place dans le side-car, tout vieil édenté qu'il était, pour que mon père le trimbale sur les routes de montagne. Borsfa Durd leur procura de l'essence et des vivres. Il pilla le dépôt oustachi de Vitanje, jusqu'au mois d'août 44 où son corps revint à Rogla dans le chariot de fumier d'un autre villageois. Terrorisé, celui-ci raconta qu'un Oustachi avait bourré le vieux Durd de coups de pieds dans la tête, là, sur le plancher du chariot, puis qu'il avait entassé tout le fumier qu'il avait trouvé, à coups de pelle ; quand tous les villageois voulurent l'extirper pour lui donner une sépulture plus décente, on ne voyait plus que les semelles de ses chaussures au sommet de la montagne de fumier. Et le fumier était trop humide, trop compact, si bien qu'il fallut en dégager une boule qu'on fit sortir du chariot en la roulant pour la basculer dans un trou. Et le trou fut creusé circulaire, pour s'adapter à la boule qu'on disait contenir Borsfa Durd. Même si personne n'en vit jamais plus que la semelle de ses chaussures, le villageois qui l'avait rapatrié sur son chariot puant certifia qu'il s'agissait bien de lui, et Gottlob Wut dit qu'il reconnaissait les chaussures.

C'est ainsi que Borsfa Durd fut inhumé sans cercueil dans une motte de fumier, ce qui mit fin à l'approvisionnement en essence et en vivres des deux motos fugitives et de ceux qui les montaient. Gottlob Wut et mon père se dirent qu'ils feraient mieux de mettre les voiles ; car s'il prenait aux Oustachis fantaisie de savoir pourquoi Borsfa Durd pillait leurs réserves, ils risquaient fort d'avoir droit à une visite. Ils partirent donc, en emportant les quelques hardes de Borsfa Durd.

En s'aidant de cartes d'état-major, ils étudiaient un itinéraire de jour et à pied, déguisés en paysans — ils dissimulaient les motos dans les broussailles. Ils descendaient huit kilomètres dans la montagne, repéraient les villages où pourraient passer les petites armées de tout poil, et puis revenaient aux motos. Et la nuit, ils reprenaient leurs engins et leurs uniformes de la Wehrmacht. Repérer la route de jour leur permettait non seulement de savoir à quelle distance ils étaient des villages, mais aussi de rouler tous phares éteints en étant raisonnablement sûrs de savoir où ils allaient. Il leur restait un peu d'essence de l'avant-dernier raid de Borsfa Durd, mais il aurait sans aucun doute été plus prudent d'abandonner les motos ; habillés en paysans, à pied, ils n'auraient pas risqué grand-chose. Cette éventualité, toutefois, ne fut jamais envisagée. Il faut bien comprendre que le chef de l'élément de reconnaissance de l'unité motocycliste Balkan 4 avait déserté pour se consacrer aux motos, et non pas pour fuir quoi que ce soit – surtout à pied.

En fait Gottlob Wut était si piètre marcheur qu'ils ne purent pas tenir longtemps leur rythme pépère de quinze kilomètres aller-retour dans la journée. Il attrapait des fissures au péroné, de l'eau dans la colonne ou une vieille douleur qui remontait à la petite enfance – époque où il avait déjà quelque peu éludé ses responsabilités quant à l'apprentissage de la marche pour s'en remettre aux roues. A vrai dire, cela avait même commencé par une seule. Il avait été champion de monocycle du lycée technique de Neckarsulm trois ans de suite, et d'ailleurs, à sa connaissance, il détenait toujours le record de l'école en monocycle : trois heures trente et une minutes en équilibre sur sa roue, sans se reposer ni toucher le sol de la pointe du pied ou du talon. Cette performance avait été homologuée sur la plate-forme du présentateur lors de la fête donnée pour les parents, où les adultes avaient passé trois heures trente et une minutes à changer de position et tomber de sommeil sur leurs bancs durs, en priant le bon Dieu que cet enquiquineur de Wut finisse par se casser la figure.

Mais il lui fallait une roue ou deux pour soutenir sa colonne vertébrale s'il voulait rester raisonnablement droit pendant un temps quelconque.

Ils furent longtemps dans les montagnes, avec un seul incident. Pour se nourrir, ils avaient l'habitude de pêcher, ou de piller la nuit les villages qu'ils avaient repérés le jour. Mais, le 3 septembre 1944, ils étaient aux baies et à l'eau depuis deux jours lorsqu'ils tombèrent sur une drôle d'équipe. C'étaient des Croates, une armée de paysans loqueteux, qui s'en allaient rejoindre Mihajlović et ses Tchetniks jusqu'au-boutistes. Gottlob et mon père, heureusement vêtus des hardes de Borsfa

Durd, tombèrent dans l'embuscade qu'ils leur tendaient dans une vallée, au-dessous de Sv. Areh. En fait d'embuscade, il y eut des cris, des coups de bâton et un coup de fusil, de très vieux fusil, tiré en l'air. Entre autres choses, les Croates étaient égarés, et ils offrirent à Gottlob et mon père de les laisser passer en échange de renseignements sérieux sur leur position. Oui, c'était une drôle d'équipe : des Croates qui voulaient se joindre aux Serbes ! Apparemment, ils avaient tous été involontairement mêlés à un récent massacre de Serbes organisé par des Oustachis et des Partisans, et ils avaient pu voir de leurs propres yeux les abus dont les Serbes étaient victimes. Bien entendu, leur position était sans issue : il ne pouvait pas y avoir de Tchetniks même médiocrement organisés en Slovénie. Mais Gottlob Wut et mon père passèrent une journée et une soirée avec eux, en partageant une vache qu'ils avaient capturée et en buvant un vin si nouveau qu'on en sentait la pulpe. Mon père raconta aux Croates que Gottlob n'avait plus jamais pu parler depuis qu'il avait reçu une balle dans la tête – ce qui le dispensa de s'exprimer en serbo-croate.

Les Croates dirent que les Allemands étaient en train de perdre la guerre.

Ils avaient également une radio, ce qui permit à mon père et Gottlob Wut de découvrir qu'on était le 3 septembre et de confirmer leur hypothèse, selon laquelle on était en 1944. Ce soir-là, ils entendirent un communiqué communiste sur Radio Yougoslavie libre, annonçant une victoire des Partisans sur les Allemands à Lazarevac. Les Croates protestèrent avec véhémence ; ils tenaient de source serbe que les Tchetniks encerclaient Lazarevac et, par conséquent, ce devait être eux qui avaient battu les Allemands et fait quelque deux cents prisonniers parmi eux. Les Croates soutenaient qu'il n'y avait pas de Partisans à des kilomètres de Lazarevac. Puis l'un d'entre eux demanda où ça se trouvait, Lazarevac, et les pauvres Croates, tout désorientés, se lamentèrent une fois de plus sur leur égarement.

Ce même soir, mon père s'excusa pour lui et pour Gottlob, et reprit péniblement le chemin des motos. Il expliqua aux Croates que le mutisme de son ami le faisait souffrir, et qu'il leur fallait trouver un médecin. Les pauvres Croates étaient si désemparés qu'aucun d'entre eux n'eut la présence d'esprit de remarquer que tous deux prenaient la direction opposée à celle où ils allaient quand ils étaient tombés dans leur embuscade.

Vratno fit à Wut la traduction du communiqué.

— Mihajlović est foutu, commenta Wut. Le problème des Tchetniks et de tous ces crétins de Serbes, c'est qu'ils ont pas la moindre notion de propagande. Ils ont même pas de ligne de parti, pas même un slogan ! Ils ont rien à quoi se raccrocher. Alors que ces Partisans, ils tiennent la radio et ils ont une ligne simple et qui dévie jamais : défendre la Russie, le communisme est contre les nazis ; les Tchetniks sont du côté des Allemands. Vrai ou faux, qu'est-ce que ça peut faire ? demanda Wut. C'est ce qu'on répète sans arrêt et c'est basé sur des principes élémentaires. C'est ça, conclut-il, l'essence de la vraie propagande efficace.

— Je savais pas que tu avais des idées, dit mon père.

— C'est tout dans *Mein Kampf* et, tu diras ce que tu voudras, Hitler est bien le plus grand artiste de la propagande de tous les temps.

— N'empêche que l'Allemagne est en train de perdre la guerre.

— Quand bien même ! Tu te rends compte tout ce qu'il a mis sur pied, ce petit connard ? Jusqu'où il est allé ?

## Mardi 6 juin 1967, 5 h 15 ; quinzième quart

O. Schrutt est allé trop loin, lui !

Oh ! j'ai eu la tâche facile. Quand le babouin boudeur est ressorti rôder, je suis passé à découvert un instant, j'ai longé le Complexe des singes et j'ai foncé tout droit sur la fontaine des enfants. Je n'ai même pas eu besoin de provoquer le moindre émoi ; le gelada m'a vu arriver avant que j'atteigne la fontaine ; le voilà qui se met à braire, aboyer, croasser ; une frénésie, il bouffe la chaîne de son trapèze ! Et comme de juste, le zoo a repris à l'unisson. Et comme de juste, O. Schrutt a laissé des petits mammifères au milieu de leurs souffrances diverses et il est sorti en trombe.

Il s'est vraiment déchaîné, cette fois ; cette fois, il est entré dans le Complexe des singes. J'ai attendu une seconde, horrifié par le boucan qu'ils faisaient à eux tous, lui et les singes. Le raffut passait par une petite ouverture du complexe, comme une note soufflée à pleins poumons dans le trou le plus aigu d'une flûte. Avant qu'il ressorte, je me suis précipité dans l'escalier du pavillon.

Je ne me suis pas arrêté pour regarder dans les cages. J'ai foncé dans le premier couloir, j'ai pris à gauche, puis à droite dans une allée plus étroite — j'ai bien envisagé un instant de passer par un boyau, mais je me suis ravisé —, pour finir par m'arrêter là où je me sentais en sécurité ; je pouvais entendre la porte principale, et quel que soit le chemin qu'O. Schrutt prendrait, il lui faudrait bifurquer plusieurs fois ; il y avait assez de coudes et de sorties possibles entre nous pour que je l'entende venir et que j'aie le temps de prévoir mon esquive.

J'ai vu tout de suite que je m'étais arrêté le long de la cage de l'oryctérope du Cap, mais il m'a fallu faire un effort pour contrôler ma respiration avant de réaliser qu'il n'était pas seul.

Il y avait affrontement ! L'oryctérope était acculé dans un coin de sa maison, dressé sur la base de sa queue, en équilibre, griffes tendues comme des gants de boxe ; dans le coin opposé, en diagonale, face à lui, il y avait le viverin indochinois, un petit teigneux qui faisait le gros dos, poil hérissé. Ils bougeaient à peine. Il ne semblait pas qu'aucun des deux allait attaquer, mais chaque fois que l'oryctérope perdait légèrement l'équilibre pour se redresser aussitôt, le viverin grondait et feulait, en avançant le menton au ras de la sciure du sol. Et l'oryctérope, ce vieux flemmard de cochon sauvage, renâclait avec une bruit sourd. J'étais en train d'évaluer leurs chances mentalement quand j'ai entendu O. Schrutt.

A ses vociférations, j'ai conjecturé qu'il devait être juste devant le Complexe des singes : « Mais y a rien du tout, espèce de simulateur ! Amuse-toi encore une fois comme ça, mon babouin, et je t'offre un tour de manège avec mon petit jaguarundi ! Je vais te faire piailler pour quelque chose, moi, tu vas voir ! »

Pendant ce temps, à deux pas de moi, le viverin grondait, faisait mine de bondir, tandis que l'oryctérope grognait et se raidissait sur ses pattes de derrière, en appui sur la base de sa queue. Ils se défiaient – et pour combien de temps, mon Dieu ?

O. Schrutt ! Il se fait son petit théâtre ! il s'organise sa dernière séance pour lui tout seul !

Il est arrivé en rugissant. Je l'ai entendu narguer quelqu'un ; puis j'ai entendu ses rangers tourner un coin et se rapprocher de moi ; il était dans l'allée immédiatement au-dessus, à gauche ; je me suis déplacé d'une allée vers la droite ; mes pieds nus ne faisaient pas de bruit sur le ciment froid. J'ai attendu sa prochaine manœuvre.

Je ne l'ai vu, ce qui s'appelle voir, que deux fois dans le labyrinthe.

La première, j'étais tapi tout contre un mur de cage, mais au-dessous de la paroi vitrée – hors de portée de l'infrarouge qui s'y réfléchissait, je pense, et à une bonne longueur d'allée – et là j'ai vu O. Schrutt s'approcher de l'une de ses productions. Il a fait coulisser le panneau ! C'est ça, le panneau coulissant : toute la largeur de la vitre est mobile. Il a une petite clef qui lui permet d'ouvrir le panneau – c'est logique : supposons que quelqu'un de lourd soit mort ou que quelqu'un de dangereux soit malade et refuse de sortir, il faudrait vraiment être idiot pour prendre le risque de passer par la petite porte qui donne sur le boyau. Mais lui, il ouvre la vitre pour exciter ses gladiateurs ! S'il trouve qu'un affrontement manque de nerf, il glisse sa perche à bétail dans la cage, et il asticote l'un des adversaires. Eux, bien sûr, ils ne peuvent pas le voir ; il est dans le vide pour eux, quand il passe son bras électrique ; il leur sort du noir, à l'aveuglette, et leur donne un bon petit coup sec ou deux.

Je l'ai vu faire monter le niveau des décibels, et puis refermer le panneau — en coupant court aux plaintes. Après quoi il a regardé avec intérêt le diable de Tasmanie déraper sur ses pattes à droite et à gauche en hurlant comme s'il passait sur des charbons ardents : le ratel acariâtre le tenait aux abois. O. Schrutt regardait tout ça avec un grand calme, j'ai trouvé ; sa folie devait s'épanouir, ou bien le spectacle le droguait.

Je l'ai vu une deuxième fois. Là, je l'observais en toute sécurité. Il était passé par un des boyaux, si bien qu'il m'a suffi de regarder toute une rangée de cages vitrées pour trouver dans laquelle il allait faire irruption par la porte de derrière, d'où je savais qu'il voyait la même chose que les animaux, mais rien de ce qui se passait de mon côté de la vitre.

Je l'ai regardé interrompre un affrontement qui avait l'air d'avoir un peu trop duré. Deux fourmiliers géants étaient face à un jaguarundi, petit fauve tropical fuselé aux flancs creux, qui tournait comme un fou en haletant ; les fourmiliers semblaient épuisés, à bout de nerfs. Il est malin, O. Schrutt ! Il ne veut pas d'effusion de sang. Ça ferait tiquer ses supérieurs s'ils trouvaient des petits mammifères en charpie. O. Schrutt est un metteur en scène prudent ; il assure le match nul jusqu'à épuisement des adversaires ; il est toujours là avec sa perche électrique pour le cas où les choses dépasseraient le stade souhaité.

J'en ai assez vu, croyez-moi. Il opère à tous les échelons.

Le loris lymphatique échange des regards terrifiés avec un lémur. Les bonds du rat-kangourou affolent la tupaye de Malaisie. J'ai vu avec un sentiment de honte que même le péramèle, qui est mourant, doit subir les acrobaties de l'écureuil volant marsupial. La mère ocelot, qui est près de mettre bas, est blottie, hagarde, dans un coin de sa cage, tendant l'oreille aux grognements et aux bruits de pattes qui se font entendre dans le boyau.

Rien n'est sacré pour O. Schrutt.

J'ai attendu qu'il soit à l'autre bout du labyrinthe, et je me suis enfui de sa demeure du cauchemar programmé.

Je me suis recouché dans ma haie, en me demandant : Où est-ce qu'il est allé chercher cette idée ? Où est-ce qu'il a bien pu prendre cette habitude de dresser les petits mammifères les uns contre les autres ?

Il fait de plus en plus clair à présent, et je n'ai toujours pas de plan général. Mais en tout cas, je peux vous le dire, pour le cher Schrutt, les plans ne me manquent pas.

## Autobiographie hautement sélective de Siegfried Javotnik ; préhistoire II

Le 14 octobre 1944, l'Armée rouge entra dans Belgrade avec l'ex-collabo Marko Mesič à la tête du contingent yougoslave. Eh oui, les temps changent ; c'était difficile de traverser cette guerre en restant dans le même camp.

Le 24 octobre 1944, un groupe de Partisans russes eut la surprise de trouver des Tchetniks aux prises avec vingt mille Allemands à Čačak. Tandis que les Russes et les Tchetniks prenaient les Allemands entre les pinces de crabe de leurs troupes, les Partisans attaquaient les Tchetniks par-derrière. Après la bataille, les Tchetniks livrèrent quatre mille cinq cents prisonniers allemands aux Russes ; le jour suivant, les Russes et les Partisans désarmaient les Tchetniks et les arrêtaient. Le capitaine tchetnik Rakovič réussit à s'échapper et les Partisans se mirent à le traquer avec la plus grande conviction dans la région de Čačak.

Gottlob Wut et mon père étaient toujours dans les montagnes slovènes, à l'ouest de Maribor, lorsque la traque commença.

Elle n'eut d'ailleurs pas lieu dans les montagnes slovènes. Les Allemands étaient désormais sur la défensive, et les Oustachis attendaient leur heure en évitant de prendre parti. L'Armée rouge n'avait pas atteint la Slovénie et les Partisans n'étaient pas au zénith de leur force. Les Oustachis ne se battaient plus pour l'Allemagne — ils ne voulaient pas se mettre les Partisans à dos —, mais il aurait encore été risqué de se battre contre elle. Du moins en Slovénie.

Et Gottlob Wut sombrait dans la dépression. Ses jambes, son dos, tout son équipement de marche en général étaient tristement déglingués, et rares étaient les routes de montagne où il pouvait rouler sa moto librement et en toute quiétude. Et en novembre, il faisait très froid dans les montagnes ; les motos avaient besoin d'une huile plus légère.

Ce fut vers la mi-novembre que la radio militaire du side-car se mit à gargouiller ; jusque-là Gottlob et Vratno se figuraient qu'elle était morte, ou qu'ils étaient sortis du rayon d'émission des troupes allemandes. Gottlob laissa traîner une oreille ; au cours des deux jours suivants, le gargouillis s'amplifia, mais c'était du langage chiffré. Le troisième jour, cependant, il reconnut une voix de l'unité Balkan 4.

— C'est Wallner, ce crétin de tête brûlée ! Il a récupéré mon boulot ! » s'écria-t-il. Et avant que mon père ait pu le virer de la radio, le malheureux poussa le bouton de transmission en gueulant : « Espèce de pourceau ! Vandale !

Aussitôt mon père le fit dégringoler du siège, crapahuta jusqu'à la radio et repoussa le bouton de transmission, laissant le cadran sur écoute. Et c'est là qu'ils entendirent une moto au ralenti, sur le point de caler.

Puis la voix de Wallner chuchota ou suffoqua :

— Wut ? *Herr Komandant* Wut ? » Puis encore, pendant que Wut arrachait l'herbe autour de lui : « *Komandant* Wut ?

On n'entendait plus que le ralenti qui accrochait quand Wut s'écria :

— Regarde-moi ce moteur ! Il est tellement mal réglé qu'il chaufferait à blanc s'il fallait le pousser !

Mais le bouton de transmission était repoussé, et Wallner n'eut donc pas l'occasion de vérifier ce qu'il pensait avoir entendu. Radio Wallner lança :

— Bronsky, tu es branché ? Écoute, écoute ! » Et comme rien ne venait, Wallner dit : « Gortz, Metz, écoutez ! C'est le commandant, vous l'avez pas entendu ? » Puis il se mit à gueuler : « Vatch, t'es là, Vatch ?

Là-dessus la moto cala, et Wallner lança un juron dépourvu de toute aménité. Gottlob et Vratno l'entendaient sauter sur le kick.

— Il a noyé le moteur ! dit Wut. Écoute-le avaler de l'air !

Ils entendirent le starter éructer *crescendo* et *decrescendo* ; refusant de s'enclencher, le moteur tournait à vide.

— Écoutez, bande de salauds, vous êtes censés être branchés », hurla Radio Wallner. Il recommença à s'escrimer sur son kick en braillant hors d'haleine dans la radio : « Bande d'enfoirés, j'ai entendu le vieux Wut, je vous dis !

— Le *vieux* Wut !... dit Wut.

Mais mon père le tenait hors de portée du bouton d'émission.

— Le vieux Wut est dans le secteur, hurla Wallner à la radio. Où êtes-vous, Wut ?

— Tu m'as dans le cul, répondit celui-ci en continuant d'arracher de l'herbe.

— Wut ! hurla Wallner.

Une autre voix lança :

— Qui ça ?

— Wut, dit Wallner.

— Wut ? Où ça ? demanda l'autre voix.

— C'est Gortz, dit Wut à mon père.

— Bronsky ? dit Wallner.

— Non, Gortz, dit Gortz. Qu'est-ce que tu nous racontes comme conneries avec Wut ?

— Je l'ai entendu, dit Wallner.

Une troisième voix lança :

— Allô !

— C'est Metz, dit Wut.

— Bronsky ? dit Wallner.

— Non, Metz, dit Metz. Qu'est-ce qui se passe ?

— Wut est dans le coin, dit Wallner.

— Je l'ai pas entendu, moi, dit Gortz.

— T'étais pas branché ! gueula Wallner. Moi, je l'ai entendu !

— Et qu'est-ce qu'il a dit ? demanda Metz.

— Oh je sais pas... Pourceau, je crois. *Ja,* pourceau.

— C'est vrai qu'il disait ça, dit Metz.

— *Ja,* il y a deux ans, reprit Metz. Mais moi, j'ai rien entendu.

— T'étais pas branché, enfoiré, hurla Wallner.

— Allô ! dit une quatrième voix.

— Bronsky, dit Wut à mon père.

— Vatch ? dit Wallner.

— Bronsky, dit Bronsky.

— Wallner a entendu Wut, dit Metz.

— Enfin, qu'il croit, dit Gortz.

— Je l'ai entendu, et fort, encore, dit Wallner.

— Wut ? demanda Bronsky. Il est par ici ?

— J'aimerais bien savoir où c'est, ici, dit mon père à Gottlob.

— C'est clair comme de l'eau de roche, dit Wallner.

— Allô ! dit Vatch, le dernier à se brancher.

— Vatch ? demanda Wallner.

— Oui, dit Vatch. Qu'est-ce qui se passe ?

— C'est très compliqué, dit Gortz.

— Bande d'enfoirés ! dit Wallner. Puisque je vous dis que je l'ai entendu !

— Mais qui ? dit Vatch.

— Hitler, dit Gortz.

— Churchill, dit Metz.

— Wut, hurla Wallner, je sais que vous êtes là, Wut, espèce de pourceau vous-même ! Parlez, Wut !

Mais Gottlob resta sur l'herbe avec un rictus. Il écouta les motos déglinguées, le délire de Wallner, et ses compères, qui quittaient l'antenne l'un après l'autre.

Ensuite une voix qu'il ne connaissait pas parvint de plus loin, avec des parasites ; il y eut encore des messages chiffrés et Wallner répondit :

— J'ai entendu mon ancien commandant, Wut, le déserteur. Il est par ici. » Et les chiffres répondirent. « Non, sérieusement ! Il est dans le coin, dit Wallner.

Une voix lointaine et brouillée par les parasites lui répondit :

— Servez-vous de vos chiffres, commandant Wallner !

Et Wallner dévida une série de chiffres.

— *Commandant* Wallner, rien que ça ! dit Wut.

Vratno et lui restèrent à l'écoute jusqu'à ce qu'il n'y ait plus de message ; la radio bourdonnait au milieu de la friture.

— Où tu crois qu'ils sont ? dit Vratno.

— Et nous, on est où ? demanda Wut.

Ils parcoururent les cartes ensemble. Ils pouvaient se trouver à huit kilomètres au-dessus de la Drave et de la route de Maribor.

— C'est un mouvement de troupes, tu crois ? demanda Wut. Ils quittent Slovenjgradec ? Ils vont vers l'est pour se battre contre les Russes ? Vers le nord pour rejoindre les Autrichiens ?

— C'est bien un mouvement, en tout cas, dit mon père. Et sur la route de Maribor.

Cette nuit-là, ils écoutèrent de nouveau la radio. Il y eut encore des messages chiffrés, lointains et brouillés. Il était minuit passé quand ils entendirent de nouveau Wallner.

— Wut, chuchota la radio. Wut, vous m'entendez ?

Gortz devait être branché, parce qu'on entendit :

— Allez, Wallner, calme-toi ; faut dormir un peu, mon vieux.

— Dégage de la radio », dit Wallner. Puis il répéta à voix basse : « Wut ? Parlez, Wut. Parlez, bon Dieu !

Puis des chiffres couvrirent ses mots et la voix inconnue et autoritaire se fit entendre :

— Commandant Wallner, allez dormir. Je vous prierais de bien vouloir communiquer par chiffres, à l'antenne !

Wallner crachota des nombres et n'obtint pas de réponse.

Et mon père chuchota à Gottlob Wut, que cela fit bien rire :

— Attends qu'il soit tout seul, attends. Quand tu seras sûr qu'il y a personne d'autre à l'antenne, vas-y.

Et Wut poussa le bouton de transmission en surveillant la fréquence.

Plus tard Wallner émit tout bas un message chiffré. Il n'y eut pas de réponse.

— Balkan 4, dit Wallner tout bas, Balkan 4. » Pas de réponse. Alors il dit un peu plus fort : « Wut, vieil enfoiré. Parle un peu, Wut. » Gottlob attendit de savoir si quelqu'un d'autre s'annonçait. Pas de réponse. Wallner dit : « Wut ! Espèce d'enfoiré dégonflé ! Wut, espèce de traître !

Et Gottlob susurra :

– Bonne nuit, *commandant* Wallner.

Sur quoi il repoussa le bouton de transmission en conservant l'écoute.

– Wut, siffla Wallner ! Wuuuuuut ! » Il y eut encore des parasites et divers bruits de frottement étouffés. Wallner devait avoir démonté la radio de sur la moto et l'avoir emportée dans une tente ; on entendait la toile de tente battre et les pièces de la radio grésiller. Puis Wallner avait dû la sortir de sa tente comme le footballeur presse son ballon sur son cœur : ses cris semblaient plus lointains, comme si sa bouche était éloignée de l'émetteur : « Il est par ici, bande d'enfoirés ! Branchez-vous et vous l'entendrez !

Et Gortz, *mezzo voce* :

– Allez, Wallner, quoi !

Puis la voix non identifiée et autoritaire :

– Commandant Wallner, ça suffit, à présent. Ou bien vous vous servez du chiffre ou bien on vous coupe la radio.

Wallner énonça ses codes, presque en mesure ; il serinait ses codes d'une voix musicale, dans la nuit.

Vratno et Gottlob s'endormirent assis ; puis ils se réveillèrent et tombèrent dans les bras l'un de l'autre, en riant dans leurs barbes de deux ans. Ils s'assoupirent de nouveau, en conservant l'écoute. Une fois, ils entendirent Wallner murmurer, dans son sommeil ou dans le cirage :

– Bonne nuit, commandant Wut, espèce d'enfoiré !

Mais Gottlob se contenta de sourire en silence.

Avant les premières lueurs, Vratno et Gottlob chargèrent les motos et firent sept kilomètres vers le nord, au-dessus de Limbus. Ensuite ils camouflèrent effets et motos, et avec la radio démontée firent trois ou quatre cents mètres vers le nord, le long d'une ligne de crêtes ; le soleil paraissait tout juste à droite du clocher de Limbus ; ils campèrent à un kilomètre de la route de Maribor, sur laquelle ils avaient une vue imprenable.

C'est là qu'ils passèrent la journée et la nuit qui suivirent, sans rien à manger, sans voir le nez d'un motocycliste. Le soir, ils se branchèrent sur Wallner, mais n'entendirent que des chiffres, et aucun qui fût dit par sa voix. C'est seulement au matin qu'ils entendirent une voix plus forte – c'était celle de Gortz – énoncer des chiffres puis déclarer vers midi :

– C'est dommage pour Wallner.

A quoi Bronsky répondit que Wallner avait toujours été trop nerveux.

Puis la voix inconnue qui écoutait tout dit :

– Commandant Gortz, servez-vous de votre chiffre, je vous prie.

Et Gortz dit qu'il le ferait.

C'est cet après-midi-là que Gottlob aperçut Gortz le Dégueu sur l'une des 600 de 38. Il était suivi de Bronsky, dont il voyait les pneus sous-gonflés d'où il était.

Et, cette nuit-là, des forces nombreuses traversèrent Limbus en respectant le black-out. Les derniers hommes avaient à peine quitté le village que mon père fit un raid sur la laiterie et revint avec du lait et du fromage.

Ils restèrent deux jours de plus au-dessus de Limbus avant de repérer un second mouvement de troupes allemandes, dont les éléments de reconnaissance motocyclistes n'étaient pas identifiables, cette fois. Ce n'était pas Balkan 4 en tout cas ; c'était peut-être une unité venue d'Autriche. Arrivaient derrière eux des hommes dépenaillés dont les rangs s'éclaircissaient – pas de panzers, juste quelques camions et des jeeps. Pas de numéros de série. Certains soldats avançaient avec leur casque à la main ; beaucoup s'étaient laissé pousser une barbe qui ne faisait guère allemand. C'était un coup à tenter ; Gottlob et mon père prirent le risque. Ils rejoignirent le mouvement des troupes à Limbus, du côté de Maribor ; ils s'avancèrent sur la route en disant que des ennuis mécaniques leur avaient fait perdre Balkan 4. Ils eurent à manger, une nouvelle huile pour les motos, et ils les poussèrent dans Maribor sans savoir s'ils battaient en retraite ou s'ils montaient au front.

Ça n'avait pas d'importance d'ailleurs. Quand on attribua les quartiers, Gottlob dit que lui et son ordonnance allaient essayer de rejoindre leur unité.

Moyennant finances, ils garèrent les motos dans le box d'une prostituée, au milieu de ce qui s'appelait la Vieille Ville ; puis ils firent un tour du côté de la ville haute où ils dépouillèrent un officier allemand – du travail bien fait, déguisés avec les hardes de Borsfa Durd ; en suite de quoi ils trouvèrent un *Saunabad* où on lissa leurs barbes et les fit briller. Ils endossèrent leurs uniformes et se dirigèrent vers la ville comme deux soldats qui se préparent à passer une joyeuse soirée.

Seulement, voilà ! On aurait pu espérer que, dans tout Maribor, Gottlob Wut aurait choisi un autre bastringue que celui qui était le QG de Balkan 4.

Peut-être pensait-il que sa barbe de deux ans le rendait méconnaissable. Quoi qu'il en soit, il était là, insouciant, au milieu des soldats, dans la cave de Sv. Benedikt. Il y avait là une danseuse du ventre turque, qui répondait au nom curieusement yougoslave de Jarenina, et dont le ventre dansant s'ornait d'une césarienne. La bière, c'était de la flotte. Mais ce qu'il y avait de curieux, c'était qu'il n'y avait pas d'Oustachis en uniforme de la Wehrmacht ; en revanche, au-dessus du bar trônait une photo agrandie et zébrée de fléchettes, où l'on en voyait bien en uniforme de la Wehrmacht, mais avec des Partisans, quelque part, en Croatie.

Mon père soignait ses *umlaut*. Il avait le sentiment que leurs barbes attiraient l'attention.

Il était très tard lorsqu'il suivit le pas chancelant de Wut jusque dans les latrines glaciales. L'urinoir fumait ; les carreaux étaient ébréchés autour du terrible trou des chiottes. Un homme vacillait sur ses talons, pantalon sur les chevilles ; au-dessus du trou des chiottes, il serrait la poignée qui l'empêchait de tomber dedans. Il y avait quatre types qui fumaient au-dessus de l'urinoir et il en entra deux autres avec Wut et mon père. Huit hommes pissaient au petit bonheur, tête penchée sur la rigole, en retenant leur respiration pour éviter la vapeur et la puanteur. L'un d'entre eux fit tomber une cigarette dans l'écoulement.

Puis l'homme qui était accroupi sur les chiottes poussa un cri ; il dut tenter de se redresser en tirant sur la poignée.

– Wut ! cria l'homme.

Et Gottlob Wut se retournant d'un coup, pissa sur la jambe de mon père et vit Gortz le Dégueu arracher la poignée du mur pourri et tomber à la renverse, pantalon aux chevilles et cul premier, dans le trou des chiottes.

— Ben ça alors ! » gémit-il. Et les pieds quittant le sol, sa monnaie lui tombant dessus, il criait encore : « Wut ! ah nom de Dieu, Bronsky, c'est Wut ! Réveille-toi, Metz, t'es en train de pisser à côté de Wut !

Avant que mon père ait pu arrêter de pisser lui-même, Bronsky et Metz avaient fait tourner le pauvre Gottlob Wut comme une toupie. Ils le tenaient dos à l'urinoir. Heine Gortz fit des pieds et des mains pour se sortir du trou. Mon père rajusta son pantalon, mais Gortz le Dégueu lui dit :

— Hé toi, là ! Qu'est-ce que tu fous, toi, avec Wut ?

Mais Wut ne regardait même pas mon père ; ils n'avaient pas l'air de se reconnaître.

Il énonça en allemand, détachant chaque syllabe avec soin :

— Je viens de rencontrer cet homme. Nous portons tous deux la barbe, voyez-vous ; estime mutuelle.

Bronsky ou Metz dit :

— Le vieux Wut ! Regardez-moi ça !

— Saloperie de traître, dit Heine Gortz.

Et l'un d'entre eux passa un genou sous lui et le plia en deux tandis qu'un autre le tirait par la barbe. Ils l'amenèrent jusqu'aux chiottes à la turque. Ils le prirent par les pieds et le plongèrent tête la première dans la fosse irrespirable. Ce fut un travail d'équipe pour Balkan 4. Son nouveau chef, Heine Gortz, dans la merde depuis le haut du dos jusqu'aux genoux, pantalon toujours aux chevilles, prit le malheureux Wut par une jambe et le fourra dans le gouffre des chiottes.

Pendant ce temps, mon père refermait sa braguette et échangeait des haussements d'épaules et des hochements de tête avec les autres types, perplexes devant l'urinoir fumant.

— Wut ? demanda l'un d'entre eux. Qui c'est, Wut ?

— Il y avait que la barbe qui nous rapprochait », dit mon malheureux père, qui pouvait à peine parler tellement il était frappé par le travail d'équipe de Balkan 4. « Question d'estime mutuelle, quoi, souligna-t-il.

Il avait l'impression d'être obligé de hurler ses mots tandis que son estomac se soulevait.

Lorsqu'il quitta discrètement les latrines de la cave de Sv. Benedikt, seules les semelles de Wut dépassaient du terrible trou ; comme le malheureux Borsfa Durd, il fut enterré sans cercueil et, comme lui, il ne fut plus identifiable que par ses chaussures.

## Mardi 6 juin 1967, 5 h 30 ; seizième quart

Je pense que le mieux est de procéder comme je l'ai fait jusqu'à présent. On se glissera derrière cette haie en fin d'après-midi et on y restera sans bouger pied ni patte pendant tout le premier service de nuit. Quand O. Schrutt prendra la relève, on lui laissera faire une ronde ou deux. Il faudra qu'on fasse gaffe au babouin gelada, encore qu'on puisse tirer parti de ses malices.

Je n'arrive pas à décider s'il vaut mieux rendre O. Schrutt fou à petit feu ou le faire bouffer tout de suite par le Célèbre Ours noir d'Asie, à la première occasion.

Cette dernière solution n'est pas sans inconvénient. L'Ours pourrait se procurer le trousseau de clefs du même coup, et alors là, pas question de le récupérer, je t'en réponds. D'autre part, O. Schrutt pourrait avoir le temps de dégainer et de tirer un coup de feu. Qu'il réussisse à s'en sortir ou pas, il y aurait sûrement un policier dans Hietzing qui tendrait l'oreille à ce qui peut provenir du zoo.

Mais même si on se sert du babouin gelada pour faire perdre la boule à O. Schrutt, impossible de savoir quelle forme sa folie prendra dans la phase finale. Peut-être qu'il mettra tout le zoo à feu et à sang.

C'est donc bien un problème. Je crois qu'il faut le choper sans bavures dans le Pavillon des petits mammifères, le désarmer, l'attacher et le bâillonner, puis le conduire dans un boyau et le fourrer dans une cage de verre pour pas qu'il s'abîme, cet enfrotté.

On va le coller avec les fourmiliers géants. Lui qui est si fort pour organiser les rencontres, il est bien placé pour savoir qu'il lui suffit de rester bien sage, bien tranquille pour les mettre à l'aise. Mais enfin, on serait bien injustes de leur laisser l'exclusivité. Je suis sûr que le viverin adorerait lui servir de nounou un moment. Je suis sûr que le ratel et le jaguarundi adoreraient qu'il leur rende visite, bien ficelé comme une volaille pour la broche et roucoulant dans son bâillon, nez dans la sciure : « Gentil, le ratel, gentil, oooh qu'il est meugnon ! Sans rancune, hein, mon ratel ? »

Il y a même mieux ; on pourrait lui bander les yeux pour lui laisser deviner avec quel animal il est tombé — à qui appartiennent ces ronflements, ces halètements, ce nez froid et mobile, contre son oreille.

Dent pour dent, O. Schrutt.

## Autobiographie hautement sélective de Siegfried Javotnik ; préhistoire II

Mon père se faisait tout petit à Maribor. Il payait un loyer passablement élevé à la prostituée pour son box de la Vieille Ville, mais ça lui permettait de garer les motos loin des regards. Non pas qu'il lui fît confiance, à cette espèce de sorcière qui refusait de lui dire son nom. D'ailleurs, un soir qu'il était rentré se coucher dans le box avec les motos, il trouva un vieux Serbe en train de siphonner l'essence de la 600. Lui non plus ne lui donna pas son nom, mais lorsque mon père lui parla en serbo-croate, le vieux se mit à broder à la manière des gâteux sur le grand thème des illusions perdues : ça commençait par les trahisons du roi Pierre, qui, après tout, avait été sauvé et expédié à Londres par Mihajlović. Est-ce que mon père savait ce que chantaient les Serbes ? Euh, tout ce qui avait trait à la politique, mon père... alors le vieux Serbe lui chanta :

*Krajlu Pero, ti se nase zlato*
*Churchill-u si na cuvanje dato.*

Roi Pierre, tu es notre or,
Nous t'avons envoyé à Churchill pour qu'il te garde.

Et puis, vitupéra le vieux, les Anglais avaient réussi par intimidation à faire accepter à ce couard de roi *ce qu'il y avait de mieux pour l'unité de la Yougoslavie,* et, le 12 septembre 1944, il avait annoncé que le soutien à l'Armée populaire du maréchal Tito était la meilleure chance pour la Yougoslavie ; il avait dénoncé Mihajlović et les Tchetniks, et traité de « traîtres à la Mère Patrie » tous ceux qui ne se rallieraient pas à l'armée des Partisans. Est-ce qu'il le savait, le roi, demandait le vieux Serbe, que six jours avant qu'il trahisse son peuple, les Tchetniks avaient risqué leur vie la nuit de son anniversaire, en tirant des feux d'artifice sur toutes les montagnes et en chantant bien haut leur amour pour lui – en plein black-out ?

Et mon père, il le savait, ça ? Mon père dut avouer qu'il était lui-même resté coincé dans les montagnes un certain temps – mais pas en Serbie.

Bon, et est-ce qu'il savait ce que les Serbes chantaient à présent ?

*Necemo Tita Bandita*
*Hocemo Krajla, i ako ne valja !*

Nous ne voulons pas de Tito le Bandit,
Nous voulons le roi, même s'il ne vaut rien !

– Eh bien alors, vous ne devriez pas en vouloir, dit mon père au Serbe.

Mais le vieux lui scanda au nez :

*Bolje grob nego rob !*

Mieux sous la motte que sous la botte !

— Non, dit mon père, tout vaut mieux que la motte.

Il pensait sans aucun doute : Surtout une motte bien fraîche comme celle sous laquelle repose Gottlob Wut.

Mais il ne tua pas le vieux Serbe pour avoir siphonné son essence. Il lui proposa un marché. Il lui troquait le side-car et les vingt-cinq grenades qui lui restaient contre un échantillon d'artisanat clandestin : un laissez-passer, avec nom et photographie, qui lui permettrait de passer la frontière autrichienne sur la moto de course. Il allait à Berlin tuer Hitler, expliqua-t-il.

— Pourquoi tu tues pas Tito, plutôt ? demanda le Serbe, t'aurais pas besoin d'aller si loin.

Le marché fut conclu tout de même. Un certain Siegfried Schmidt reçut un laissez-passer allemand de messager extraordinaire, et cela de la clandestinité de Maribor, très efficace, malgré ses effectifs réduits. Et un matin froid mais clair de la mi-décembre 44, Siegfried Schmidt — *alias* Vratno Javotnik — passa en Autriche et franchit le Mur sur la moto du Grand Prix de 39, délestée de ses falbalas de guerre pour son service extraordinaire, et il s'enfuit vers le nord, vers la ville de Graz, sur ce que l'on appelle aujourd'hui la route 67.

Et je choisis de croire que c'est par le même matin de décembre clair et froid que le capitaine tchetnik Rakovič finit par se faire prendre par les Partisans, qui le traînèrent à Čačak, où son corps fut reconstitué pour être exposé sur la place du Marché.

Mais pour ce qui est des faits et gestes de mon père, après le clair matin froid qui avait vu son entrée en Autriche, j'en suis réduit à des conjectures. Après tout, son uniforme de la Wehrmacht, sa moto de course et ses papiers spéciaux ne le protégèrent pas longtemps — tout ça n'était spécial que tant que l'Allemagne tenait l'Autriche.

Un matin, il s'enfuit vers Graz, mais il n'a jamais précisé combien de temps il y était resté ni quand au juste il avait décidé de prendre la route de Vienne. Il est improbable qu'il soit resté longtemps à Graz : les Partisans yougoslaves passèrent la frontière autrichienne quasiment sur ses talons, et sans papiers spéciaux, eux. Quant à Vienne, elle ne pouvait guère représenter la sécurité pour Siegfried Schmidt, messager motocycliste. Le 13 avril 1945, soit quatre mois après que mon père eut quitté Maribor, les Soviets prirent Vienne avec l'aide des résistants autrichiens. Ils étaient censés libérer la ville, mais, pour une armée de libération, ils commirent une étonnante quantité de viols et de rapines. De toute évidence, les Soviets avaient quelque difficulté à considérer l'Autriche comme une vraie victime de l'Allemagne : c'est qu'ils avaient vu trop de soldats autrichiens se battre à ses côtés sur le front russe.

Mais quelles qu'en aient été les conditions, le 13 avril 1945, Siegfried Schmidt dut passer dans la clandestinité.

Et, le 30 avril, les troupes françaises passaient en Autriche par le Vorarlberg ; le lendemain, les Américains entraient par l'Allemagne, et lorsqu'une semaine plus tard les Anglais pénétrèrent dans le pays côté italien, ils eurent la surprise de découvrir des Partisans yougoslaves en train de mettre à feu et à sang les provinces de Carinthie et de Styrie.

L'Autriche était littéralement envahie, et Vienne restait dans ses foyers, ayant découvert qu'il était imprudent d'accueillir les libérateurs à bras ouverts.

Et, là-dessus, il n'y a pas grand-chose de clair dans les récits de mon père. Le mieux était de hanter les immeubles d'habitation abandonnés, même s'ils étaient populeux, déjà surpeuplés et si l'on n'y avait pas besoin de la compagnie d'un crétin qui risquait de faire prendre tout le monde en refusant d'abandonner sa moto. Il n'oublierait pas ces quarts de visage par la fente du courrier : « On n'a pas de place pour les soldats, va te cacher ailleurs. »

Quelques vivres ouvraient parfois les portes, mais pouvaient aussi bien vous valoir d'être assassiné.

Il n'oublierait pas la belle saison entre quatre murs, pas plus que la semaine passée à tendre un piège à un Russe pour lui prendre son uniforme, parce que, sous les couleurs de la Wehrmacht, ses aptitudes linguistiques risquaient de ne pas faire le poids.

Et surtout, il n'oublierait pas une certaine nuit d'été : un secteur près du centre-ville, des projecteurs qui arrêtent sa fuite à tous les coins de rue, les vrombissements de la moto du Grand Prix qui fonce en zigzag pour éviter les balles. Des jardins, ceux du Belvédère sans doute, des soldats avec des torches électriques dans les arbres, et lui qui conduit presque à ras du haut mur de béton, où il doit constituer une cible problématique, mais où il se râpe le genou et le coude contre des éclats de bombe dans le béton. Une fontaine qui ne coule pas, la place Schwartzenberg, sans doute. Il est forcé de faire demi-tour en catastrophe parce qu'il s'est heurté à un flot de projecteurs et de voix russes.

Il n'oublierait jamais, Vratno : Gottlob Wut est derrière lui, il lui chuchote ses conseils dans l'indigo du casque. Et grâce à ses indications infaillibles, il réussit à louvoyer, escalade des trottoirs, passe au ras des murs d'immeubles en évitant les portes qui font saillie ; il réussit à filer en crissant tous phares éteints dans des rues de plus en plus sombres, en s'attendant à tout instant qu'un mur ou une porte qu'il n'aurait pas vus arriver viennent le heurter de plein fouet.

Il n'oublia jamais une grande porte de couloir, dont un panneau est sorti de ses gonds, ni le couloir, noir comme une caverne, froid comme du marbre, où il entre dans un crissement de pneus. Il se souvenait d'avoir risqué un coup de phare qui lui avait révélé un escalier en colimaçon sur au moins quatre étages, menant, espérait-il, à des appartements abandonnés. Il s'en souvint, toujours : il hisse la roue avant sur la première marche, emballe le moteur et monte comme un fou les marches de marbre larges et peu élevées jusqu'au premier, où il coince l'embrayage de son féroce engin et enfonce la porte du premier appartement. Une fois là, il ouvre les yeux, coupe le moteur et attend la détonation. Puis il remet les verrous en place, et referme la porte démantibulée.

Il se souvient encore qu'il arrive des projecteurs dans la rue, dans le couloir, et des voix disant en russe : « Y a pas de moto abandonnée par là. »

A l'aube, il y voit sur tout le plancher des mégots et ce qui a dû être de la belle vaisselle en morceaux ; un coin décoloré pue dans la cuisine, car d'autres fugitifs, lors de cette occupation ou de la précédente, l'ont transformé en w.-c. Les buffets sont vides, naturellement. Les lits lardés de coups de couteau et parfois arrosés de pisse. Et il n'y a qu'un des nombreux animaux empaillés qui ait gardé ses yeux, sur le rebord de la fenêtre, dans ce qui a dû être une chambre de jeune fille.

Vratno se souvenait, comme c'était bizarre dans cet appartement citadin de voir une plume de poulet par-ci, par-là sur le sol. Mais, surtout, il s'accrochait à ce détail : pendant des jours, le seul point brillant de la rue toute noire, c'était une boule de cuivre qui accrochait les rayons du soleil un moment chaque jour ; elle était entre les mains d'un cupidon ; une bombe lui avait arraché la moitié de la tête, mais il était toujours perché, angélique, sur ce qui était autrefois l'ambassade de Bulgarie — en fait la seule ambassade de la Schwindgasse.

## Mardi 6 juin 1967, 5 h 45 ; dix-septième quart

Tu sais qu'il y a déjà eu un casse au zoo de Vienne, Graff ? L'histoire de son échec est mal connue, aujourd'hui, et les détails ne sont pas des plus clairs.

Apparemment, personne ne sait ce qui s'est passé au zoo, vers la fin de la guerre. A une époque, mettons début 45, les Russes avaient pris la ville et les autres grandes puissances ne s'étaient pas encore entendues sur les modalités de l'occupation — si bien que les gens n'avaient rien à se mettre sous la dent. Dieu sait de quoi les animaux se nourrissaient, mais on a quelques échos de ce que les gens faisaient pour se nourrir, étant donné que personne ne se souciait de garder le zoo et que la main-d'œuvre manquait.

Pour quatre hommes, mettons, même sans armes – et presque tout le monde circulait armé à l'époque –, c'était un jeu d'enfant de s'emparer d'une antilope de belle taille, ou même d'un chameau ou d'une petite girafe.

Et ça s'est vu. Il y a eu des raids, malgré la surveillance officielle des soldats affectés à la surveillance de la ville ; on pensait à l'avenir, à des rationnements d'urgence.

Voilà pour toi, voilà pour lui, voilà pour l'autre – tu prends les gigots de ce kangourou, toi tu prends du rumsteck d'hippopotame, mais fais gaffe quand même, ça doit bouillir un bon moment.

Mais, malgré les gardes de la ville, il y a eu des raids fructueux. Une équipe famélique et audacieuse est repartie avec un yak tibétain, un homme a volé un phoque entier à lui tout seul.

Il est probable qu'il y a eu des projets d'envergure. Ce n'était sans doute qu'une question de temps, un groupe de citoyens bien organisés, ou de soldats, d'une armée ou d'une autre, aurait fini par décider qu'il y avait des bénéfices à faire dans une opération garde-manger géant au sein d'une ville affamée.

Mais rien d'aussi bien organisé n'a vu le jour.

Il y avait aussi dans la ville un aspirant à l'héroïsme, qui jugeait que les animaux avaient assez souffert ; il voyait venir un massacre général et imagina un moyen de déjouer les bouchers. Personne ne sait qui il était ; on ne connaît de lui que ses restes incomplets.

Parce que, comme de juste, les animaux l'ont mangé. Il est entré une nuit, et il a lâché tous les animaux qu'il trouvait. Il paraît qu'il avait ouvert presque toutes les cages quand il s'est fait bouffer. Il faut dire que les animaux crevaient de faim, eux aussi. Ça, il aurait dû y penser.

Si bien que ses bonnes intentions se sont retournées contre leur propos. Je ne sais pas si les animaux ont réussi à dépasser la porte principale ou s'ils se sont fait attaquer dans l'enceinte même du zoo. Certains ont dû en manger d'autres aussi, j'imagine, avant que la populace ait vent de ce qui se passait et fonde sur le chaos avec des vieilles grenades et des ustensiles de cuisine.

Les détails sont nébuleux. Il y avait assez de petits mammifères foulés aux pieds dans la ville sans qu'on tienne registre des animaux. Mais ça a quand même dû être un sacré bazar, et j'imagine que les Russes s'en sont mêlés au cours de cette longue nuit, en croyant peut-être, à entendre cette clameur féroce, qu'ils avaient déjà une révolution sur les bras.

Je crois qu'on n'a eu recours ni aux blindés ni aux avions, mais tout le reste a dû y passer.

J'espère que tous ceux qui ont bouffé un animal se sont étranglés avec, ou qu'ils se sont fait crever la panse d'une occlusion intestinale.

Après tout, c'était pas leur guerre, à ces animaux.

Il y avait qu'à bouffer tous les O. Schrutt.

## Autobiographie hautement sélective de Siegfried Javotnik ; préhistoire II

Les Américains occupaient la province de Salzbourg où se trouvait Kaprun. C'était un endroit si paisible que les quelques Américains qui y arrivèrent se comportèrent de façon tout à fait amicale. D'ailleurs le seul épisode moins paisible que l'on m'ait raconté remontait à avant leur arrivée et c'était la mise à feu du frère de mon grand-père, le receveur des postes. Mais en général, compte tenu des circonstances, il faisait si bon vivre à Kaprun que l'initiative de mon grand-père – ramener la famille et Ernst Watzek-Trummer à Vienne – m'inspire quelques réserves. Ils auraient au moins dû attendre que l'occupation quadripartite de la ville s'organise.

Mais, au début de l'été 45, ma mère avait d'excellentes raisons de vouloir retourner dans Vienne libérée. Or, ça, c'était avant même que les autres Alliés soient parvenus à un accord définitif avec les Soviets ; les échos de la seule occupation russe auraient dû suffire à les dissuader de rentrer si tôt.

Les idées que Hilke se faisait à propos de Zahn Glanz y étaient pour quelque chose. Maintenant que la guerre était finie, elle se disait qu'il la rechercherait sûrement. Quant à ma grand-mère, bien sûr, elle voulait savoir ce qu'il était advenu de son petit appartement et de la vaisselle qu'elle avait abandonnée. Et peut-être Grand-Père était-il soucieux de rendre, avec sept ans et trois mois de retard, les quelque quatorze livres empruntés à la salle de lecture du Foyer international, dont il avait été le conservateur en chef. Pour Watzek-Trummer, je ne vois pas ce qui aurait pu le pousser à rentrer, sinon ses sentiments protecteurs à l'égard de la famille Marter, ou le désir d'emprunter de nouveaux livres à la bibliothèque de Grand-Père. C'est qu'en effet, après sept ans passés à ses côtés, il s'était mis à apprécier la valeur de l'instruction.

Quoi qu'il en soit et même si toutes ces raisons s'en mêlaient, ce n'était vraiment pas le moment de quitter Kaprun, cette première semaine de juillet 45.

En outre, le délabrement du vieux taxi de Zahn Glanz n'était pas fait pour faciliter le voyage de Grand-Père. Ce qui le facilita, en revanche, ce furent les quelques jolis coups qu'il avait à son actif, et dont témoignaient lettres et visas de chefs de la Résistance, qui savaient que les responsabilités nazies de mon grand-oncle n'étaient qu'une couverture et qui étaient de tout cœur avec la famille du receveur descendu en flammes. De son côté, Watzek-Trummer n'était pas sans quelques réussites : il avait essentiellement à son actif une série de déraillements bien orchestrés ainsi que des incendies fignolés au dépôt de Zell am See.

C'est ainsi qu'à la première heure, le 9 juillet 1945, mon grand-père et son équipage entreprirent cet invraisemblable voyage parmi les décombres et les armées d'occupation, pour arriver à Vienne en fin de soirée, après plus de difficultés avec la paperasserie soviétique qu'avec toute autre bureaucratie.

C'est précisément ce jour-là que les Alliés arrêtèrent la

répartition de la ville. Les Américains et les Anglais firent main basse sur les quartiers résidentiels, et les Français choisirent les quartiers commerçants. Les Russes firent preuve de réalisme à long terme en s'installant dans les quartiers industriels et en se tassant aux environs immédiats du centre-ville, près des ambassades et des administrations. Et c'est ainsi qu'ils occupaient, pour l'inconfort de mon grand-père, le quatrième arrondissement, où se trouvait la Schwindgasse.

Sur les vingt et un arrondissements, seize avaient des chefs de la police communistes, et au sein du gouvernement provisoire Renner, installé par les Soviets, Franz Honner, le ministre de l'Intérieur, s'était battu aux côtés des Partisans yougoslaves. Renner lui-même, cependant, était un vétéran socialiste autrichien, et il ne voyait pas sans appréhension cette occupation des libérateurs soviétiques, occupation provisoire qui semblait déjà vouloir durer longtemps.

Mon grand-père non plus n'était pas bien rassuré en roulant dans une Schwindgasse plus sombre et plus aveugle que jamais.

– Mais c'est une vraie ville-fantôme, comme dans les westerns ! s'exclama Watzek-Trummer.

Sur le siège arrière, Grand-Mère fredonnait ou gémissait pour elle-même.

Lorsque Grand-Père passa sur le trottoir pour entrer dans le hall, des soldats russes cantonnés dans l'ancienne ambassade de Bulgarie lui envoyèrent le flot des projecteurs. Il fallut refaire voir les papiers et Grand-Père dut exhumer quelques mots de russe de sa mémoire – il fallait bien que son expérience de bibliothécaire de Foyer international lui serve à quelque chose – pour éloigner les soldats. Puis, avant de décharger le taxi, ils montèrent jusqu'au premier, trouvèrent la serrure rouillée et, d'un coup d'épaule contre le verrou déjà forcé une fois, enfoncèrent la porte.

– Ah, les salauds, dit Watzek-Trummer, ils sont venus pisser ici ! » Dans le noir, il se cogna le tibia contre une énorme chose métallique, à un mètre de la porte. « Donnez voir un peu de lumière, dit-il, ils ont laissé un canon ou je sais pas quoi.

Grand-Mère marcha sur ce qui avait dû être sa vaisselle ; elle étouffa un sanglot. Et Grand-Père braqua la torche électrique sur une moto en piteux état, couverte de boue et affalée contre un fauteuil parce qu'elle n'avait pas de béquille pour la tenir.

Il n'y eut pas un mot, pas un geste, et depuis le couloir ils entendirent dans la chambre de ma mère quelqu'un qui, ayant retenu sa respiration trop longtemps, la laissait enfin s'exhaler, en un soupir désespéré qui faisait l'effet d'être le dernier. Grand-Père éteignit sa torche et Hilke dit :

– Je vais chercher les soldats, d'accord ? » Mais personne ne bougea. Elle entendit son vieux lit grincer, et dit à mon grand-père : « Ça vient de mon lit ? » Elle se dégagea de son bras qui la retenait et, après s'être cognée à la moto et au fauteuil, elle enfila le couloir en direction de sa chambre. « Zahn ? Oh, Zahn, appela-t-elle.

Elle se précipita vers sa porte ouverte, dans le noir. Watzek-Trummer prit la torche des mains de Grand-Père et rattrapa ma mère avant qu'elle ait atteint la porte en question. Il la rejeta dans le couloir et, en jetant un coup d'œil dans l'encadrement, il darda la lampe dans la chambre.

Sur le lit, il y avait un homme brun à longue barbe, les lèvres couvertes d'une pellicule blanchâtre comme un qui a soif, du coton dans la bouche. Assis en plein milieu du lit, ses bottes de moto à la main, il écarquillait les yeux sous la torche.

– Ne tirez pas ! » cria-t-il en allemand. Puis il réitéra en russe, en anglais et en une langue slave non identifiée. « Ne tirez pas ! Ne tirez pas ! Ne tirez pas ! répétait-il en agitant ses bottes au-dessus de sa tête, plus pour guider sa voix qu'en signe de menace.

– Vous avez des papiers ? demanda Grand-Père, en allemand.

Et l'homme lui tendit un portefeuille.

– Ils ne sont pas justes, s'écria l'homme en russe, tout en essayant de deviner la physionomie de ses geôliers derrière leur torche qui l'éblouissait.

– Vous êtes Siegfried Schmidt, courrier spécial ? dit mon grand-père.

— Tu l'as dans l'axe, courrier, dit Watzek-Trummer, t'arrives un peu tard !

— Non, je m'appelle Javotnik, dit l'homme qui était sur le lit. Il continuait à parler russe, redoutant qu'ils essaient seulement de le piéger en parlant allemand.

— Mais il y a écrit Siegfried Schmidt, dit mon grand-père.

— C'est des faux, dit mon père, puis il ajouta en marmonnant : Je m'appelle Vratno. Vratno Schmidt, non, non, Javotnik.

— Siegfried Javotnik ? demanda Watzek-Trummer. Et d'où il sort, ta saleté d'uniforme de la Wehrmacht ?

Et mon père s'abandonna à des imprécations en serbo-croate ; sur le seuil de la porte, ses interlocuteurs n'y comprenaient goutte. Il leur scanda :

*Bolje rob, nego grob.*

Mieux sous la botte que sous la motte.

— Vous êtes yougoslave ? » demanda mon grand-père. Mais Vratno ne l'entendait plus ; il s'était roulé en boule sur le matelas éventré. Grand-Père entra dans la chambre et vint s'asseoir à son chevet : « Allons, allons, calmez-vous, lui dit-il.

Puis Watzek-Trummer lui demanda :

— De quelle armée vous cachez-vous ?

— De toutes, dit mon père en allemand ; puis en anglais, et en russe pour conclure en serbo-croate. De toutes ; toutes.

— Un paranoïaque de guerre, annonça Watzek-Trummer qui avait lu et retenu pas mal de choses dans les livres que Grand-Père devait à la bibliothèque.

Alors ils retournèrent au taxi récupérer leurs provisions et leurs affaires, et ils pompèrent de l'eau à la citerne de la cour intérieure, derrière le grand couloir. Puis ils firent manger mon père, le lavèrent et lui mirent une chemise de nuit de Watzek-Trummer. Celui-ci alla se coucher dans le taxi pour monter une garde vigilante. Ma mère et ma grand-mère couchèrent dans le lit de maître, et mon grand-père alla veiller le paranoïaque de guerre dans le vieux lit de ma mère. C'est-à-dire qu'il le veilla jusque vers trois ou quatre heures du matin, car alors, en ce 10 juillet, Hilke vint le relever.

Oui, il était trois ou quatre heures, un début d'aube fuligineuse, une pluie légère. Watzek-Trummer s'en souvient, qui couchait dans le taxi. Trois ou quatre heures, et Hilke, en couvrant de sa main la barbe endormie de mon père s'aperçoit que son front correspond assez à celui que Zahn doit avoir à présent, elle s'aperçoit aussi que ses mains sont jeunes. Et Vratno, qui se dresse tout droit sitôt l'œil ouvert dans le vieux lit éventré de Hilke, voit une jeune fille mince aux lèvres tristes – plus en tige qu'en fleurs – et s'écrie :

– Dabrinka ! je lui avais bien dit à ce crétin de Wut que c'était sûrement toi qui t'en étais sortie !

En allemand, en anglais, en russe et en serbo-croate.

Hilke se limita à une seule langue, et elle dit en allemand :

– Chut, chut ! tout va bien à présent. Vous êtes en sécurité. Vous êtes de retour, vous – qui que vous soyez...

Et elle recoucha doucement mon père sur le dos et s'étendit sur lui – car elle était humide et frisquette, cette nuit de pluie légère, pour leurs chemises d'été.

Bien des langues furent chuchotées et, quoique la pluie fût légère, elle dura très longtemps et il tomba bien des gouttes. L'infatigable Ernst Watzek-Trummer, le sommeil léger comme la pluie, se rappelle le froissement du vieux lit éventré qui m'envoya d'un coup de vertige sur ma longue trajectoire vers ce monde effrayant. En ce début d'aube fuligineuse. Avec une pluie légère. A trois ou quatre heures du matin, le 10 juillet 1945, alors qu'Ernst Watzek-Trummer avait le sommeil plus léger encore qu'à l'accoutumée.

Tous les détails, le vieux Watzek-Trummer, historien sans égal, les a enregistrés.

# Mardi 6 juin 1967, 6 heures ; dix-huitième quart

Avec sa maladie rare, le binturong tousse ; le binturong de Bornéo, bestiole dégingandée, souffre d'un mal étrange et innommé.

Et O. Schrutt attend la relève de la garde. Ses narcotiques personnels non commercialisés ont fini par le calmer. Tout est tranquille dans le Pavillon des petits mammifères, l'infrarouge est éteint, et un O. Schrutt paresseux aux allures dociles accueille l'aube avec une cigarette sur laquelle il tire comme sur un havane. Je vois de larges volutes s'élever au-dessus des mares des Divers Oiseaux aquatiques.

Et il est clair pour moi – il fait de plus en plus jour dehors, de minute en minute – qu'il faudra boucler le gros du travail à la faveur de la nuit. Il faudra qu'on ait proprement mis O. Schrutt hors service, qu'on ait les clefs, et fixé un ordre de libération, tout ça avant le jour.

Et il est non moins clair que le problème essentiel se présente comme suit : s'il n'est pas bien difficile d'ouvrir les cages, comment faire pour sortir les animaux du zoo ? Comment tu leur fais passer les portes ? Tu les largues dans Hietzing et puis tu leur indiques gaiement la direction de la campagne ?

C'est crucial, ça, Graff. C'est pour ça, entre autres, que le premier casse a échoué. Tu fais quoi quand tu as une quarantaine d'animaux lâchés dans l'enceinte du zoo ? Pas question de les faire passer par la porte principale ou par le Tiroler Garten un par un. Ce serait le meilleur moyen pour qu'un crétin d'Hietzing en aperçoive un et donne l'alerte avant qu'on ait fini l'ouverture des cages. Non, il faut qu'ils sortent tous en même temps.

Est-ce qu'on peut leur demander de se mettre en rangs ?

Il semble qu'il faudra les répartir suivant un ordre quelconque.

Il faudra attendre le dernier moment pour libérer les antagonistes, et peut-être faire sortir les gros animaux par la porte de derrière, en leur faisant traverser le Tiroler Garten, pour qu'ils puissent passer dans le parc Maxing en douce, avant les premières lueurs.

Je crois qu'il faut bien admettre que le destin aura son rôle à jouer.

Parce que tu vois le tableau : les éléphants s'adonnent à des sports nautiques dans les mares des Divers Oiseaux aquatiques ; d'innombrables Animaux de la savane broutent les plantes en pot dans les allées ; tous les singes sauvages agacent les zèbres et détalent sous la cavalcade des girafes affolées, en avant toutes, en arrière toutes ; il y a des petits mammifères qui risquent de se perdre.

Si le mergule nain est encore dans le secteur, à tous les coups, il se fait marcher dessus.

Une fois qu'on les aura tous lâchés, comment faire pour qu'ils nous écoutent ? Comment tu leur dis : « Bon, en route pour la porte principale et au trot » ?

Il y en a qui partiront peut-être même pas.

C'est aussi pour ça que moi, le coup de Noé, deux par deux impeccables sur la passerelle de l'arche, ça m'a toujours laissé rêveur.

Donc, moi, je me dis qu'il faut qu'on ait la foi. A quoi bon évaluer les risques de chaos ? L'état d'esprit des masses, tout est là. On réussit à les galvaniser ou non.

Et puis pas d'exclus, hein. Pas cette fois.

## Autobiographie hautement sélective de Siegfried Javotnik ; préhistoire II

Le 2 août 1945, ma mère vit ses soupçons confirmés par un médecin militaire soviétique, et elle épousa Vratno Javotnik à la cathédrale Saint-Étienne, au cours d'une cérémonie bruyante quoique en petit comité ; ma grand-mère fredonnait ou pleurnichait ; Ernst Watzek-Trummer éternuait : à dormir dans le taxi, il avait pris un rhume.

Mais il y avait des bruits annexes : une équipe de démineurs américains était en train de suer sur l'autel d'une chapelle latérale pour en extraire une bombe non désamorcée qui avait traversé le toit de mosaïque de l'église et s'était logée entre les tuyaux de l'orgue – il fallut attendre quelques mois avant que l'organiste recouvre assez d'équanimité pour jouer fort et clair.

Comme dans tous les mariages, après l'échange des serments, ma mère embrassa timidement la joue rasée de frais de mon père. En suite de quoi le cortège descendit la nef, suivi non sans quelque embarras par les costauds américains qui portaient leur bombe comme un bambin particulièrement lourd qu'on viendrait de baptiser.

La noce se fit dans un restaurant à hamburgers américain qui venait de s'ouvrir sur le Graben. Le jeune couple était des plus réservés. En fait l'essentiel de ce que je sais de leurs relations tient en un rapport peu documenté, constitué par les interprétations sinon le témoignage direct de Watzek-Trummer. Selon lui, ils eurent une discussion publique le jour où Hilke manifesta le désir que Vratno se rase pour le mariage, et ce fut bien la seule fois ; encore n'était-ce pas un échange bien hardi, même pour une question aussi domestique.

Néanmoins, les archives sont là. Le 2 août, Herr Marter, ex-bibliothécaire, quatorze livres en retard de sept ans trois mois et des poussières, donna sa fille en mariage. Et Ernst Watzek-Trummer fut le témoin du marié.

Les archives nous apprennent aussi que le 2 août 1945 marqua la fin des tiraillements à Potsdam, et que ce fut le seul jour où Truman et Churchill donnèrent un peu de mou. Les Anglais et les Américains n'étaient pas venus en naïfs à Potsdam. Cette fois ils étaient au courant des modalités et des fins de l'occupation russe : ils l'avaient vue à l'œuvre à Berlin et dans les Balkans. Mais Churchill et Truman se concentraient depuis le 17 juillet, et le dernier jour des négociations vit leur attention se relâcher. Le débat roulait sur la notion de prise de guerre et les prétentions russes en Autriche de l'Est ; les Russes déclaraient avoir subi les plus lourds dommages de guerre et ils attendaient des compensations de la part de l'Allemagne. Les statistiques russes sont toujours à couper le souffle ; elles faisaient état de 1 710 villes et 70 000 villages détruits ; d'une perte de 6 millions de bâtiments qui auraient fait 25 millions de sans-abri, sans compter 31 850 industries et entreprises endommagées. La compensation des pertes par l'Allemagne pouvait se faire sous la forme de prises de guerre en Autriche. L'équivoque linguistique fut entretenue ; les Russes parlaient de libération de l'Autriche et, dans la même phrase, de la co-responsabilité de l'Autriche dans la guerre.

Par la suite, I.M. Maïsky, le représentant soviétique de la Commission économique de Potsdam, devait reconnaître que l'expression « prises de guerre » pouvait recouvrir n'importe quel bien susceptible d'être transporté en URSS. Mais enfin, mis à part cet instant d'inattention au vague de la formule, cette fois, Truman et Churchill voyaient venir Staline.

Vienne aussi, d'ailleurs, voyait venir, au moment de la conférence de Potsdam. Elle s'était fait avoir par surprise auparavant, mais elle manifesta vigoureusement son indépendance à partir de ce moment-là.

Le 11 septembre 1945, le Conseil interallié se réunit pour la première fois à l'hôtel Impérial que les Russes occupaient sur la Ringstrasse, et sous la présidence russe du maréchal Koniev.

Et Vratno Javotnik voyait venir, lui aussi, y compris en ce qui concernait sa future petite famille. Mon grand-père lui procura de vrais papiers de réfugié, ainsi qu'un emploi d'aide-interprète auprès de lui – car il venait de se voir attribuer un fromage : rapporteur des minutes censément à jour du Conseil interallié.

Quatorze jours tout juste après la première réunion du Conseil, Vienne tint ses premières élections parlementaires libres depuis l'Anschluss. Et malgré tous les efforts déployés par les Russes, le Parti communiste remporta moins de six pour cent des suffrages – soit quatre sièges sur les cent vingt-cinq de l'Assemblée nationale. Le Parti socialiste et le Parti du peuple étaient à peu près à égalité.

Ce que Vienne ne voyait pas venir, c'était combien les Russes pouvaient être mauvais perdants.

Et ce que Ernst Watzek-Trummer voyait encore moins venir, c'est que la police du district de Hacking l'avait porté décédé, le 12 mars 1938, victime de l'incendie qui avait ravagé son poulailler. Je doute qu'Ernst Watzek-Trummer ait pu se formaliser outre mesure du manque de foi en lui manifesté là. Mais, quoi qu'il en soit, il refusa de chercher du travail, et à la suggestion de Grand-Père, il occupa son temps en faisant des réparations et des transformations dans l'appartement des Marter.

La journée, donc, Watzek-Trummer et les femmes avaient la Schwindgasse pour eux tout seuls. Et quand les dames de la blanchisserie lui reprochaient de traîner à la maison sans rien faire, il répondait : « Je suis légalement mort. Vous connaissez une meilleure excuse pour ne pas travailler ? »

Il commença par s'aménager une chambre en montant une cloison dans la cuisine. Ensuite, il prit les quatorze livres en retard sous le bras et s'en alla chercher la salle des publications étrangères du Foyer international, mais celui-ci était fermé – pour tout dire il avait été bombardé et pillé. De sorte que Watzek-Trummer arracha toutes les étiquettes de la bibliothèque et rapporta les livres à la maison, faute de pouvoir les troquer contre quatorze autres qu'il n'aurait pas lus. Grand-Père lui en apporta bien de nouveaux, mais les livres étaient rares et le gros de la littérature qu'on trouvait dans l'appartement de la Schwindgasse, c'était le travail que Grand-Père et Vratno rapportaient, les fameuses minutes du Conseil, que Watzek-Trummer trouvait floues et fastidieuses.

Son insatisfaction devant ces instruments de lecture n'empêcha pas Watzek-Trummer de faire une bonne action – en guise de cadeau de mariage à Hilke et mon père. Il gratta toute la peinture de camouflage de la moto du Grand Prix et la débarrassa en outre de tous ses insignes militaires, traces de dispositif radio et éraflures manifestement dues au mitraillage, puis il la repeignit en noir brillant. Il en faisait ainsi un véhicule privé que les Russes confisqueraient moins facilement comme prise de guerre, et il offrit un luxe à Vratno et ma mère. Même si l'essence était une denrée rare et les déplacements à l'intérieur de secteurs occupés fastidieux, y compris pour un aide-interprète chargé des écritures du Conseil.

Watzek-Trummer fournit donc aux jeunes mariés le moyen de s'échapper en tête à tête, pour se détendre et se parler plus librement que dans l'appartement de la Schwindgasse. Il affirme qu'ils gardèrent toujours leur timidité l'un envers l'autre, du moins en public et en toute occasion qu'il ait pu observer. C'est la nuit qu'ils se parlaient, tandis que lui-même dormait de son fameux sommeil léger, derrière la cloison non moins légère de la cuisine. Jamais ils n'élevèrent le ton, soutient-il, jamais il ne la battait, jamais elle ne pleurait ; quant au lit, le froissement qui lui en parvenait de l'autre côté de la cloison était toujours doux.

Souvent, passé minuit, Vratno entrait dans la cuisine ; il se faisait un sandwich et se servait un verre de vin. Alors Watzek-Trummer faisait son apparition ; il disait : « C'est du *Blutwurst* ce soir, non ? Qu'est-ce qu'il y a comme fromage ? » Et à eux deux, ils se faisaient conspirateurs du casse-croûte, la tartine silencieuse, la tranche de saucisson circonspecte. Quand il y avait du cognac, ils veillaient plus tard, et mon père parlait d'un génie de la moto, un vrai phénomène – c'étaient leurs barbes qui les avaient rapprochés, un temps. Et bien plus tard, s'il y avait à la fois du vin et du cognac, Vratno soufflait à Ernst Watzek-Trummer : « Ça te dit quelque chose, ce nom, Zahn Glanz ? Qui c'était ce type ? » Et Watzek-Trummer contre-attaquait : « T'as connu un certain Wut, non ? Qu'est-ce que tu savais de lui, déjà ? » Et tous les deux, ils parlaient politique tard dans la nuit, décryptant l'*Osterreichische Zeitung,* journal d'obédience soviétique, où l'on pouvait lire par exemple, le 28 novembre 1945, que des bandits nazis en uniforme russe déshonoraient les Soviétiques par une vague de meurtres et de viols dans les campagnes, sans parler de quelques incidents isolés en ville. Ou encore, le 16 janvier 1946, l'histoire d'un certain H. Schien de Mistelbach en Basse-Autriche, arrêté pour avoir répandu la rumeur mensongère que des soldats russes auraient pillé sa maison. Ils commentaient parfois aussi les minutes du Conseil — en particulier celles où il fut question d'un incident survenu le 16 janvier 1946 dans le train « Mozart » qui convoyait des troupes américaines entre Salzbourg et Vienne. Un sergent spécialiste et MP, Shirley B. Dixon, avait éconduit un groupe de Russes qui tentaient de monter dans le train, groupe où se trouvaient le capitaine Klementiev et le lieutenant Salnikov. Les Russes avaient porté la main à leur arme, mais Dixon, qui avait la gâchette nerveuse, leur avait tiré dessus le premier, tuant le capitaine Klementiev et blessant le lieutenant Salnikov. A la réunion du Conseil, les Russes affirmèrent que leurs hommes avaient été victimes d'une équivoque linguistique, et le maréchal Koniev demanda une sanction pour Dixon-la-gâchette. La cour martiale avait néanmoins jugé qu'il n'avait fait que son devoir.

Watzek-Trummer, qui s'était offert un festival de westerns américains, prétendit que le nom de Shirley B. Dixon lui disait quelque chose. C'était pas le pistolero reconverti shérif adjoint dans celui où on empoisonnait les trous d'eau du Wyoming ? Mais mon père pensait qu'en principe Shirley était un nom de fille, ce qui rappela à Watzek-Trummer celui où une hors-la-loi aux courbes généreuses avait fini par choisir la rectitude, ou la platitude, en épousant un juge pacifiste efféminé. De sorte qu'ils conclurent que Shirley B. Dixon, le tireur le plus rapide du train « Mozart », était en fait une Wac.

Et Vratno revenait à la charge : « Zahn Glanz ? Tu as bien dû le connaître ? »

A quoi Watzek-Trummer opposait : « Tu m'as jamais raconté ce qui s'est passé quand vous êtes arrivés à Maribor, ce Wut et toi. Il avait une petite amie, là-bas ? Pourquoi il est pas venu avec toi ? »

Et Vratno : « Lequel d'entre vous était ce fameux aigle ? Frau Drexa Neff, la blanchisseuse d'en face — c'est l'amie de *Mutti* Marter, alors je lui ai parlé — pourquoi on lui dit pas la vérité ? Elle parle toujours de ce grand oiseau, et vous vous mettez tous à faire une drôle de tête. Qui est-ce qui faisait l'oiseau, Ernst ? C'était Zahn Glanz, l'aigle ? C'était lui ? Qu'est-ce qu'il est devenu, ce type ? »

Alors Watzek-Trummer, historien hors pair, archiviste du moindre détail, enchaînait au hasard : « Bon, bon, je te suis presque. Mais quand tous ces Slivnica sauf un ont sauté, et puis après l'époque de la radio, en montagne, quand Borsfa Durd a été mort et enterré — enfin, façon de parler —, quand vous avez laissé passer Balkan 4 pour marcher sur Maribor avec les éléments de reconnaissance. Quand vous étiez à Maribor, là, quoi, je te demande, qu'est-ce qu'il est devenu ce Gottlob Wut ? »

Et ça continuait comme ça, le manège du casse-croûte, jusqu'à ce que ma mère se retourne dans son lit avec un froissement de drap ; alors mon père finissait du même coup sandwich, verre et causette, et laissait Watzek-Trummer tenir registre du reste de la nuit, ce qu'il faisait car ses insomnies empiraient, peut-être au fur et à mesure que la grossesse de ma mère devenait plus inconfortable pour elle ; et fin février-mars, elle commençait à se retourner comme une carpe. Alors Ernst Watzek-Trummer abandonna sa chambre ; il se mit à veiller près de la fenêtre de la cuisine et versait un verre de lait à ma mère chaque fois qu'elle entrait dans la cuisine de sa démarche en canard ; le reste du temps, il regardait les sentinelles de la Schwindgasse, postées dans l'ancienne ambassade de Bulgarie, qui balayaient ponctuellement les environs de leurs projecteurs, et toutes les heures aussi la ronde des portes de la rue.

Un officier russe passait en rasant les murs pour éviter les vases de fleurs et les casseroles où bouillaient des pâtes ; il vérifiait chaque porte de couloir. Le couvrait un fantassin russe armé d'un fusil-mitrailleur ; ce dernier marchait juste au bord du trottoir, pour éviter les jardinières, car il aurait fallu une bonne dose de détermination pour lancer quelque chose de très lourd si loin dans la rue. Le fantassin surveillait les fenêtres, et l'officier commençait par tâter le cadre des portes avant de s'avancer sur le seuil. Les projecteurs de l'ambassade les précédaient. Il n'y avait pas à proprement parler de couvre-feu, mais après minuit la moindre lampe était suspecte, si bien qu'Ernst Watzek-Trummer s'accommodait d'une bougie, et tirait le store presque jusqu'à l'évier; cela lui laissait deux centimètres de fenêtre pour regarder les gardes ; il soutient qu'il avait réussi à assurer une certaine paix, Schwindgasse, en marmonnant ses abracadabras et parfois ses *amen* sur le passage du mitrailleur. En effet, la première chose qu'il avait remarquée chez lui, c'est qu'il était trop nerveux; il surveillait les fenêtres derrière lui encore plus que celles que les projecteurs lui éclairaient devant, et il n'arrêtait pas d'enlever et de remettre la sécurité de son arme. Ernst soutient donc que son devoir à la fenêtre était de faire garder son calme au soldat, et d'être prêt pour l'exode matinal de la blanchisseuse, Frau Drexa Neff, autre veilleuse de nuit, qui sortait la tête de sa cave et lui braillait depuis le trottoir d'en face : « Alors qu'est-ce qu'il vous dit son café, Herr Trummer ? Il est faiblard, non ? Je peux mettre le mien avec, ça sera pas de trop ? » Et Watzek-Trummer répondait en général : « Non, le café ça va. Mais on prendrait bien des amandes salées, ou ce qu'il y a de mieux comme cognac de rationnement. » A quoi la combative Drexa répondait : « Ah, vous manquez de sommeil, Herr Trummer, et comment ! »

Ainsi passèrent février et presque tout mars 1946. Au fur et à mesure que mars avançait, tous les matins Drexa demandait si ma mère m'avait eu dans la nuit. Il n'y eut pas d'incident notable, sinon celui-ci : Plosslgasse, à deux rues au sud de chez nous, un homme fut mitraillé pour avoir pissé par la fenêtre dans une ruelle parce que ses toilettes étaient bouchées – après minuit. Au bruit que la chose avait fait, notre propre soldat s'était retourné tant et plus, tripotant la sécurité de son arme, il avait scruté le ciel de la nuit pour y découvrir les jardinières, ustensiles de cuisine et autres chaussettes mouillées roulées en boule qui ne vinrent jamais, car il aurait sûrement ouvert le feu.

Encore un incident : les Soviétiques saisirent la totalité des biens d'une compagnie de frêt du Danube, à titre de *prise de guerre,* initiative dont on débattait au cours d'une ou deux séances du Conseil.

Mais rien de plus jusqu'à ma spectaculaire naissance.

Watzek-Trummer se souvient qu'il était tombé quelques flocons. Un peu après minuit, ma mère était entrée dans la cuisine de sa démarche en canard ; son verre de lait ne lui avait pas procuré le réconfort habituel. Grand-Père et Vratno s'étaient habillés ; ils étaient descendus sur le seuil de la porte, héler les Russes dans leur repaire de l'ambassade, et trois d'entre eux, dans une estafette, avaient foncé jusqu'à la clinique du secteur soviétique.

Ça devait s'être passé sur le coup d'une ou deux heures du matin, le 25 mars 1946. Il était trois ou quatre heures, Ernst s'en souvient, lorsque Grand-Père appela de la clinique pour lui annoncer ainsi qu'à Grand-Mère que j'étais né — un garçon ! Quatre kilos et demi, presque cinq, ce qui, soit dit en passant, n'était pas si mal compte tenu du régime en cette année d'occupation. Ma grand-mère prend la bougie, traverse la cuisine d'un bond, s'approche du store, le soulève et, bougie en main, la voilà qui se met à crier à sa voisine d'en face : « Drexa, c'est un garçon ! Il pèse presque cinq kilos ! »

Watzek-Trummer revoit la scène : il se trouve quelque part entre le téléphone et Grand-Mère ; il s'élance, décolle du sol, bondit pour éteindre la bougie — trop tard, les projecteurs inondent la cuisine, Grand-Mère est propulsée dans sa direction, il la voit passer ; il regarde même par-dessus son épaule : elle a l'air stupéfait, elle ne saigne pas encore. En fait, il ne se souvient pas d'avoir entendu la mitrailleuse avant d'avoir retraversé la cuisine pour tenter de relever ma grand-mère.

C'est Drexa Neff qui a donné les détails à Ernst, à vrai dire. Le mitrailleur avait dépassé notre fenêtre de peut-être un mètre ; il regardait par-dessus son épaule, fidèle à son habitude, quand Grand-Mère lui avait fait une peur bleue avec sa chandelle fantomatique et ses cris dans une langue qu'il ne comprenait pas. Drexa est formelle : après qu'il a tiré, la rue s'est inondée de lumière ; mais on n'a pas vu un seul des visages cachés derrière les stores de chaque fenêtre de cuisine jusqu'à ce que Watzek-Trummer se mette à crier : « Ils viennent de tuer Frau Marter ! Elle disait seulement qu'elle était grand-mère ! » Il se mit à pleuvoir des ustensiles de cuisine et de la céramique variée ; c'est un peu plus bas dans la rue, à quelques portes seulement de l'endroit où Frau Marter avait été tuée, que le soldat reçut dans le cou le premier bout de vaisselle, de plomb ou d'argenterie bien ajusté ; il mit un genou à terre, se traîna dans un geste de boxeur qui vient d'aller au tapis, rouvrit sa mitrailleuse et dégomma toute une rangée de fenêtres au troisième étage, à l'angle de l'Argentinierstrasse et de la Schwindgasse. Il se serait fait tout le pâté de maison si l'officier ne s'était pas interposé – à moins qu'il ait essayé de se tirer de là au contraire –, toujours est-il que le soldat l'envoya au sol d'une rafale, et arrêta là son balayage. Il se prit la tête dans les mains et se roula en boule sur la chaussée ; les ustensiles de cuisine de toute la rue – Drexa en identifiait quelques-uns ; elle put même dire où ils avaient été achetés et à quel prix – s'abattirent sur le tireur russe, en boule devant l'ancienne ambassade de Bulgarie d'où personne ne sortit pour essayer de le récupérer.

Je suis donc né le 25 mars 1946, et ma naissance a été éclipsée – pas seulement par l'erreur ci-dessus. Je pesais plus de quatre kilos et demi, ma mère avait eu une délivrance courte et facile, et personne n'allait jamais s'en souvenir. Il y avait pourtant eu une discussion assez significative autour de mon nom (est-ce qu'on allait m'appeler Zahn – mais qui était-ce ? – demandait mon père sans obtenir de réponse, ou bien Gottlob – mais qu'est-ce qu'il y avait entre lui et toi ? – demandait ma mère, sans obtenir plus de réponse), discussion à l'issue de laquelle on s'était rallié à la suggestion de Grand-Père parce que le prénom de Siegfried, qui avait ouvert les frontières à mon père, se passait de commentaires. Non, malgré cette discussion pertinente, ce n'est pas à ma naissance que les gens associent le 25 mars 1946. Et pas parce que ma grand-mère fut mitraillée ce jour-là, car ce détail ne laissa pas non plus une trace indélébile ; non, c'est parce que, le 25 mars 1946, les partisans de Tito finirent par capturer le général tchetnik Draža Mihajlovič, dernier libérateur révolutionnaire aussi stupide qu'honnête.

## Mardi 6 juin 1967, 6 h 15 ; dix-neuvième quart

Oui, oui, je sais, Graff, tu dois te dire que je tourne le dos à nos sacro-saints principes. Seulement maintenant je me rends compte qu'il y a des choses sur lesquelles on peut pas mégoter.

C'est vrai, hein, il faut toujours finir par trancher à la fin. A quoi bon faire une telle sélection si on se retrouve avec plus d'animaux qui restent bouclés que d'animaux libérés ? Attention, je ne suis pas partisan du massacre non plus, à mon avis il vaut mieux garder les plus gros et les plus féroces pour la fin. Mais ce serait tout de même un casse à la sauce douce s'il fallait laisser en cage tout ce qu'il y a d'un peu gros ou d'un peu dangereux !

Je t'assure que je les comprends, ces animaux ; ils savent qu'on est de leur côté, ou ils le sauront, il suffit de le leur montrer clairement.

Non pas que je veuille extrapoler, mais c'est bien les libérateurs aux principes inflexibles qui n'arrivent jamais à faire décoller les révolutions.

J'en suis persuadé ; si tu leur fais savoir que c'est pour eux que tu te bats, mais pour eux tous, même le babouin gelada – qu'ils vont tous faire la belle –, tu vas les voir à la porte vite fait, et à cent pour cent. Le favoritisme, ça rend tout le monde méfiant !

Et je suis sincère ; même cet enfrotté de babouin gelada. C'est pas moi qui vais me laisser tourner la tête par une petite expérience personnelle.

# Autobiographie hautement sélective de Siegfried Javotnik ; ma véritable histoire

La mort de Grand-Mère Marter n'appela aucune mesure particulière. Les minutes du Conseil interallié étaient pleines d'incidents qu'on aurait eu beaucoup plus de mal à faire passer pour accidentels. Ceux qui étaient manifestement prémédités, on les mettait sur le compte des hommes de main de l'*Upravlenye Sovietskovo Imuschchetsva v Austrii,* ou USIA, qui administrait les propriétés soviétiques en Autriche. Et qui, avec l'étiquette « prises de guerre », fit main basse sur 400 entreprises autrichiennes, des fonderies, des filatures, des fabriques de machines, des industries chimiques, d'équipement électrique, des verreries, des aciéries, et une compagnie de cinéma. Des tueurs à gages se débarrassaient des Autrichiens qui résistaient à l'USIA.

La majorité de ces assassinats ne ressemblait pas à celui de ma grand-mère. La province du soldat russe, c'étaient plutôt les tirs incontrôlés, les viols, les attentats à la bombe. Mais c'étaient les enlèvements qui tracassaient le Conseil, et ils semblaient être le fait du fameux gang de Benno Blum, un réseau de contrebande de cigarettes, qui faisait aussi du marché noir de bas nylon. En échange du privilège d'opérer en secteur russe, le gang de Benno Blum se débarrassait adroitement des gêneurs. Ses membres tendaient des embuscades dans tout Vienne, et se repliaient en douce sur le secteur russe quand ça chauffait – ce qui n'empêchait pas les Russes de prétendre être à leur poursuite, comme tout le monde. D'ailleurs, deux fois par mois environ, un soldat russe tirait sur quelqu'un et disait l'avoir pris pour Benno Blum. Cela dit, personne n'avait jamais vu Benno Blum, pour avoir une idée de la tête qu'il avait, ou même être sûr qu'il existait vraiment.

Si bien que l'illégalité endémique des opérations du secteur russe ne permit pas au Conseil interallié de se pencher sur le banal mitraillage de ma grand-mère.

Mais Watzek-Trummer aida mon grand-père à tenir le coup. Il partageait ses nuits entre son réduit de la cuisine et la chambre de maître. De temps en temps, il allait s'allonger à côté de mon grand-père, et tête contre tête, ils laissaient libre cours à leur colère ; leurs imprécations étaient parfois si fortes que les projecteurs de l'ancienne ambassade s'arrêtaient sur cette malheureuse fenêtre de cuisine en clignotant comme pour dire : Mais rendormez-vous là-dedans, arrêtez de vous plaindre ; c'était un accident, n'allez pas mijoter des représailles.

Mais il y eut assez d'incidents trop peu accidentels pour nécessiter un nouvel Accord sur le contrôle, le 28 juin 1946, qui mit fit au droit de veto soviétique contre le Parlement élu. C'est ainsi que le département du Trésor de guerre fut dissous, même si Benno Blum, peut-être dans une phase vindicative, était plus actif que jamais : un tiers des antisoviétiques escamotés, ce qui fit dire au chancelier Figl, dans le discours empreint de tristesse qu'il prononça en Haute-Autriche : « Elle est longue la liste des noms à côté desquels il ne nous reste qu'à porter la mention “ disparu ”. »

– Comme Zahn Glanz, hein ? C'est ça qui lui est arrivé ? demanda Vratno.

Et Watzek-Trummer, acerbe :

– Demande à ta femme. Vous parlez que de fesse au lit ?

Non pas qu'ils se soient pris en grippe, non. Seulement la question était si souvent revenue sur le tapis, elle était si ressassée !

Ils finirent d'ailleurs par avoir une explication. Je ne suis sans doute pas habilité à m'en souvenir, vu que je n'avais pas encore quatre mois, mais Ernst Watzek-Trummer a dû s'en souvenir pour moi, comme de toutes les choses importantes.

Quoi qu'il en soit, une nuit d'été, le 17 juillet 1946, mon père rentra à la maison soûl comme un Polonais car il venait d'apprendre que Draža Mihajlovič avait été fusillé par un peloton de Partisans.

— Et alors, dit Watzek-Trummer, qu'est-ce qu'il avait fait, ce Mihajlovič ?

Mais Vratno lui cria :

— On l'a laissé tomber, voilà !

Et il se lança dans une description apocalyptique d'un génie de la mécanique moto avalé par des chiottes à la turque à Maribor. Il ne parlait plus de Mihajlovič, mais de Gottlob Wut – c'étaient leurs barbes qui les avaient rapprochés. Il se rappelait la question de Gortz le Dégueu : « Qu'est-ce que tu fous avec Wut, toi ? » et se mettait à spéculer : il aurait pu balancer Gortz dans les chiottes d'un coup de pied, et puis attraper Bronsky ou Metz, voire les deux, pour les balancer sur l'urinoir pendant que Wut se libérait et leur fracassait le crâne avec le carburateur Amal qu'il cachait sur lui.

Et subitement Watzek-Trummer s'écria :

— Tu veux dire que tu l'as pas fait, tout ça ? T'as même pas *essayé* de le faire ?

— J'ai seulement dit qu'on venait de se rencontrer. Et Gottlob a été assez chic pour pas me démentir.

— Ah oui, rugit Watzek-Trummer, chic, ça tu peux le dire !

— Bon, ben, je te l'ai dit, maintenant, Trummer. Alors toi, tu vas me le dire aussi, d'accord ? Donnant, donnant. Qui c'était Zahn Glanz ?

Mais Watzek-Trummer lança un long regard à mon père et déclara qu'il ne considérait pas qu'il y avait égalité d'information.

Mon père se mit à brailler :

— Zahn Glanz, bon Dieu !

Et les projecteurs parcoururent la rue, scrutant toutes les fenêtres alentour.

Ma mère sortit de la chambre, sa chemise de nuit ouverte ; Watzek-Trummer dut détourner les yeux.

— Qu'est-ce qui se passe ? demanda-t-elle. Qui est là ?

— Zahn Glanz ! lui cria mon père. C'est Zahn Glanz qui est là ! » Et avec un grand geste vers sa chambre, il lui dit : « Zahn Glanz, c'est comme ça que tu m'appelles, là, dans certains moments, et pas les plus mauvais !

Par-dessus la table de cuisine, la main de Watzek-Trummer, sa main qui avait tranché et haché, partit d'un coup. Il ceintura mon père contre l'évier où son coude alla heurter un robinet qui se mit à couler.

Grand-Père sortit de la chambre de maître et dit tout bas :

– S'il vous plaît, ne vous approchez pas trop de la fenêtre. C'est très dangereux, vous savez, à cette heure de la nuit. » Il les regardait tous deux avec perplexité ; ils baissèrent les yeux, honteux. « Et puis, ajouta-t-il, il vaudrait peut-être mieux pas ouvrir le robinet si grand. C'est l'été, vous savez, les réserves doivent pas être énormes.

Puis Watzek-Trummer se souvient que je me suis mis à pleurer, et que ma mère est retournée dans sa chambre pour s'occuper de moi. C'est drôle comme les bébés qui pleurent ramènent les gens à la raison. Avec mes cris, même les projecteurs s'éteignirent. Ça pleure, les bébés : RAS.

Mais ça a été la grande époque des dénouements, d'une certaine façon. Le 17 juillet 1946, quand Draža Mihajlovič a été fusillé comme traître. Sur quoi le *New York Times* a émis la suggestion que les Russes lui élèvent une statue sur la place Rouge puisque, ironie du sort, c'était lui qui avait libéré Moscou, entre autres faits d'armes.

Watzek-Trummer qui lisait toujours tout ce qui lui tombait sous la main essaya de faire la paix en commentant :

– C'est pas formidable, ça ? Qu'est-ce qu'ils ont comme bonnes idées les Américains, dans l'après-coup !

Ce qui était assez vrai, d'ailleurs ; ils sont bien comme les Russes à cet égard : ce sont les statistiques qui les frappent ; les détails les laissent froids.

Prenons le cas d'Anna Hellein, une assistante sociale viennoise de vingt-neuf ans. Au poste de contrôle de la ligne de démarcation entre le secteur américain et le secteur soviétique, au pont de Steyregg, un garde soviétique la sort de son train, devant témoins ; elle est violée, tuée et abandonnée sur les rails où le train suivant la décapite peu après. La réaction du Conseil face à cette affaire fut bien plus modérée que face à la liste fournie par le chancelier Figl : onze meurtres récemment perpétrés par des hommes en uniforme soviétique. L'impact des chiffres, voilà. Quant à sa demande que la police autrichienne soit armée pour se défendre et défendre les autres citoyens contre les hommes en uniforme – n'importe quel uniforme –, il fallut attendre un peu avant d'y accéder parce que les Soviétiques avaient fourni leur propre liste, établie suivant des témoignages anonymes, qui comptait trente-six « nazis avérés » dans les rangs de la police. Encore les chiffres, comme vous voyez.

A vrai dire, pour ce qui est de la police, le problème fut plutôt sa décommunisation, qui avança tout doucement sur cinq ans. Et, à vrai dire, armer la police, c'est-à-dire la rendre efficace, prit même un peu plus longtemps. Le 31 mars 1952, je venais d'avoir six ans, les Soviétiques empêchèrent le chef de la police de leur secteur d'envoyer une force armée réprimer une horde de communistes qui attaquaient l'ambassade de Grèce, pour protester contre l'exécution de Beloyannis et de trois autres communistes grecs. Les émeutiers avaient d'ailleurs été convoyés jusqu'à l'ambassade dans des camions de l'Armée rouge.

Même plus tard, quand il y avait de l'émeute dans l'air, les Soviétiques désarmaient la police dans leur secteur en retirant aux hommes leur matraque de caoutchouc qui se révélait encore trop efficace, même si elle ne correspondait guère à l'idée de Figl quand il parlait d'armer ses policiers.

Mais les Soviets étaient en train de perdre Vienne, et ça les rendait déraisonnables ; en fait ils essuyaient des revers un peu partout.

En juin 48, le Parti communiste yougoslave fut expulsé du Kominform : Tito n'avait plus besoin de ses béquilles ; en novembre 48, des soldats soviétiques qui tentaient d'arrêter quelqu'un sur le pont de Suède, dans le centre de Vienne, furent repoussés par une foule en colère qui s'était ruée à la rescousse du particulier. Les foules en colère leur faisaient du tort, aux Russes, jusque dans leur secteur.

A cause de leur contentieux avec la Yougoslavie, les Russes retirèrent leur soutien aux prétentions yougoslaves sur l'Autriche méridionale, la Carinthie et la Styrie, de sorte que les Yougoslaves durent renoncer à leurs projets expansionnistes en Autriche.

Soit dit en passant, la chose amena une quantité singulière de Yougoslaves à Vienne. De drôles de Yougoslaves, quelques Oustachis, paraît-il, des gens qui étaient jusqu'au cou dans des complots et contre-complots sur la frontière austro-yougoslave quand l'actualité les avait laminés. Reste à croire qu'ils avaient trouvé de l'ouvrage chez Benno Blum, qui en avait toujours pour de bons kidnappeurs, ou des hommes de main en tout genre. Car, quoique les archives considèrent que le gang était liquidé le 10 mars 1959, jour où le Conseil considéra le cas d'un de ses ex-membres, Max Blair, il y a lieu de penser que Benno dut bien se survivre un peu.

C'est du moins la conviction de Ernst Watzek-Trummer, et moi, je tiens mon histoire de lui.

En tout cas il y était, Ernst, le 5 mars 1953. J'allais avoir sept ans dans vingt jours quand Staline est mort. Mon grand-père et Watzek-Trummer arrosaient la chose à leur façon, un peu de cognac à la table de cuisine, plus de liesse que de libations. Mais mes parents étaient sortis, si bien que je me fie au rapport de Watzek-Trummer. Ce n'était pas leur habitude de ne pas m'emmener avec eux, mais cette fête-là, ils la firent sans moi. Et je dois reconnaître, même si j'ai subi l'influence de Watzek-Trummer sur ce chapitre, que mes parents m'ont toujours semblé dans le meilleur des cas timides l'un envers l'autre et avares en paroles. Il m'arrivait de sortir avec eux ; les sorties les plus mémorables furent des balades les jours de soleil, sur la moto du Grand Prix, ma mère accrochée à mon père, moi douillettement coincé entre eux, serrant le réservoir entre mes genoux, mon père me chuchotant à l'oreille des maximes de conduite wutéennes.

Mais, le 5 mars 1953, Staline mourut, et Vratno et Hilke s'en allèrent fêter la chose en amoureux, me laissant aux célébrations des vieillards dans la cuisine. Je ne me rappelle même pas le retour de ma mère à la maison, quoiqu'il ait pourtant dû valoir le coup d'œil.

Car elle rentra toute seule, plus perplexe que perturbée, et s'assit à la table de cuisine avec mon grand-père et Watzek-Trummer (et peut-être bien moi), spéculant tout haut sur ce qui avait bien pu passer par la tête de Vratno.

Car, raconta-t-elle, ils avaient bien dîné et bien bu, ils étaient confortablement installés dans un restaurant serbe où Vratno aimait aller, quelque part près de la Südbahnhof – encore dans le secteur russe –, quand, tout d'un coup, entre un homme barbu, basané, petit, mais des yeux féroces. Tout à fait aimable, malgré tout, précisa ma mère à Watzek-Trummer. Il s'assied à leur table.

– Le tueur est mort, leur dit-il en allemand.

Et ils lèvent leurs verres avec lui. Puis l'homme pince le bras de mon père et lui dit quelque chose qui ressemble à

*Bolje grob, nego rob !*

Mieux sous la motte que sous la botte !

Et Vratno a l'air un peu surpris, mais pas plus que ça. Il n'aurait peut-être pas cru qu'il avait l'air tellement yougoslave, assis à parler allemand avec une Viennoise.

Mais l'homme poursuit ; un peu de serbo-croate, un peu d'allemand : il ne veut pas être discourtois envers elle. Il entoure les épaules de mon père de son bras ; ma mère imagine qu'il veut l'emmener boire un verre quelque part, entre hommes. Mais elle entend mon père répondre en allemand qu'il n'a pas envie de laisser sa femme toute seule, même un petit moment, même pour un verre ou deux, même pour retrouver des compatriotes. Très gai, tout ça, d'ailleurs, jusqu'à ce que l'homme prononce un mot qui ressemble à

*Todor.*

C'est tout. Une ou deux fois, le mot tout seul ou dans des phrases en serbo-croate. De nouveau mon père a l'air tout surpris, pour ne pas dire ébranlé. Mais l'homme ne cesse de sourire.

C'est alors que Vratno, au mépris de la politesse, se met à faire des messes basses à ma mère ; il a l'air de vouloir dire qu'il faut qu'elle aille aux toilettes, qu'elle trouve un téléphone qui fonctionne et qu'elle appelle Watzek-Trummer d'urgence. Mais l'homme continue à rire, à donner des claques dans le dos à Vratno, et à s'interposer entre lui et ma mère, de sorte qu'il est impossible de faire un aparté.

C'est alors qu'entre l'autre.

Hilke Marter-Javotnik a toujours affirmé que c'était l'homme le plus immense qu'elle ait jamais vu. A son entrée, mon père se penche sur la table et embrasse ma mère à pleine bouche. Puis il se lève, regarde ses pieds et hésite. Alors le premier homme, le petit, dit en allemand : « Vous avez une toute charmante épouse, mais elle ne risque rien..., avec moi. » Si bien que mon père lève les yeux vers la montagne humaine et passe devant pour sortir par la porte.

L'immense, celui que le petit appelle Todor, sort sur les talons de mon père.

Le plus abominable, dit ma mère, chez cet homme immense, c'est qu'il a le visage tout de travers, déchiqueté, comme par un obus, piqueté de cicatrices bleuâtres ; certaines sont boursouflées et ressortent comme de la gomme à mâcher sur son visage, d'autres minces comme un filet d'argent, mais si profondes qu'elles tirent et rident la peau autour.

Le petit, lui, est normal. Il tient compagnie à ma mère, boit un verre avec elle ; ensuite il se lève en disant qu'il va chercher Vratno, seulement il ne revient pas ; et mon père non plus.

Ma mère dit que la moto du Grand Prix était toujours garée devant le restaurant serbe, si bien que Ernst Watzek-Trummer et Grand-Père partirent la récupérer, en bavardant avec des soldats russes en chemin.

« Un malabar, disait Grand-Père aux soldats. Je crois qu'il s'appelle Todor Slivnica. Il a des vilaines cicatrices, il s'est pris une grenade dans une voiture. Il est avec mon gendre, et peut-être un autre homme. » Mais personne n'a vu âme qui vive, sinon, plus tôt, ma mère rentrant avec un soldat russe, le plus civilisé qu'elle ait trouvé ; elle s'est permis de lui demander de la raccompagner. C'était un jeune homme, les cent derniers mètres il lui avait tenu la main, mais je crois que cela suffisait à son bonheur.

Les soldats croisés sur le chemin n'avaient vu personne d'autre ce soir-là.

Et lorsque Grand-Père et Watzek-Trummer arrivèrent au restaurant serbe, la moto était garée dehors tandis que, dedans, une chanteuse chantait en serbo-croate et des couples ou des groupes basanés chantaient et claquaient dans leurs mains aux tables ; très gai, tout ça.

Mais Watzek-Trummer pensa que tout le bistrot était de mèche. Il cria : « Todor Slivnica ! » et la chanteuse se tut en se tordant les mains. Personne n'accusa Trummer d'impolitesse, mais les serveurs secouèrent la tête.

Ils étaient sur le point de s'en aller quand Grand-Père s'écria : « Oh, mon Dieu, Ernst ! » en désignant un homme monumental assis à une table, tout seul, près de la porte ; il entamait une coupe de crème anglaise ; ils étaient passés juste devant lui en entrant.

Ils s'approchèrent donc de l'homme, dont les chandelles éclairaient le visage, le colorant et le déformant à l'infini, comme un prisme éclaté.

— Todor Slivnica ? s'enquit Watzek-Trummer.

La montagne humaine sourit et se leva, impressionnante, dépassant à peu près d'un mètre Grand-Père et Ernst. Todor esquissa une courbette, comme s'il était petit.

Mon grand-père qui ne parlait pas serbo-croate, ne put dire que :

— Vratno Javotnik ?

Et Todor laissa le sang inonder ses cicatrices ; tout son visage se mit à luire comme un néon. Il saisit la petite coupe, en rafla le contenu dans son énorme patte qu'il étendit bien à plat, nappée de crème liquide, sous le nez de Grand-Père comme s'il s'agissait d'un cadeau précieux ; puis il abattit son autre poing dessus : *Bahm, splurtch !*

Là-dessus, il se rassit avec un sourire, une coulée de crème anglaise dans une de ses cicatrices les plus profondes. Et il désigna d'un geste les murs, la crème renversée sur la table, sur

Grand-Père, sur Watzek-Trummer, la crème qui fumait sur les lanternes basses. Partout où il y en avait, Todor Slivnica tendait le doigt en souriant.

*Ah ! Vous voulez savoir où est Vratno Javotnik ? Eh ben, il est là, sur le bout de votre nez, et puis là, sur la lanterne, et même là. Sur orbite.*

C'est ainsi que Watzek-Trummer s'est rappelé les choses ; voilà ce qui lui est resté clairement pour nourrir ses interprétations. Où est parti mon père ? c'est une énigme liée aux signes cabalistiques de Todor Slivnica Rappelons que Todor était réputé entre autres pour son sens de l'humour.

## Mardi 6 juin 1967, 6 h 30 ; vingtième quart

Tiens, tiens, O. Schrutt vient de changer de vêtements, ou plutôt vient de déguiser ceux qu'il porte. Il a passé un ciré qui couvre son insigne et ses épaulettes. Il a soigneusement sorti ses bas de pantalon de ses rangers. On dirait presque qu'il porte des chaussures de ville – ou du moins des chaussures de sport.

O. Schrutt se prépare à recevoir le plein jour, et les gardiens qui vont le relever. Il est pas idiot, O. Schrutt. Il ménage ses vices. Aucun risque qu'il ait l'air d'un accro. Il a eu sa dose ; le voilà prêt à affronter, extérieurement du moins, une journée sans violence.

Au risque de passer pour avoir le goût de la polémique, je dirais qu'il y a deux manières de vivre longtemps, dans ce monde. La première est d'avoir avec la violence des rapports clairs et nets d'agent libre, sans cause ni attachement qui vienne compliquer les bons fonctionnements ; si l'on ne rend pas de compte, on ne risque pas de se vendre en mentant pour se protéger. Mais la deuxième manière, je dois avouer que je ne la connais pas ; ce qu'il y a de sûr, c'est qu'il faut une chance incroyable. Il faut bien qu'il y en ait une autre quand même, parce que ce ne sont pas toujours les O. Schrutt qui vivent le plus longtemps. Il y a bien quelques survivants d'une autre nature, de par le monde.

Je crois que la patience joue son rôle.

Par exemple, je parierais qu'il y a quelques survivants parmi les petits mammifères dont O. Schrutt s'occupait jadis. S'ils ont eu la patience de vivre, ils vont finir par voir le type qu'ils attendent depuis si longtemps. Leur visage va se convulser devant leur journal ; leurs vieilles mains déformées tressauter sur leurs genoux épuisés, un spasme va les faire gicler de leur fauteuil, devant la télévision. O. Schrutt est de nouveau d'actualité, ils vont le reconnaître dans l'élancement d'une vieille cicatrice qui se tenait tranquille depuis vingt ans ou plus. Leurs pieds perclus se décrisperont pour les traîner jusqu'au téléphone et ils perdront leurs embarras de prononciation pour parler à l'opératrice ; ils souffleront vingt ans de patience dans le combiné.

*C'est ça, mon vieux Franz, c'est bien lui, j'ai vu sa photo, et puis, je t'en supplie, appelle Stein tout de suite. Ça va lui remonter le moral, c'est pas dommage. Oui c'était O. Schrutt, j'en suis sûr – il était aux prises avec des animaux sauvages –, il s'est fait gardien, pardi. Et veilleur de nuit, bien sûr. Et il avait gardé son uniforme. Oui, l'insigne avec son nom ! Je l'ai vu à la télé, je te dis. Il faut que je le dise à Weschel, il a pas le téléphone – et avec ses pauvres yeux, il lit pas le journal et il regarde pas la télé non plus. Mais appelle Stein, le malheureux, tout de suite, hein. Qu'est-ce que ça va le passionner !*

Parce que les disparus, on ne cesse jamais de les chercher. Il n'y a que les morts caractérisés qui ne peuvent pas vous faire le plaisir de finir comme vous voudriez ou comme vous auriez prévu.

Il faut que cette idée me porte, O. Schrutt ; je me suis mis à croire que certains de tes anciens petits protégés iront jusqu'à te survivre.

## Autobiographie hautement sélective de Siegfried Javotnik ; mon histoire proprement dite

25 mars 1953. Pour mon septième anniversaire, ma mère m'emmena à Kaprun en train, vingt jours tout juste après la mort de Staline, et après que mon père eut filé à la crème anglaise. A l'arrivée à Kaprun, Grand-Père et Watzek-Trummer nous attendaient sur la moto du Grand Prix, qui s'était traînée peureusement depuis Vienne entre des mains inexpertes.

Et c'est ainsi que les rescapés de notre petit groupe s'installèrent à Kaprun qui était un tout petit village à l'époque, puisque ni le barrage hydroélectrique de la montagne ni le grand remonte-pente qui devait amener des skieurs moins hardis n'étaient encore construits.

Mon grand-père devint receveur des postes, et Watzek-Trummer homme à tout faire du village. C'est lui qui distribuait le courrier et, l'hiver, il en charriait les gros sacs bruns rêches sur un traîneau qui me revenait quand il n'y avait pas de lettres. Il m'arrivait parfois de me jucher sur les sacs pour qu'Ernst me fasse faire des glissades dans les rues pentues de l'hiver. Ma mère confectionna des harnais rouges pour fixer les sacs et un pompon de laine rouge assortie vint orner mon bonnet.

L'été, Watzek-Trummer distribuait le courrier dans une remorque à deux roues fixée au garde-boue arrière de la moto du Grand Prix ; Gottlob Wut devait se retourner dans sa, enfin dans ce qui lui servait de tombe.

Nous étions très heureux à Kaprun ; nous nous trouvions en secteur américain, désormais, bien sûr, et nous parvenions à capter les émissions de Salzbourg. Le soir, nous écoutions la station de radio américaine qui ne passait que de la musique noire – la complainte de femmes à la voix grave et chaude, les tyroliennes des trompettes et des guitares : le blues des tripes.

Cette musique, je n'ai pas besoin de Watzek-Trummer pour m'en souvenir, ça non. Parce qu'un soir, à la *Gasthof Enns* du village, un soldat noir américain en permission accompagne la radio de son harmonica, et chante comme un grand seau de fer abandonné sous la pluie. C'est l'hiver ; sur la neige, il ressort ; il n'y a rien de plus noir à Kaprun et les gens le touchent pour voir si ça fait comme du bois. En quittant la *Gasthof*, il raccompagne ma mère à la maison en me tirant derrière eux sur le traîneau du courrier. Il chante un vers ou deux et puis il me fait signe, et moi je souffle un bon coup dans son harmonica sur le traîneau, le long des rues du village en Y, la nuit déjà bien avancée, je crois. Grand-Père sait assez d'anglais pour lui parler, à ce soldat, et par la suite, il enverra à Watzek-Trummer un album de photographies sur les droits civiques aux États-Unis.

Je ne me rappelle pas grand-chose d'autre, et la mémoire sélective de Watzek-Trummer n'a rien retenu d'important de ces années, qui m'amenèrent à l'âge de huit puis de neuf ans. Il n'y a guère que ceci : lorsque le dernier soldat soviétique quitta Vienne, le 19 septembre 1955, mon grand-père eut une attaque bénigne. Derrière la grille des boîtes aux lettres qui les séparaient, les usagers le virent tomber à la renverse, découpé en petits carrés, dans une pile de courrier. Il ne mit pas longtemps à récupérer. A ceci près : dans la nuit, ses sourcils gris blanchirent. Encore un de ces détails que je me rappelle tout seul, ou que Watzek-Trummer se rappelle pour moi, à moins que ce ne soit une combinaison répétée de nos mémoires.

Mais enfin, ce qu'il y a de sûr, c'est que le seul fait important, je m'en souviens tout seul. Parce que lui, il doit trouver pénible de s'en souvenir ou, en tout cas, pénible de s'en souvenir à haute voix.

J'avais dix ans et demi lors de la fête nationale, le 25 octobre 1956. C'était le premier anniversaire de la fin officielle de l'occupation. Après neuf heures de libations ininterrompues à la *Gasthof Enns*, Grand-Père et Ernst Watzek-Trummer se mirent à farfouiller dans les vieilles malles du sous-sol de la poste, lequel nous servait aussi d'entrepôt personnel. Je ne sais pas ce qui leur est passé par la tête, mais mon grand-père est tombé sur le costume d'aigle (c'était peut-être même ce qu'il cherchait), totalement déplumé parce que la graisse était partie depuis longtemps. En l'état, c'était une cotte de mailles en moules à tarte, vaguement huileuse et luisante, largement rouillée ; tête et bec, surtout, étaient en rouille massive véritable. Ça n'empêcha pas mon grand-père d'enfiler la chose, en arguant que c'était bien son tour de faire l'aigle, puisque Watzek-Trummer et Zahn Glanz avaient eu leur heure. Et quel jour aurait mieux convenu à l'aigle que celui de la fête nationale ?

Sauf que cette année-là, la liesse ne fut pas tout à fait complète. Pour ma mère, du moins. Deux jours auparavant, les rues de Budapest avaient été saignées subitement. Heureusement, les Hongrois eux-mêmes avaient trouvé la voie du salut dégagée, parce que, après le départ des Russes, les autorités autrichiennes avaient fait déminer la frontière austro-hongroise et retirer les barbelés. Il valait mieux. Parce que la police politique hongroise et l'armée soviétique avaient forcé plus de 170 000 réfugiés hors des frontières, et que Vienne, dans sa sollicitude pour les peuples occupés, les avait pris sous l'aile de l'aigle. De sorte qu'il en arrivait encore le jour de la fête nationale.

Que la chose ait pu affecter ma mère à ce point, à mon avis il faut en chercher la raison en mars 38, date à laquelle si Zahn Glanz s'en était sorti, ça n'avait pu être qu'en passant la frontière hongroise à Kittsee. Et si l'on choisit de penser qu'il avait effectivement passé la frontière en 38, on peut se dire qu'il la repassa en 56, parmi les 170 000 réfugiés en question.

Si j'y pense, c'est seulement pour expliquer la réaction de ma mère lorsque Grand-Père entra dans notre cuisine de Kaprun, superbe, magnifique, piaillant dans son casque d'oiseau chauve : « *Côk!* L'Autriche est libre ! »

J'étais sur une chaise en face de ma mère, elle m'essayait un pull-over qu'elle venait de tricoter. Elle gémit et enfonça ses doigts dans mes épaules. Se levant d'un bond, elle fonça sur l'aigle déplumé et perplexe qui s'encadrait dans la porte et elle le coinça contre le chambranle. Logeant son genou entre ses jambes, elle soulevait le bas de la cotte de mailles, tirant désespérément pour retirer le casque.

— Oh mon Dieu, Zahn, pleurnichait-elle.

Mon grand-père se dégagea rudement et retira lui-même la tête de l'aigle. Il était incapable de la regarder en face, il détourna vaguement les yeux en marmonnant :

— Je viens juste de le retrouver à la poste, Hilke. Je te demande pardon, vraiment. Ah mais quoi, bon Dieu, ça fait dix-huit ans quand même !

Mais il n'osait toujours pas croiser son regard.

Elle restait là, affalée dans le chambranle, le visage sans âge, asexué même ; totalement inexpressive. Elle dit d'une voix blanche, d'une voix de présentatrice de radio :

— Ils affluent toujours. Il y en a plus de cent soixante-dix mille à présent. Toute la Hongrie arrive à Vienne. Tu ne crois pas qu'on devrait rentrer, maintenant, pour le cas où il nous chercherait ?

— Oh, Hilke, dit Grand-Père. Mais non, bien sûr que non. On n'a plus rien qui nous attache là-bas.

Toujours de sa voix de présentatrice, elle annonça :

— Lennhoff est bel et bien passé en Hongrie. C'est une certitude.

Grand-Père essayait de ne pas bouger du tout pour éviter le cliquetis des moules à tarte, mais elle l'entendit, et elle leva les yeux. Son visage et sa voix ordinaires lui revinrent :

— Tu l'as laissé tomber, tu sais. Tu l'as fait rester après nous pour liquider ton compte en banque, alors qu'il aurait pu partir avec nous !

— Fais attention à ce que tu dis, petite, gronda Watzek-Trummer en l'attrapant aux cheveux. Remets-toi, maintenant, tu m'entends ?

— T'as abandonné Zahn à Vienne ! hurlait ma mère à l'oiseau qui se détourna tout à fait d'elle dans un cliquetis de moules à tarte.

Watzek-Trummer lui tira les cheveux.

— Ça suffit, Hilke, siffla-t-il. Il avait pas besoin de rester si longtemps, ton Zahn Glanz. Il avait pas besoin de faire passer des rédacteurs en chef en Hongrie, bon sang ! Et puis qu'est-ce qui te dit que ça s'est passé comme ça, d'ailleurs ?

Mais ma mère dégagea sa chevelure et revint d'un pas mal assuré vers la chaise où je me tenais en équilibre, crucifié dans mon pull-over non assemblé qui tenait encore par des épingles.

Watzek-Trummer rapporta au sous-sol de la poste le tas informe de l'aigle et, cette nuit-là, ma mère me réveilla en frottant contre la mienne sa joue humide et froide ; elle me fit me recoucher en me chatouillant avec le grand col de fourrure d'un manteau qu'elle ne mettait qu'en voyage, et elle partit en effet en voyage. Sans laisser derrière elle le moindre geste symbolique où nous aurions pu lire la durée de son absence, par exemple, ou quand et avec qui elle finirait ses jours.

Elle ne nous laissa même pas de crème anglaise ou de semelles de chaussures en guise de point final.

Mais mon grand-père n'avait pas besoin de signe pour savoir qu'elle ne reviendrait pas. Moins de deux semaines après, en novembre 56, Kaprun et les montagnes salzbourgeoises connurent leur première neige, une lourde giboulée qui gela dans la nuit. Alors, après dîner, Grand-Père prit le traîneau du courrier et, sans se faire voir, passa l'armure en moules à tarte ; il remonta le glacier sur plus de quatre kilomètres en direction du sommet du Kitzsteinhorn. Il avait pris une torche électrique et, plusieurs heures après son départ, Watzek-Trummer se leva de table dans la cuisine et regarda par la fenêtre le flanc de la montagne. Il vit une petite lumière presque immobile qui clignotait à mi-glacier, sous le pic noir du Kitzsteinhorn. Puis la lumière se mit à descendre ; le traîneau devait donner de la bande, on voyait la lumière descendre en piqué, bondir, zigzaguer, louvoyer par un itinéraire plus sinueux qu'à la montée : c'était un sentier de bûcheron, taillé dans la base de la montagne, au-dessous du glacier. Les skieurs d'avant l'appelaient la piste Catapulte. Elle slalomait raide jusqu'au village, sur quatorze virages en épingle à cheveux et six kilomètres.

Maintenant, bien sûr, il y a un téléphérique qui vous mène là-haut, et les nouveaux skieurs appellent la piste la Rampe Suicide.

Mais Grand-Père fit descendre son traîneau par ce qui

s'appelait alors la Catapulte, et Watzek-Trummer et moi, nous suivîmes la trace lumineuse de sa descente de notre fenêtre.

– C'est ton grand-père, mon petit, me dit Ernst. Regarde-le un peu foncer.

Nous l'avons suivi sur huit puis neuf virages entre les piles de bûches – il devait s'être redressé sur son siège et guider le traîneau avec les pieds – et puis la traînée de sa torche-phare est devenue si floue qu'on aurait dit une file de voitures à grande vitesse sur l'autoroute. Watzek-Trummer prétend quand même avoir compté un virage de plus avant de le perdre tout à fait. Ça ferait dix sur quatorze, honorable pour un traîneau à courrier, et de nuit encore.

Ernst me défendit de l'accompagner et il m'enferma dans la cuisine, d'où je pus voir une minuscule escouade de torches électriques passer la montagne au peigne fin sous le Kitzsteinhorn, jusqu'à l'aube. C'est à l'aube qu'on retrouva mon grand-père ; la Catapulte l'avait catapulté lorsqu'il avait heurté une bûche presque entièrement cachée par la première neige. Le traîneau du courrier, mystérieusement guidé par une main qui n'était pas de ce monde, était rentré tout seul au village.

En fait, quand on eut extirpé Grand-Père de la forêt, c'est le traîneau que Watzek-Trummer voulut récupérer. Et quand il fut récupéré et qu'on le lui rapporta, il y coucha mon grand-père, pour lui faire descendre la montagne en douceur et traverser le village jusqu'à la *Gasthof Enns*, où il vida quatre cafés-cognac en attendant le prêtre. Ce dernier prit mal son refus de retirer le costume d'aigle à mon grand-père, mais il s'était juré que Grand-Père serait enterré tel quel, en armure, déplumé mais masqué. Ça ne lui avait pas posé de cas de conscience : Grand-Père lui avait dit sans équivoque quelque temps auparavant que les catholiques ne feraient pas ce qu'ils voudraient de son corps après ce que ce traître de cardinal Innitzer avait fait en 38. Et donc, pour clore le chapitre, Watzek-Trummer dit au prêtre :

– Vous vous rappelez le cardinal Innitzer, mon père ? Il a vendu Vienne à Hitler. Il a encouragé ses ouailles à soutenir le Führer !

— Mais le Vatican n'a jamais donné son aval, répliqua le prêtre.

— Le Vatican, l'Histoire le prouve, dit Watzek-Trummer, se fait une coquetterie d'être en retard !

Sacré Ernst, il lisait toujours tout ce qu'il trouvait.

Alors on m'a envoyé chercher, et tous les deux, Ernst et moi, nous avons bien aligné les moules à tarte de mon pauvre grand-père, et nous avons entassé de la neige autour de lui pour qu'il reste au frais le temps qu'on fasse le cercueil.

— C'est une attaque, tu sais, me dit Watzek-Trummer. C'est le cœur, d'une certaine façon. Mais au moins, il sera mieux enterré que certains...

Là-dessus nous sommes rentrés à la maison, tous les deux. J'avais dix ans et de l'espoir ; si jamais je me sentais moindrement abandonné par ma famille, au moins je savais que j'étais entre de bonnes mains. J'aurais difficilement pu mieux tomber. Ernst Watzek-Trummer, l'homme aux œufs, le postier, l'historien, le survivant. Finalement, le voilà qui se retrouvait préposé à ma survie, pour que je comprenne mon héritage.

## Mardi 6 juin 1967, 6 h 45 ; vingt et unième quart

Peu après six heures et demie, les préposés à l'entretien des cages ont fait leur entrée. O. Schrutt leur a ouvert la porte principale, et il ne l'a pas refermée. Il a tendu une chaîne et mis un panneau sans doute marqué « interdit » devant l'entrée, mais placé comme il l'est, je n'arrive pas à lire.

C'est une bande de crasseux-hargneux, ces préposés. Ils sont entrés dans le Pavillon des reptiles et en sont ressortis avec tout leur attirail, et puis ils sont partis en masse pour le Pavillon des pachydermes.

A ce moment-là, je me suis dit que si O. Schrutt avait

l'obligeance de s'éloigner de la porte, je pourrais sortir tout de suite. Je voulais me trouver dehors l'air de rien quand il partirait. Je verrais peut-être où il allait.

Est-ce qu'il prend un petit déjeuner normal, O. Schrutt ?

Mais une espèce de gardien du matin est venu lui parler à la porte. Ils ne se sont pas parlé longtemps. Peut-être que le nouveau gardien lui reprochait de porter un ciré par un pareil soleil. Mais O. Schrutt s'est volatilisé ; il est passé par-dessus la chaîne et je n'ai même pas vu quelle direction il a prise.

Il m'a fallu attendre que le nouveau gardien s'en aille faire sa ronde, d'un pas traînant, sans conviction aucune. Quand il a fini par entrer dans le Pavillon des petits mammifères, les balayeurs étaient toujours dans le Pavillon des pachydermes. Mais avant de quitter ma haie et de sortir par la porte principale, je l'ai vu brancher l'infrarouge. C'est bizarre, je n'arrive plus à me rappeler à quel moment O. Schrutt l'avait éteint. Il faut croire que toute cette veille m'a épuisé.

Passé la porte, pas la moindre trace d'O. Schrutt. J'ai traversé la Maxing Strasse pour aller à ce café. Je me suis installé sur la terrasse et on m'a dit qu'on ne servait pas avant sept heures.

Mon intéressant serveur des Balkans posait des cendriers sur les tables. Il doit faire les matinées et les après-midi et prendre ses soirées pour mijoter ses rapports du lendemain.

Il me zieutait avec une malice incroyable. Il m'a laissé croiser son regard, et puis, d'un simple coup d'œil de côté, il m'a bien fait voir qu'il avait remarqué que ma moto était garée exactement au même endroit qu'hier ; c'est tout, mais il m'a bien fait voir que ça, il le savait.

Et tout d'un coup je me suis mis à avoir les jetons, à l'idée de retourner à Waidhofen, à l'idée que cet enfrotté de serveur me reconnaisse le jour du casse. Il me faut un déguisement ! J'ai décidé de me faire raser la boule.

Mais quand il est revenu lancer un cendrier sur ma table un peu comme le donneur glisse une carte à jouer, je me suis enhardi à lui demander s'il se trouvait à Hietzing lors du casse du zoo, il y a une vingtaine d'années.

Il a dit qu'il ne s'y trouvait pas.

– Mais vous en avez entendu parler, quand même ? j'ai demandé. On sait pas du tout qui a eu cette idée, on l'a jamais identifié, le type.

– Je crois comprendre qu'il a fini en côtelettes, en tout cas.

Ah, ah ! rusé renard, il est donc bien au courant. Alors je lui ai demandé :

– D'après vous, c'est quel genre, un type qui fait ça ?

– Un fou ! Faut être fou à lier !

– Vous voulez dire un qui a des tares héréditaires ? Ou quelqu'un qui vient d'un foyer désuni, un frustré qui a manqué d'affection ?

– Tout à fait, il a répondu, l'enfrotté, pour jouer mon jeu, c'est ce que je veux dire.

– Un cas de transfert, quoi.

– Une erreur de jugement, il a diagnostiqué.

– Manque de logique.

– Perte totale de logique, oui.

Il me regardait avec un sourire radieux. La pile de cendriers en verre brillant qu'il portait lui envoyait des petits triangles de soleil sur le visage.

Mais moi, j'ai ma petite idée sur l'identité du casseur. Après tout, chacun a le droit d'avoir sa théorie là-dessus, l'affaire n'est pas classée. Et je vois tout à fait qui aurait pu faire le coup ; d'après ce qu'on m'a dit de lui, en tout cas, il aurait été tout à fait mûr pour. Il aurait pu avoir à la fois cette idée géniale, et l'angle mort dans sa vision (péché de jeunesse) qui l'aurait amené à se faire bouffer. Il était un peu mon parent, en somme. On dit qu'il aurait fait passer la frontière à un éditorialiste, et qu'il ne serait jamais revenu. Mais chacun sait que l'éditorialiste s'en est sorti ; alors on peut imaginer que le chauffeur est lui aussi rentré de Hongrie, à une époque où les gens qu'il voulait le plus voir n'étaient pas sur place. Disons que ce n'est pas impossible. Cet homme aimait effectivement les animaux. Il paraît qu'il avait un jour exprimé les plus vives inquiétudes à propos d'un écureuil tatoué qui ne savait plus danser que la danse du scalp dans sa tête.

C'était peut-être bien lui, c'était peut-être un autre, un parent éloigné de Hinley Gouch, par exemple, un que le remords minait.

Et puis mon rusé serveur m'a dit :

– Vous allez bien, monsieur ?

Il essayait de me faire croire que je n'en avais pas l'air ; il disait ça comme si j'avais des tics, de main ou de bouche, peut-être.

Il faut les avoir à l'œil, ces gens des Balkans. Je me suis laissé dire qu'il y en a un qui n'a pas reconnu son meilleur copain devant un urinoir.

S'il croyait m'avoir comme ça, cet enfrotté ! J'ai dit :

– Mais très bien, et vous ?

Je voyais déjà ce qui allait arriver à sa pile de cendriers un de ces quatre matins, quand il lèverait ses yeux de petit malin, et qu'il perdrait sa componction – devant un spécimen rare d'Ours à lunettes qui viendrait de traverser la Maxing Strasse pour foncer droit sur lui.

– Je me disais seulement que vous vouliez peut-être un verre d'eau, monsieur. Vous aviez l'air d'avoir la tête qui tourne, ou d'être un peu déphasé, comme on dit.

S'il croyait me posséder comme ça ! J'ai dit :

*Bolje rob, nego grob !*

Mieux sous la botte que sous la motte !

– Pas vrai ? j'ai ajouté. Qu'est-ce que vous en dites ?

Toujours aussi malin, pas un trait du visage qui bouge, il m'a demandé :

– Je vous sers à manger ?

– Un café, c'est tout.

– Alors il va falloir que vous attendiez, il m'a répondu, en croyant me clouer le bec, on ne sert pas avant sept heures.

– Bon, alors dites-moi où est le barbier le plus proche.

– Mais il est presque sept heures.

– Il me faut un barbier, j'ai dit d'un air mauvais.

– Il vous coupera pas les cheveux avant sept heures, lui non plus.

– Qu'est-ce qui vous dit que je veux me faire couper les cheveux ? je lui ai demandé, et ça lui a rivé son clou.

Il m'a montré un point sur la place, après la Maxing Strasse. J'ai fait semblant de ne pas voir l'enseigne rayée du barbier.

Et puis, rien que pour l'embrouiller, je suis resté à la table après sept heures, à gribouiller dans mon carnet. Je faisais semblant de faire son portrait, sans le quitter des yeux, histoire de le rendre nerveux pendant qu'il servait d'autres clients matinaux.

A sept heures, le zoo ouvre. Mais personne n'y va si tôt. Il n'y a qu'un gros bonhomme avec une visière verte de joueur professionnel ; il trône avec l'onction d'un pacha dans son kiosque à tickets. Par-dessus le kiosque, de temps en temps, on voit se profiler la girafe au long cou.

## Autobiographie hautement sélective de Siegfried Javotnik ; épilogue

Je grandis à Kaprun avec pas mal de lectures à mon actif, puisque Watzek-Trummer connaissait la valeur des livres, et non sans ouvertures sur l'Histoire puisqu'il faisait mon éducation au fil du temps, ménageant des lacunes intentionnelles tant que je ne fus pas en âge de tout entendre.

Avant de m'envoyer à l'université de Vienne, il veilla à ce que je sache conduire la moto du Grand Prix, qui faisait à son sens quasiment partie de mon patrimoine génétique. Si bien qu'on peut dire qu'avec mon bolide je n'ai manqué de rien ; j'ai d'ailleurs commencé par le délester de cette dégradante carriole à courrier.

Mais à force de penser à Gottlob Wut, j'en arrivai à me dire que cette moto était vraiment trop extraordinaire pour ne servir qu'à des virées d'adolescent, et en me renseignant auprès d'Ernst, je fis ma première balade hors de Kaprun. C'était l'été 1964, j'avais dix-huit ans.

Je conduisis la championne chez NSU, à Neckarsulm, et j'essayai de discuter avec un de leurs cadres de cette précieuse machine qui m'était échue en partage. Je commençai par en parler avec un mécano, parce que c'était le premier type sur lequel j'étais tombé dans l'usine ; je lui racontai que c'était la moto de Gottlob Wut, le mécano, le maître aux mains incantatrices du Grand Prix de 1930. Mais il n'en avait jamais entendu parler, et le jeune cadre que je finis par trouver non plus.

– C'est quoi, votre engin, là, un tracteur ? me dit-il.

– Gottlob Wut, ça vous dit quelque chose ? Il s'est fait tuer pendant la guerre.

– Non, sans blague ? Il paraît qu'ils sont plein comme ça !

– 1930, le Grand Prix d'Italie, l'homme clef, c'était lui !

Il se rappelait seulement les pilotes, Freddy Harrell et Klaus Worfer. Le nom de Wut ne lui disait rien.

– Bon, venons-en au fait, me dit-il, vous en voulez combien de votre vieillerie ?

Alors je tentai de lui dire que c'était peut-être une pièce de musée, et que si jamais NSU avait un endroit où ils mettaient les anciennes championnes à l'honneur... Il se mit à rire en me disant : « Vous devriez vous faire vendeur », si bien que je ne pus même pas lui expliquer que j'avais pensé leur en faire cadeau s'ils avaient un endroit chouette pour elle.

Leur galerie était pleine d'affreuses motos hargneuses qui crachotaient quand on les emballait. Je mis ma championne en route et, en pensée du moins, je dégommai toute leurs salfotreries de pièces d'alu.

En rentrant à Kaprun, je dis à Watzek-Trummer qu'il faudrait entreposer la moto quelque part et ne s'en servir qu'en cas d'urgence. Bien sûr, avec ses perspectives historiques, il ne pouvait qu'en convenir.

Et puis j'allai à Vienne, et je tentai de m'intégrer à la vie universitaire. Mais je ne rencontrai personne de vraiment intéressant ; dans l'ensemble, les gens n'avaient même pas lu autant que moi, et il n'y avait personne d'aussi calé qu'Ernst

Watzek-Trummer. Si, il y a bien un étudiant qui me revient ; un jeune Juif, espion à mi-temps pour le compte d'une organisation secrète juive qui traquait les anciens nazis. Il avait perdu les quatre-vingt-neuf membres de sa famille, qui avaient disparu, disait-il. Mais quand je lui demandai comment il savait qu'il appartenait à cette famille, dans ces conditions, il m'avoua qu'il l'avait « adoptée ». A sa connaissance, il n'en avait pas, lui, de famille. Il ne se rappelait personne, à part le pilote de la RAF qui l'avait emmené à bord de son appareil après le casse du camp de Belsen. Il avait « adopté » cette famille de quatre-vingt-neuf membres parce que, d'après les archives qu'il avait vues, ça lui semblait la plus nombreuse qui se soit comme ça volatilisée sans exception ; c'était pour eux, disait-il, qu'il s'était constitué quatre-vingt-dixième membre, survivant, gardien du nom, au moins.

Il était bien intéressant, cet apprenti espion à temps partiel ; seulement il faut croire qu'il devint fameux, et qu'il s'en vanta, parce que sa photo parut dans un journal viennois, où on le tenait pour avoir débusqué et fait arrêter un certain Richter Muller, criminel de guerre nazi, et en solo, encore. Mais cette publicité le rendit nerveux, et son organisation secrète le désavoua. Il traînait souvent à une table des *Keller* de l'université ; et comme il n'avait pas oublié la fin de Wild Bill Hicock, il ne tournait jamais le dos à une porte ni à une fenêtre. Quand je parlai de lui à Ernst Watzek-Trummer, il diagnostiqua « paranoïaque de guerre » ; c'était un truc qu'il avait lu.

Et puis il y eut mon bon camarade Dragutin Svet. Je le rencontrai lors d'un séjour au ski à Tauplitz, pendant ma deuxième année d'université. C'était un boursier des pays balkaniques, serbe de naissance, nous faisions beaucoup de ski ensemble. Il voulait toujours faire la connaissance de Watzek-Trummer.

Les choses se terminèrent par une dispute entre nous, une bêtise. Un jour j'allai avec lui en Suisse, toujours pour skier ; une fois là-bas, nous entendons un groupe d'hommes parler serbo-croate dans le hall de notre *Gasthaus*. Il apparaît qu'il s'agit d'une convention de Serbes en exil, une bande de vieux à la mine patibulaire dans l'ensemble, avec quelques jeunes idéalistes à l'allure martiale. Parmi les vieux, c'est du moins ce qui se dit, certains se seraient battus aux côtés du général tchetnik Dražá Mihajlović.

Nous nous rendons dans leur salle à manger, quoique notre âge et notre nervosité nous rendent suspects. J'essaie de me rappeler un bon mot en serbo-croate, quand, tout d'un coup, un des vieux, qui me regardait d'un œil torve au bout de la table, me lance en allemand :

— D'où tu es, mon petit gars ?

Et moi, avec l'accent de la sincérité :

— De Maribor, en passant par Slovenjgradec.

Alors plusieurs types posent leurs cocktails et me demandent sévèrement : « Croate ? Slovène ? » Moi, comme je ne veux pas mettre dans l'embarras mon ami Dragutin qui est serbe de naissance, je lâche étourdiment la seule phrase de serbo-croate que je me rappelle :

*Bolje rob, nego grob !*

Mieux sous la botte que sous la motte !

Par la suite, Watzek-Trummer m'expliquera que j'ai dit précisément le contraire de ce qu'il fallait ; ce sont les improvisations antihéroïques de mon père qui m'attirent des ennuis auprès des Tchetniks jusqu'au-boutistes : voilà qu'au bout de la table, l'un des types se sent profondément insulté ; il se penche vers moi ; il est manchot, mais il dirige remarquablement la main qui lui reste pour me balancer son verre de scotch à la figure.

Mon ami Dragutin Svet ne voulut jamais comprendre qu'il s'agissait d'un accident ; il crut que j'avais eu le mauvais goût de plaisanter avec un slogan que les Serbes prennent tellement au sérieux. Je ne le revis pas souvent après cette histoire.

Je pris un boulot auprès d'un certain Herr Faber, pour ne pas perdre la main avec les motos, et pour garder l'œil dessus, aussi. Et puis il fallait bien financer mes études, qui s'annonçaient plus longues que prévu. Tout ça parce que mon projet de thèse avait été refusé par un certain Doktor Ficht.

La thèse en question n'était autre que mon Autobiographie hautement sélective, que je trouvais assez détaillée, voire créative. Mais Ficht piqua une crise. Il décréta que c'était une version orientée, incomplète de l'histoire, et désinvolte, en plus, et qu'il aurait fallu des notes de bas de page. Il faut dire qu'en essayant de le calmer je découvris que le Doktor Ficht s'était appelé Fichtstein, qu'il était juif, et qu'il avait mené une existence de rat des docks sur la côte hollandaise pendant la guerre, où il ne s'était fait prendre qu'une fois. Il s'était échappé après qu'ils lui avaient injecté dans les gencives un anesthésique trop nouveau et trop expérimental pour ne pas présenter de danger. Ce Fichtstein-là, ça le rendait fou que j'aie la prétention de défiler la guerre en parlant si peu des Juifs. Je tentai de lui expliquer qu'il valait mieux considérer ma biographie comme une fiction au sens large, mettons comme un roman. Ce n'était pas censé être de l'Histoire, strictement. J'ajoutai d'ailleurs qu'il me semblait avoir une approche un peu russo-américaine quand il prétendait qu'aucun tableau de l'atrocité ne saurait être complet sans les millions de Juifs. Des chiffres encore, ça, comme vous voyez. Ficht-Fichtstein ne voyait pas du tout où je voulais en venir, mais il faut reconnaître que les statistiques ont le don de vous dépasser. Avec elles, les atrocités isolées peuvent paraître anodines.

Toutefois cet incident de parcours semblait annoncer que ma carrière universitaire risquait de s'éterniser. Il faudrait que je reste assez longtemps pour maîtriser une discipline classique, au lieu de montrer à mes professeurs ce que je savais faire tout seul et de m'en tenir là.

Bien sûr, Watzek-Trummer n'entend rien au système universitaire. D'après lui, les professeurs ont lu beaucoup trop avant de s'intéresser à quoi que ce soit, si bien que par la suite, ils n'arrivent plus à s'intéresser à ce qu'ils lisent. Il me laisse un peu perplexe sur ce chapitre ; c'est ça, les autodidactes, c'est monolithique.

Il lit toujours comme un fou. Je vais le voir tous les Noëls, et je n'arrive jamais sans une pile de bouquins. Mais contrairement à la plupart des vieux, il est devenu plus sélectif dans ses lectures ; il ne lit plus tout ce qui lui tombe sous la main. A vrai dire, les livres que je lui apporte le laissent souvent froid. Il commence, il lit en diagonale, il s'arrête à la page dix et il déclare : « Mais je le sais tout ça », en reposant le bouquin.

En fait, quand je rentre à Noël, c'est plus pour lire les siens que pour me flatter de lui faire une faveur en lui en apportant d'autres.

Il est retraité de la poste à présent ; c'est un des vénérables de la ville. Il loue trois pièces à la *Gasthof Enns* ; c'est presque une attraction touristique, quand il se laisse faire.

Sur les trois pièces, il y en a une pleine de livres, une autre où la moto du Grand Prix est entreposée ; la troisième contient un lit et une table de cuisine – quoiqu'il prenne tous ses repas à la *Gasthof*, à présent. La table de cuisine, c'est pour s'asseoir, pour poser ses coudes, pour bavarder ; il dit que c'est une habitude qu'il n'arrive pas à perdre, quoiqu'il soit tout seul, aujourd'hui.

Chaque fois que je rentre chez moi, je couche dans la même pièce que la moto. Et mes Noëls sont joyeux.

Croyez-moi, ça n'est pas la conversation qui lui manque à Ernst Watzek-Trummer.

## Mardi 6 juin 1967 ; vingt-deuxième et tout dernier quart au zoo

Je me suis arrêté boire un café à Hütteldorf-Hacking, à même pas deux kilomètres de Hietzing. C'est très campagne par là, mais enfin il y a surtout des petits vignobles ; pour trouver des vaches, il faut bien faire encore un kilomètre ou deux.

Comme quoi l'oryx aura trois bornes à faire minimum avant de tirer son premier coup.

Je les ai sidérés à Hütteldorf-Hacking. Il faut dire que je me suis fait faire une coupe de première à Hietzing.

J'ai suivi les indications de mon roublard de serveur, j'ai quitté la Maxing Strasse et j'ai fait le tour de la place pour être le premier client de Hugel Furtwängler.

— Je vous coupe les cheveux ou je vous rase ? il m'a demandé, ce petit bonhomme.

On voyait bien qu'il m'aurait volontiers fait les deux, ou, à choisir, une coupe, parce que c'est plus cher.

— Vous me rasez, c'est tout. Mais alors la totale.

Il a hoché la tête d'un air entendu, et il a commencé à m'entasser des serviettes chaudes sur les joues. Mais moi, j'ai dit :

— N'oubliez pas les sourcils, hein !

Et du coup il a eu l'air moins finaud.

— Les sourcils ? Vous voulez que je vous rase les sourcils ?

— J'ai dit la totale, Hugel, trêve de plaisanteries.

— Bon, bon. J'ai travaillé à l'hôpital dans le temps. Quand on récupérait les types, des fois, après une bagarre, il fallait bien leur raser les sourcils.

— Tout, vous me rasez la boule, s'il vous plaît.

Ça, ça lui en a bouché un coin, même s'il faisait mine de rien.

— Vous voulez une coupe, quoi ?

— Vous me rasez, je vous dis, mais toute la tête. Je veux pas me faire couper les cheveux, je veux avoir le caillou lisse comme le bout de mon nez :

Il regardait le bout de mon nez avec des yeux ronds, comme si ça allait lui faire mieux comprendre.

— Mais si vous voulez que je vous rase la tête, il va d'abord falloir que je vous coupe les cheveux bien court, et après seulement je pourrai vous raser.

S'il croyait qu'il allait me parler comme à un enfant ou un fou qu'il ne faut pas contrarier ! J'ai dit :

— Écoutez, Hugel, vous vous y prenez comme vous voulez, moi, tout ce que je veux, c'est que ce soit fait. Seulement attention, hein ! évitez les coupures, je saigne facilement, et on est plus ou moins hémophiles, dans ma famille, depuis des années. Alors, pas de coupures, sinon je vais saigner comme un bœuf à l'abattoir sur votre fauteuil.

Il s'est remis à rire d'un petit rire forcé pour ne pas me contrarier, en se disant qu'il avait la situation bien en main.

– Vous êtes bon public, hein, Hugel ? j'ai dit.

Il a continué à rigoler.

– C'est que vous êtes un petit marrant, dès le matin, comme ça.

– Moi, des fois, je ris tellement que je saigne des oreilles, je lui ai dit.

Mais il a continué à glousser et j'ai compris que c'était une façon de ne pas m'accorder d'importance ; alors j'ai changé de sujet.

– Ça fait longtemps que vous vivez au zoo, Hugel ? je lui ai demandé.

Il a ri comme une baleine.

– Vous avez déjà vu un casse au zoo ? je lui ai demandé.

Il a disparu du miroir en se planquant derrière ma tête : il faisait semblant de m'égaliser la nuque.

– Il y en a eu un, n'empêche, j'ai dit.

– Mais ils ont pas réussi à sortir, il a répondu.

L'enfrotté, il était au courant, bien sûr.

– Vous y étiez, alors ?

– Oh ! Ça fait tellement longtemps, je risquerais pas de vous dire où j'étais.

– Vous avez toujours été barbier ?

– C'est de famille, tiens, comme votre hémophilie.

Il s'est trouvé tellement drôle qu'il a failli me couper l'oreille.

– Faites gaffe ! j'ai dit en me raidissant sur mon fauteuil. Vous m'avez pas écorché, au moins ?

Ça l'a calmé un brin ; il s'est mis à travailler avec beaucoup de soin.

Mais quand il m'a eu terminé quelque chose comme une coupe ordinaire, il m'a dit :

– Il est pas trop tard, je peux m'arrêter là.

– J'ai dit rasez ! j'ai annoncé avec un visage de marbre dans le miroir.

Il s'est exécuté.

Je m'inspectais sous tous les angles dans son miroir pendant qu'il gloussait de nouveau quand son second client est entré.

— Ah ! Herr Ruhr, a dit Hugel, je suis à vous tout de suite.

— Bonjour, Hugel, a répondu le massif Herr Ruhr.

Mais j'ai fait un bond en arrière et je l'ai regardé avec des yeux ronds. Il a eu l'air vaguement inquiet, et moi j'ai dit :

— Quel bouffon, ce barbier. Je lui demande de me faire la barbe, et regardez-moi un peu le travail !

Hugel a étouffé un petit cri ; il tenait encore son rasoir dans sa menotte, il avait de la mousse à raser sur les doigts.

— Il faut le tenir à l'œil, Herr Ruhr, j'ai dit en passant ma main sur mon crâne luisant. C'est qu'il est dangereux avec son rasoir !

Et Herr Ruhr a regardé le rasoir dans la main du petit bonhomme.

— Il est fou ! C'est lui qui a voulu que je le rase. » Mais avec son visage tout rouge et sa petite danse du rasoir, c'était bien un peu lui qui avait l'air d'un fou. « Et puis en plus il saigne facilement ! il s'est écrié.

— Il est d'humeur sanguinaire, ce matin, Hugel, j'ai dit à Herr Ruhr. J'ai payé seulement le prix de la barbe.

— La barbe et les cheveux ! a rectifié le petit Furtwängler avec indignation.

Mais je me suis retourné vers Herr Ruhr en disant :

— Vous appelez ça une coupe, vous ? » Et puis je me suis de nouveau lissé le dôme : « Moi qui avais demandé la barbe !

Herr Ruhr a jeté un coup d'œil à sa montre et il a dit :

— C'est incroyable ce que le temps file, ce matin. Bon, je crois qu'il va falloir que j'y aille, moi, tant pis pour ce matin, Hugel !

Le coiffeur lui a fait un signe de son rasoir, et il a essayé maladroitement de lui bloquer la sortie. L'autre s'est esquivé vite fait et je lui ai emboîté le pas, plantant là un Hugel Furtwängler tout éclaboussé de mousse et brandissant son rasoir.

Je me suis dit qu'il ferait à peu près cette tête-là quand il verrait l'oryctérope se radiner peinard par la place, tous piquants dehors pour un shampooing.

Là-dessus, je suis monté sur la moto en douce sans que mon combinard de serveur voie ma nouvelle tête, et j'ai vite passé mon casque, pour qu'il ne s'aperçoive pas que j'avais beaucoup changé quand il me verrait pomper sur le kick. Après Hütteldorf-Hacking, j'ai dû retirer mon casque, ça piquait trop ; il ne m'allait plus, il ne tenait pas sur ma tête, ça démangeait. Le coiffeur n'avait pas réussi à éviter toutes les coupures.

J'ai attaché mon casque au cordon de ma veste de chasse : je n'ai plus besoin de casque, je suis équipé de nature.

Et puis j'ai pris un café, histoire de sentir le soleil cuire les jeunes grappes à petit feu dans les vignobles, et de me demander où pouvait bien être le coin où un type de ma connaissance avait eu un poulailler autrefois, enfin, un laboratoire, plutôt, qui avait vu naître un oiseau qui avait beaucoup fait parler de lui. Mais avec tous ces immeubles qui avaient l'air neufs, ou du moins reconstruits, j'étais vraiment perdu.

Et pour repérer la propriété à laquelle je pensais, ça ne serait pas commode ; elle avait brûlé il y avait bien longtemps.

Pas grave. On a un problème d'importance à régler, là tout de suite.

J'arrive, Graff. T'en fais pas, je fais gaffe. Je vais m'amener à Waidhofen par une route que personne connaît. Je garerai la bécane un peu à l'extérieur de la ville, et j'entrerai à pied, sans ma veste de chasse, et sans ma tête habituelle. Tu vois que je pense à tout.

Et puis, pour l'Italie, t'en fais pas, Graff. On va y aller quand même. Et peut-être même qu'on aura une escorte à poil et à plume.

On ira les voir, tes plages, Graff. On la verra, ta mer.

En fait, je connais un coin très intéressant à Naples. Un grand aquarium avec plein de poissons extraordinaires qui mijotent dans une eau croupie, derrière des vitres. J'en ai vu des photos. C'est à deux pas du port.

En fait, ça serait pas compliqué. On n'aurait pas besoin de garder les poissons hors de l'eau longtemps. Il suffirait de traverser une rue ou deux, et éventuellement un genre de jardin public avant la corniche, si mes souvenirs sont bons. Il y aurait plus qu'à les mettre à flot dans la baie de Naples.

En fait, Graff, tu sais, ça sera encore plus facile que le zoo de Hietzing.

TROISIÈME PARTIE

# Liberté !

# P.-S.

Évidemment, je n'ai pas fourni l'intégrale des carnets ; de même que, dans l'original, l'autobiographie et les quarts au zoo n'étaient pas mélangés. C'est moi qui ai eu l'idée de les alterner : personnellement, je n'arrivais pas à supporter la verbosité de cette Histoire revue et corrigée, ni le fanatisme de ces quarts, je ne serais pas allé jusqu'au bout ; je me suis d'ailleurs pris à lire en diagonale, à revenir en arrière. Cela dit, c'était peut-être lié en partie à l'inconfort de mes conditions de lecture, vu que j'ai mijoté dans la baignoire de Tatie Tratt pas loin d'une semaine, le temps que mes piqûres désenflent.

Mais je continue à penser que les deux journaux demandent à être séparés, ne serait-ce que pour des raisons littéraires. Il ne fait pas de doute que Siggy a établi d'obscures correspondances entre son abominable histoire et son projet de casse du zoo, même s'il y a là une logique qui m'échappe passablement.

Toujours pour des raisons essentiellement littéraires, je n'ai pas cru bon de reproduire les autres éléments mémorables du carnet : poèmes et proverbes, points d'exclamation, adresses et numéros de téléphone, pense-bête pour rendre les livres de bibliothèque et tout ce qui constitue sa bibliographie fantaisiste.

Parce que, malheureusement, je comprends que le Doktor Ficht ait tiqué sur son incapacité à rédiger des notes de bas de page : il est clair qu'il doit tout autant à la bibliothèque de Watzek-Trummer qu'à ses témoignages oculaires.

Quelques échantillons de ses notes éparses :

Très bon, l'*Anschluss* de Brook-Sheperd. Il a tout compris, le type.

D. Martin va au cœur du problème avec *L'Allié trahi.*

*Mon pays natal* de L. Adamic. Propagande consternante.

Tout ce qu'il faut savoir se trouve dans *L'Union soviétique et l'Occupation de l'Autriche*, de Stearman. Mais les notes sont plus longues que le texte.

*Monde sans fin,* de Stoyan Pribichevič et *Bastions tombés* de Ger Gedye : très lyriques.

Et puis d'autres mentions sans jugement de valeur :

*Requiem autrichien,* de Kurt von Schuschnigg, et *Kurt von Schuschnigg,* de Sheridon.

*Protocoles du procès Schmidt,* voir part. Skubl, Miklas et Raab, et *Les Témoignages de Nuremberg,* voir Goering et Seyss-Inquart.

*Minutes officielles du Conseil interallié et du Comité exécutif; 1944-1955.*

*La Vérité sur Mihajlović,* de Plamenatz.

*La Trahison de Mihajlović,* de Vaso Trivanovich.

*Pourquoi les Alliés ont abandonné l'armée yougoslave du général Mihajlović*, du colonel Zivan Knezevič.

Plus d'innombrables références à l'avis de Watzek-Trummer.

Mais il m'a tout de même fallu plusieurs jours avant de pouvoir lire ces choses, cloué à la baignoire comme je l'étais, à mariner dans une eau saturée de sels anglais qu'on changeait toutes les heures.

Naturellement, on m'a apporté toutes les affaires de Siggy, nappées de miel. J'ai mis un certain temps à séparer les pages du carnet ; il a fallu que je les décolle à la vapeur, en les maintenant au-dessus de l'eau de mon bain. Et puis il a fallu que j'attende quelques jours avant de pouvoir lire distinctement : le temps que mes piqûres désenflent assez pour que je garde les paupières ouvertes. En plus, j'ai fait une fièvre, j'ai un peu vomi – excès de poison dans l'organisme.

Mais si j'avais dépassé la dose inoffensive de piqûres d'abeille, je n'aurais pas voulu du quart de l'overdose que le pauvre Siggy avait dû recevoir. Et personne ne voulait me dire si c'était sa tête que j'avais entendue faire *tsanng !* et si le coup l'avait envoyé dans les vapes avant que les abeilles se le tapent – ou si j'avais seulement rêvé qu'il s'était débattu sous le plateau après avoir renversé les ruches.

Comme disent les carnets :

*Dieu seul le sait. Et encore.*

Mais quand je me suis mis à lire, je peux vous dire qu'il y a des piques qui m'ont fait plus mal que les abeilles. Par exemple :

*Aujourd'hui j'ai acheté une moto avec un type que je venais de rencontrer, Hannes Graff. Il est sympa, quoiqu'un peu déphasé.*

Et il a beau décanter dans ses bains successifs, Hannes Graff, il est toujours déphasé, je vous le dis.

Les carnets réservaient d'autres pointes :

*Ce que Draža Mihajlovič a dit lors de son procès : « J'ai vu grand, j'ai commencé grand... mais la tourmente mondiale m'a emporté, moi et mon œuvre. »*

Ça, Siggy, c'est déjà moins sûr. Toi, je ne pense pas que ce soit la tourmente mondiale qui t'ait eu. Ça tient pas tellement debout, ton histoire, ton projet, tes comparaisons ; elliptique, sommaire, pas clair.

Non, c'est pas la tourmente mondiale qui t'a eu, Sig. Tu t'es fait ta petite brise, et elle t'a emporté.

## Déphasage

Est dite abeille pollinifère toute abeille regroupée en société et produisant du miel, de la famille *Apis* ou d'une famille proche, en particulier l'*Apis mellifera*, native d'Europe, élevée pour son miel et sa cire, et à qui le monde entier doit l'accélération de la pollinisation.

Le corps de l'abeille se compose de plusieurs parties.

Que j'ai découvertes pour la plupart dans un état de dislocation et de macération plus ou moins avancé, disons avec une mise en page siggyienne :

*Dans mes bas de pantalon,*
*Mes chaussettes,*
*Mon caleçon,*
*Mes aisselles,*
*Des petits bouts d'abeilles.*

Un morceau de thorax dans la spirale du carnet de Siggy ; une paire de pattes postérieures velues sur le sol de la salle de bains, où, j'imagine, on a dû me retirer mes vêtements comme on pèle une orange, avant de me plonger dans mon premier bain de sels apaisants ; des antennes, des yeux, des têtes, des vilains abdomens et des ailes jolies, dans les poches et replis sans nombre de la veste de chasse de Siggy.

J'en ai trouvé d'entières, aussi. J'en ai noyé une lentement dans l'eau du bain ; mais elle était déjà morte, je crois.

Hannes Graff le déphasé a mijoté plusieurs jours sans avoir droit aux visites. C'est Frau Tratt qui s'occupait de moi.

C'était bien la meilleure : elle que la nudité spectaculaire de Siggy avait tant offusquée, considérait la mienne avec un parfait naturel. C'était même insultant, en somme. Mais elle se retranchait derrière son âge.

— Il faut bien que quelqu'un s'occupe de vous. Vous pouvez

vous offrir le médecin, peut-être ? Avec tout ce que vous me devez déjà, hein, une fortune ? Et puis enfin, je pourrais être votre grand-mère. Pour moi, c'est rien qu'un petit cul nu. J'en ai vu d'autres.

M'étonnerait bien que tu en aies vu tant que ça, je me disais, même au bon vieux temps.

Mais elle était là tous les jours, avec ses bouillons et ses éponges ; elle me voyait me dégonfler à vue d'œil.

– Elles se sont régalées avec votre cou, disait-elle, cette vieille garce.

Elle éludait mes questions quand je lui demandais ce qu'on était en train de faire de Siggy. Si on traitait son cadavre, ou quoi.

Oh ! on n'avait pas eu besoin de me dire qu'il était mort. A force de m'apporter toutes ses affaires en pièces détachées, sa veste de chasse, sa pipe, son carnet.

Frau Tratt demandait rituellement : « Où faut-il rapatrier le corps ? »

Et ça avant que j'aie eu le temps d'avancer ma lecture des carnets pour avoir une idée de ce qu'il avait comme famille.

Plus tard, quand j'ai été en mesure de lire, je me suis représenté la lassitude de Watzek-Trummer, accompagnateur de toutes les dépouilles sur deux générations, quand dépouilles il y avait, puisque certaines fins avaient un caractère plus elliptique.

C'était en tout cas à Kaprun que Siggy devait retourner, mais je n'arrivais pas à l'imaginer là-bas, reposant plusieurs jours au côté de la moto du Grand Prix, couvert de fleurs.

– Enfin, vous avez de la chance, toujours, ça peut revenir cher, ces affaires-là, dit la vieille Tratt. Mais Keff est en train de lui faire une boîte.

– Keff ? Et pourquoi Keff ?

– Ça, je pourrais vraiment pas vous dire. Bon, c'est juste quatre planches, hein. Pour rien, on n'a pas grand-chose.

Avec toi, en tout cas, je me suis dit. Mais j'ai demandé :

– Où est Gallen ?

– Qu'est-ce que ça peut vous faire ?

Je n'allais pas lui faire ce plaisir. J'étais assis le dos voûté sur mon lit de serviettes, j'avais pris mon dernier bain de la journée et je séchais en attendant que la vieille Tratt me passe ses mains rugueuses partout, et me picote malgré moi, avec cette bonne teinture d'hamamélis à l'odeur de noisette.

La Tratt a répété :

– Qu'est-ce que ça peut bien vous faire, où elle est ? Elle fait partie de vos projets à présent ?

– Je me demandais seulement où elle était passée. Elle n'est pas venue me voir une seule fois.

– C'est que, elle ne va pas vous rendre visite avant que vous supportiez le contact d'un vêtement », dit la brave Frau ; et en disant le mot vêtements, elle m'éclaboussait le dos de cette teinture glacée ; je suffoquais, j'ai fait un bond de carpe entre ses mains, elle m'a appuyé son avant-bras sur la nuque pour m'enfoncer la tête entre les genoux ; elle a fait gicler la teinture sur mes épaules et elle m'a donné de petites claques sur le haut du dos, non sans m'en flanquer un peu dans l'oreille. Puis sa voix m'est parvenue presque comme si j'étais sous l'eau, elle me traquait, comme une anguille qu'on attirerait de sous son rocher – parce que la marmite n'attend plus qu'elle. « Mais vous n'avez pas de projets pour l'instant, Herr Graff ? demande cette fouine.

– Aucun, aucun.

Tout en disant ça, je me suis rendu compte que c'était la première idée optimiste qui me venait à l'esprit depuis ces enfrottées d'abeilles. Et n'oublions pas ce que Siggy a dit un jour des projets. D'après lui, pour ne rien gâcher, pas de plan, pas d'itinéraire, pas de date d'arrivée, ni de date de retour. Et je me suis mis à rire d'un rire grinçant ; non, c'est vrai, c'était trop drôle, de penser que c'était son ingrédient primordial et solennel pour réussir un voyage. Ah, non, quand on pense au soin maniaque avec lequel il avait planifié son casse du zoo, à côté de ça !

– Je vous fais mal, Herr Graff ? a demandé la Tratt qui devait sentir mes drôles de soubresauts malgré le cal de ses grosses pattes.

Mais je lui ai ri au nez :

— Aucun projet, Frau Tratt. J'en ai pas ! j'en ai plus, c'est fini. Au diable les projets ! Je veux bien être pendu si jamais j'en refais.

— Eh bien, eh bien, a dit l'excellente Tratt, ce que j'en disais c'était pour causer.

— Menteuse !

Elle a battu en retraite, la teinture lui séchant sur les mains si vite qu'on la voyait disparaître, comme le blanc sous les ongles redevient rose dès qu'on desserre le poing.

## Gallen garde-malade

Mais tout de même, enfin, au chevet de ma baignoire et à celui de mon lit, quand j'ai eu suffisamment cicatrisé pour porter l'équivalent d'un pagne, quand j'ai eu dûment insulté la Tratt pour lui faire passer la main, c'est Gallen qui est revenue s'occuper de moi.

J'ai eu la permission de lui faire voir mes piqûres d'abeille honnêtement situées ; elles étaient encore un peu rouges, malgré mes traitements fastidieux, parce que, paraît-il, mes pauvres anticorps avaient fui ma circulation sanguine à la trente-cinq ou trente-sixième piqûre d'abeille, si bien que ma résistance générale était plutôt basse.

— Comment ça va, Graff ? a demandé Gallen.

— Ma résistance est basse, j'ai répondu.

Et nous avons discrètement parlé de mes pauvres anticorps.

— Et qu'est-ce que tu vas faire maintenant ?

— J'ai pas de projets, je me suis empressé de dire.

Elle était là à traîner près de mon lit, croisant et décroisant les mains d'un faux air dégagé. Elle poussait, elle prenait des formes, ses habits de petite fille ne lui allaient plus : manches ballon et volants pour une blouse rébarbative boutonnée jusque sous le menton — merci, Tatie, à tous les coups. Encore une défense sournoise contre moi. Qu'elle aille pourrir !

— Assieds-toi, Gallen, je lui ai proposé en me poussant pour lui faire de la place.

— Ta résistance est basse, m'a-t-elle rappelé avec effronterie, comme s'il y avait une femme d'expérience sous ses vêtements.

C'était un de ses bluffs favoris.

— Qu'est-ce que tu as fait tout ce temps ?

— J'ai réfléchi, a-t-elle répondu en se prenant le menton, comme pour être plus convaincante en joignant le geste à la parole.

— A quoi ?

— A ce que tu vas faire maintenant.

— J'ai pas de projets, je te dis. Mais il faut que je fasse quelque chose de Siggy.

— Keff lui a fait une belle boîte.

— C'est très gentil de sa part. Et quel effet il te fait ?

— Keff ? Il en est malade.

— Je te parle pas de Keff, si tu savais comme je m'en fiche ! Siggy ?

— Keff est bien malheureux. Il arrête pas de demander de tes nouvelles.

— Sig-gy. De quoi il a l'air ?

— Ah, euh, je l'ai pas vu, pour dire...

Mais à la façon dont ses épaules ont frémi au mot « vu », je me suis dit qu'elle avait dû avoir un aperçu.

— Il est tout boursouflé ? j'ai dit un peu méchamment. Il me fait deux fois ? j'ai demandé en me pinçant une piqûre de belle taille sur la poitrine.

— Keff veut pas qu'on le voie, personne.

— L'enfrotté ! Qu'est-ce qui lui prend de s'intéresser à Siggy, subitement ? Ça lui fait tant plaisir ?

— Il a été très gentil, Graff.

— Et puis, par la même occasion, il t'a vue souvent, ça c'est clair.

Alors elle m'a raconté l'épilogue. Il avait fallu que l'éleveur d'abeilles revienne avec son armure pour extraire le pauvre Siggy de sous le plateau. On avait amené le corps à un médecin pour qu'il l'ausculte et qu'il dise s'il allait dégonfler. Et puis c'est le maire qui avait prononcé l'oraison funèbre, après quoi, Keff avait réclamé le corps en disant qu'il allait lui fabriquer un cercueil.

— Où on va l'envoyer ? Keff m'a dit de te le demander.

— A Kaprun, si Keff arrive à s'en arracher.

— C'était pas la faute de Keff, tu sais.

Elle a ajouté qu'elle pensait que Siggy était fou. Alors je lui ai parlé du carnet dingue, et du dernier plan délirant. Je lui ai rapporté les conclusions hâtives sur O. Schrutt et l'Ours d'Asie. J'étais d'accord avec elle, Siggy s'était peut-être bien mis à dérailler. Et puis je me suis assis dans mon lit et je l'ai tirée vers moi.

Comme on était un peu plus près et que j'avais engagé le sujet, je lui ai demandé à quoi le médecin avait attribué la mort.

— La cause du décès ? C'est quoi au juste ? j'ai demandé avec raideur.

— Crise cardiaque, peut-être due au choc.

— Ou à l'excès d'abeilles, j'ai répondu.

Peut-être que cette dose massive de venin qui s'était répandue dans son organisme avait provoqué une thrombose avec arrêt cardiaque. Puis, d'être assis, la tête m'a tourné ; ça s'est mis à me démanger partout.

— Tu veux de la teinture, Graff ? a demandé Gallen.

Mais j'éprouvais le besoin de faire quand même un projet à court terme ; alors j'ai dit, avec tout l'empressement possible :

— Tu diras à Keff, ni fleurs ni couronnes. Il faut sceller le cercueil. Le nom gravé, c'est tout. Et puis il faut le mettre dans le train pour Kaprun et l'adresser à un nommé Watzek-Trummer. Il paiera, j'en suis sûr. Et tu m'apporteras un formulaire de télégramme. Je veux que le corps arrive précédé de quelques mots.

— Keff se demande si tu voudrais pas de la lecture.

Comme si j'avais pas assez lu !

Elle m'a posé un gant de toilette imbibé d'hamamélis sur les yeux, et j'ai eu moins de mal à lui répondre, parce que je ne la voyais pas penchée sur moi :

— Oui, tiens, un livre de fesse. Je suis sûr qu'il sait où trouver ça, lui, s'il a le temps, bien sûr, parce qu'à force de vous tripoter, Siggy et toi... !

Quand j'ai soulevé le linge et que j'ai repris ma respiration, le parfum de noisette s'était dissipé. Gallen avait quitté la pièce. Elle m'avait laissé tout seul avec mes doutes sur sa vertu, et mes idées de cauchemar sur l'éventuel penchant nécrophile de Keff.

## Keff s'active

Keff a acheté un livre, et il me l'a fait parvenir par Gallen. Mais c'était un livre sur la sexualité, respectable et instructif, un ouvrage très complet écrit par deux Danois : *L'ABZ de l'amour*.

— Il y a des dessins, dedans, a dit Gallen sans me regarder, de peur, sans doute, que je me transforme en l'un d'entre eux sous ses yeux.

— Tu l'as déjà dévoré d'un bout à l'autre, hein ?

— Absolument pas, elle a répondu distinctement en me laissant avec le bizarre cadeau de Keff.

En réalité, il s'agissait d'un livre très sain et très naturel, qui s'efforçait de faire la chasse aux vieux tabous, et engageait les jeunes à prendre un plaisir sain. Mais je venais de l'ouvrir au hasard, et je me suis fait une idée fausse à la première lecture, à cause de cette anecdote curieuse.

> Au cours du siècle dernier, une dame s'éveilla une nuit avec l'impression qu'on était en train de la bousculer. Quelqu'un allait et venait et des mains la touchaient de temps en temps. Comme elle n'attendait personne et qu'elle était toute seule au moment où elle s'était endormie, elle s'évanouit de terreur. Longtemps plus tard elle revint à elle et, dans la pâle lueur de l'aube, elle vit que son majordome — somnambule authentique, lui — avait mis le couvert pour quatorze personnes sur son lit. Bien entendu, ce genre d'incident est fort peu courant, surtout de nos jours, où il devient si difficile de trouver des domestiques.

Où est-ce que Keff pouvait bien vouloir en venir ?

Mais j'ai continué à lire, et ça m'a temporairement changé les idées, qui avaient eu tendance à virer au noir. J'ai remis à plus tard la rédaction du télégramme à Watzek-Trummer. Ces lignes inattendues me distrayaient.

> Éternuer un bon coup est une chose franche, naturelle, spontanée, que certains redoutent, de la même façon qu'ils redoutent de se laisser aller spontanément dans leur vie sexuelle.
>
> On a pu soutenir qu'il doit y avoir un rapport direct entre la capacité à éternuer un bon coup, et celle à avoir un orgasme satisfaisant.

J'ai trouvé ça si fascinant que je me suis retenu de m'endormir avant que Gallen revienne voir si je n'avais pas besoin de teinture.

– Il te plaît ton bouquin ? elle a marmonné.

– Il a miné mes défenses encore un peu plus, j'ai dit, d'humeur taquine.

J'attendais qu'elle s'approche de moi avec son gant de toilette parfumé à la noisette, mais elle me l'a tendu et elle s'est assise au pied de mon lit, tout au bord. Dans le mouvement qu'elle a fait pour croiser ses jolies jambes, sa longue jupe portefeuille s'est envolée un instant sur ses genoux.

C'est comme ça que j'ai vu ses brûlures, deux ronds rouges gros comme le poing entre la cheville et le mollet, sur l'intérieur de la jambe, très exactement là où je m'étais moi-même brûlé en moto. Je me suis assis sur le lit comme un diable sort de sa boîte et j'ai crié : « Comment tu t'es fait ça ? » sur un ton qui lui montrait assez que je le savais frotre bien.

– Keff a réparé la moto. Il m'apprend à la conduire. » Comme je la regardais avec des yeux ronds, elle a poursuivi : « Je m'en tire très bien, tu sais. A part pour le démarrage. J'ai pas assez d'impulsion sur le kick, d'après Keff. » Comme elle me voyait baba, elle a continué : « J'ai calé, Graff. Et quand j'ai essayé de la faire repartir, je l'ai fait tomber sur moi. En donnant des coups de kick, tu comprends.

– Gallen, tu veux bien m'expliquer ce qui se passe, dis ?

— Ben, c'est comme ça que je me suis brûlée. C'est vrai, hein. Les chromes ont frotté contre ma peau.

— Mais pourquoi il t'apprend à conduire, cet enfrotté de Keff ?

— Il faut bien que quelqu'un sache. Il faut bien qu'il y en ait un de nous deux qui puisse, le jour où tu m'emmèneras avec toi, le jour où tu partiras. Si tu veux, Graff...

Et, cette fois-là, quand je me suis penché pour la toucher, elle ne s'est pas sauvée d'un bond.

— Seulement si tu veux bien m'emmener avec toi, Graff.

Je me penchais loin, loin vers elle, j'aurais pu nicher sa tête au creux de mon épaule, quand le livre de Keff a glissé de mes genoux pour tomber sur le sol. Nous l'avons suivi des yeux et l'espèce de transe où nous étions plongés l'un par l'autre a été rompue.

Elle était toujours en train de regarder *L'ABZ de l'amour* quand j'ai reculé dans le lit en poussant un énorme éternuement, un barrissement, plutôt, qui a aussitôt ramené ses yeux vers mon visage.

Alors là, à la façon dont elle a rougi, j'ai su qu'elle l'avait lu avant moi. Le passage sur l'éternuement n'était pas de ceux qu'on oublie. Elle a quitté ma chambre en un clin d'œil ; j'espérais seulement ne pas l'avoir effarouchée au point qu'elle renonce à son projet.

D'ailleurs, ça n'avait rien d'un plan diabolique, ce projet. Il était à peine plus élaboré que celui avec lequel nous étions partis, Siggy et moi. En le rationalisant un peu, j'en pensais du bien. C'était un projet bien meilleur et beaucoup moins défini que celui des carnets. J'espérais bien qu'il aurait l'avantage de me faire oublier les divagations zooclastes de Siggy.

Et quel plaisir de laisser la silhouette de Gallen me trotter dans la tête ! Il ne m'en fallait pas plus pour retarder d'un soir la rédaction du télégramme à Watzek-Trummer.

J'ai même dormi, et j'ai fait le rêve du lâche, celui de l'isolement parfait. Dans un paysage non identifié où nous constituions toute la faune, Gallen et moi, le jour durait le temps qui nous plaisait, la température répondait à nos caprices ; le sol des forêts était bien sec, les rives des lacs vides de bestioles qui piquent. Contre toute vraisemblance, nous parvenions à évoluer sans être jamais interrompus, pour prendre les positions que je me rappelais avoir vues dans les dessins flous et vagues de *L'ABZ de l'amour*.

Bien sage dans la boîte de Keff, Siggy ne pouvait pas venir nous déranger avec ses détails abominables. Et toutes les bêtes qui auraient pu menacer ma paix royale étaient bien tranquilles dans le zoo de Hietzing.

## Du courrier pour Watzek-Trummer

Dans la simple boîte scellée de Keff, Siggy quitta Waidhofen pour Kaprun le 10 juin 1967. Mon télégramme précéderait son arrivée de quelques heures, pour qu'Ernst Watzek-Trummer soit sur le quai le dimanche à midi.

J'en avais rédigé plusieurs versions. La première disait :

Herr Watzek-Trummer/J'apprends que vous étiez le tuteur de Siegfried Javotnik/un ami/qui s'est tué en moto/et qui sera rapatrié à Kaprun ce dimanche à midi/Hannes Graff/Lettre suit.

La seconde donnait :

Cher Herr Watzek-Trummer/Ce dimanche à midi arrivera le corps de votre pupille/Siegfried Javotnik/qui s'est tué en moto/C'était mon ami/Je vais prendre contact avec vous/Meilleurs sentiments/Hannes Graff.

Après réflexion, j'envisageai :

Mon cher Watzek-Trummer/J'ai la douleur de vous annoncer que Siegfried Javotnik/votre pupille et mon ami/s'est tué dans un invraisemblable accident de moto à Waidhofen/Il arrivera à

Kaprun ce dimanche à midi/J'irai bientôt vous voir moi-même/ Hannes Graff.

Et je finis par opter pour :

Cher Ernst Watzek-Trummer/J'ai la tristesse de vous annoncer que Siegfried Javotnik/votre parent et mon excellent ami/ vient de se tuer en moto au cours d'une mission secrète/dont je vous ferai le détail prochainement/Vous pouvez être fier de son œuvre/Sincères condoléances/ Hannes Graff.

C'est la version que j'envoyai, ne croyant pas pouvoir faire tellement mieux, et n'osant guère penser au moment où il me faudrait faire la connaissance de ce Watzek-Trummer, à qui il serait sans aucun doute difficile de mentir. Dans mon état, je n'étais pas en mesure d'affronter un de ces enterrements dont Watzek-Trummer avait l'habitude.

Et puis je me disais que je n'allais pas lui faire une forte impression ; il jugerait que quelqu'un comme moi n'avait pas la moindre idée de ce que les douleurs à l'échelle familiale peuvent être. Parce que Siggy avait au moins raison sur un point : ma famille et moi, nous étions passés complètement à côté de la guerre et, curieusement, j'en éprouvais un vague sentiment de culpabilité.

Il y a une chose que je me rappelle, sur la guerre. Quand l'occupation américaine à Salzbourg prit fin, ma mère, qui était une boppeuse, pour son temps, dit que ce serait bien triste de revenir à la vieille musique – puisque les Américains emportaient avec eux leur station de radio nègre et leurs cuivres.

Je crois que c'est la seule chose que ma famille ait perdue dans la guerre. Et ma mère ne l'aurait jamais eue s'il n'y avait pas eu la guerre.

Je ne pouvais donc guère me sentir à l'aise vis-à-vis de Watzek-Trummer ; mes atrocités ne faisaient pas le poids. Et je veux bien être pendu si ma réticence à accompagner le corps de Siggy ne venait pas de cette conviction que la brièveté de mon catalogue de calamités ne me permettrait pas de faire bonne figure auprès de Trummer, grand maître du protocole funéraire, que la mort fût certaine ou probable, le corps accessible ou non.

J'ai donc tout laissé à Keff en disant que j'irais voir Watzek-Trummer un jour prochain. Mais je n'ai rien décidé de précis. Surtout pas. Les plans détaillés, j'avais vu où ça menait.

Quel enfrotté, ce Siggy ! La meilleure, c'était qu'avec toutes ces précautions il se serait perdu lui-même s'il avait eu une chance d'aller jusqu'au bout. Il avait fini tellement parano, avec ses questions au serveur des Balkans et au petit Hugel Furtwängler, que s'il avait vraiment tenté le casse, ils l'auraient sûrement balancé. C'était malin, toutes ces questions sur le précédent, autant valait avouer avant le crime ! Et puis alors, comme déguisement, se raser la tête, il y a mieux, c'est le moins qu'on puisse dire !

Ne jamais attirer l'attention sur ses extrémités, c'est ma devise.

Tu parles qu'on serait allés en Italie pour le plaisir d'être à la plage, sans projets, comme il l'avait d'abord promis ! S'il y a un aquarium à Naples, il doit bien y avoir un zoo à Rome. On allait tout droit à l'explosion ultime, l'apocalypse de toutes les cages du continent ; Regent's Park sur les dents, doublant ses effectifs de gardiens pour attendre de pied ferme la visite des tristement célèbres casseurs de zoo.

Mais assis sur mon lit à regarder les forsythias nocturnes, je dois dire que j'aurais bien voulu le voir surgir sur la corniche. J'avais l'impression d'être encore à attendre qu'il revienne de cette mission de reconnaissance. Et je commençais à me dire que s'il avait franchi le barrage de police, ou si j'étais simplement parti avec lui la première fois qu'il avait paru à ma fenêtre, je l'aurais sans doute accompagné dans son entreprise. Bien sûr, l'idée était vouée à l'échec, et c'était bien dommage qu'il ait perdu tout sens de la mesure et décidé de faire sortir même les carnassiers, mais je ne crois pas que j'aurais pu le laisser tomber. Je l'aurais suivi pour mettre mon grain de prudence, pour exploiter mon intarissable veine de bon sens, histoire de voir si je ne réussirais pas à le faire sortir indemne, lui, au moins, le soustraire aux griffes, et, qui sait, libérer une antilope ou deux dans la foulée.

Tel était le sentiment curieux que suscitait le halo jaune des forsythias et qui s'accrochait comme la bruine des cascades : oui, je l'aurais suivi ; mais seulement parce que, de toute évidence, il avait besoin qu'on s'occupe de lui.

Parce que, franchement, en gardant la tête froide, il ne tenait pas debout, son plan ; c'était du délire.

Mais maintenant j'irais avec Gallen, pratiquement pour les mêmes raisons qui m'auraient fait céder à Siggy. Et pourtant il fallait bien reconnaître que je n'y avais pas trouvé mon compte. Jusque-là, du moins. Et je dois avouer que sauter Gallen me paraissait tout aussi impossible que de faire sauter les barrières du zoo de Hietzing.

## Keff diversifie ses activités

C'est Keff qui a tout mis au point. Moi, je ne voulais pas entendre parler des détails, et Gallen le lui avait dit.

Donc, le samedi 10 juin 1967 au soir, j'étais toujours dans ma chambre à attendre. J'essayais d'évaluer où Siggy pouvait bien être à cette heure, mais je ne connaissais pas l'itinéraire des trains. Est-ce que Siggy allait voyager dans la boîte de Keff jusqu'à Salzbourg et puis obliquer vers le sud, ou bien est-ce qu'il obliquerait dès Steyr, auquel cas, il devait être en route vers le sud à cette heure, puisque Steyr était juste un peu à l'ouest de Waidhofen, et qu'il était parti depuis une heure.

Je m'imaginais une course des plus mélodramatiques, Siggy dans sa boîte, voyageur rigide et résolu, et je me demandais si mon télégramme était déjà parti de Waidhofen. Ça n'avait d'ailleurs pas d'importance ; tôt ou tard, il allait rattraper et dépasser Siggy, et c'était lui qui arriverait le premier chez Watzek-Trummer, à la *Gasthof Enns*.

Comme de juste, il serait assis devant sa table de cuisine

superfétatoire pendant que Siggy fonçait bille en tête à l'horizontale.

Là-dessus, j'entends un bruit de frottement et de griffes dans la vigne vierge sous ma fenêtre ; j'ai l'impression que toutes mes piqûres se mettent à me brûler. Je vois des pattes s'avancer à tâtons sur la corniche ; j'entends des grognements. Je recule d'un bond en hurlant :

— Ça va, ça va, je viens ! On va les libérer si c'est vraiment ça que tu veux !

C'était Keff. Mes hurlements l'ont beaucoup surpris, et comme le saisissement m'empêchait de l'aider à entrer, il a eu l'air de croire que je le boudais. Il a lancé les poteaux qui lui servent de jambes dans la pièce sans oser me regarder en face.

— Je voulais pas te faire peur, a-t-il dit tristement, mais on est prêts, p'tit futé.

— Pourquoi partir ? j'ai demandé.

Il m'était difficile de lui faire confiance, à ce mastar de Keff.

— Parce qu'ils t'ont sous la main, maintenant. T'es bon pour payer ta pension et le reste. Plus tu restes, plus tu t'endettes. Ta chambre, d'abord. Et puis il y a l'accident. Windisch dit que c'est toi qui dois le dédommager, pour les abeilles, figure-toi. Ils vont te presser comme un citron, p'tit futé, ils t'auront jusqu'à la gauche si tu te tires pas.

Il secouait sa grosse tête de gorille, toujours sans me regarder.

— Où est Gallen, Keff ?

— Dans le verger au pied de la montagne, côté ville.

— Avec la bécane ?

— Je l'ai enregistrée à mon nom. Ils la retrouveront jamais, à supposer qu'ils essaient. Je vais rester ici après ton départ. Si la vieille Tratt arrive, je la retiendrai jusqu'à demain matin. Pour vous laisser un peu d'avance, tu comprends.

— Et qu'est-ce que t'as à y gagner, toi ?

Il a froncé les sourcils, ils lui faisaient des bosses grosses comme des balles de tennis.

— Allez, va, p'tit futé, je veux votre bien, moi. » Mais là, il m'a regardé avec l'ombre d'une menace dans les yeux. « Ta poupée t'attend maintenant, alors tu vas y aller, même si je dois t'expédier moi-même.

— Non, non, pas la peine, j'ai dit.

J'ai fait le peu de bagages qu'il y avait à faire. Carnet, duvets, casques, tout ça dans le sac à dos ou attaché sur le dessus. Il n'y avait pas de raison de garder la veste de chasse, et j'ai donné les pipes de Siggy à Keff; et puis je lui ai rendu *L'ABZ de l'amour*.

— Ah là là ! p'tit futé, il a soupiré.

— C'était pas ta faute, Keff, j'ai dit.

Et j'ai même serré son bras aussi haut que me le permettait l'envergure de ma main.

Il m'a pris sous les bras et il m'a descendu jusqu'au milieu du mur — pour que ma chute soit plus courte et mon atterrissage dans le jardin plus silencieux. Un instant j'ai même cru qu'il n'allait plus me lâcher. Il me tenait vertical, à quelques centimètres du mur; je ne l'entendais même pas respirer. J'ai levé la tête pour lui dire :

— Dommage que t'aies pas connu Todor Slivnica, Keff. Je crois que tu aurais pu te le faire.

En le regardant, j'ai vu son sourire tout rond, perplexe au-dessus de son triple menton.

— On y va, p'tit futé, m'a-t-il dit en me laissant tomber.

J'ai atterri en douceur, et j'ai foncé tout de suite dans les forsythias. Caché dans les buissons de la cour, j'ai regardé par les grilles tout autour de moi. J'attendais que la voie soit parfaitement libre, et le pavé tout à fait silencieux. Mais avant de me diriger vers la route, je me suis retourné pour jeter un regard à mon ancienne fenêtre. Keff était appuyé contre le fer forgé; son ombre immense assombrissait des bosquets et des parterres entiers. Sa silhouette, que rayaient les barreaux, était démesurément plus grande que celle de Siggy; et il avait beau être devenu le doux Keff, sa silhouette captive me sembla encore plus violente et plus résolue que celle de Siggy dans la même situation.

Et la Gallen que j'allais rejoindre semblait elle aussi pleine de promesses bien différentes de celles de la jeune fille du premier soir, que j'osais tout juste effleurer; celle-là même que j'avais laissée dans la bruine des chutes pour retourner précipitamment dans la chambre de mon précieux Siggy et lui demander pourquoi il singeait l'animal en cage aux barreaux de la fenêtre.

J'ai allongé le pas sur la route obscure à travers les vergers ; le vacarme de Siggy retentissait dans mon crâne ; je luttais comme un forcené pour empêcher le moindre projet de germer dans ma pauvre tête.

Pendant ce temps, Siggy se laissait entraîner sans résistance de plus en plus loin du lieu de ses combines ; quant à O. Schrutt, il n'était pas encore de garde, si bien que le Célèbre Ours noir d'Asie en profitait pour dormir, d'un sommeil aussi lourd que celui de Siggy.

Mais j'ai cessé de me représenter ceci et cela. Je me suis mis à courir comme un dératé sur mes guibolles ramollies par les bains ; je fonçais vers Gallen ; je n'avais plus en tête que des projets à très court terme. L'essentiel.

Est-ce qu'elle allait être là – où Keff m'avait dit ? Est-ce que la bécane allait démarrer ? Et puisque c'était elle qui avait pris des leçons et qui conduirait, où est-ce que j'allais mettre les mains pour me tenir pendant qu'on se faisait la belle ?

## Sensations nocturnes

Il fallait que je fasse gaffe où je mettais les mains. Elle les craignait, cette petite ; et puis c'était un pilote un peu timoré. Elle avait bien appris les mouvements essentiels, le passage des vitesses, la façon d'épouser les virages, mais elle restait prudente à l'excès. Elle sursautait facilement ; elle croyait voir des choses sur la route.

– Il m'a pas appris la nuit, Keff, elle a dit.

Elle était marrante avec son casque sur le haut de la tête, sa natte qui lui fouettait les joues quand elle tournait la tête pour voir surgir les choses. Celles qui allaient nous sauter dessus, sans doute.

Ne voulant pas aggraver sa nervosité, je n'abusais pas de mes mains ; je m'en tenais à sa taille, sauf dans les descentes, où je les laissais reposer sur ses hanches. Elle portait sa veste de femme en cuir marron, serrée par une vieille ceinture que Keff lui avait donnée. Accroché à sa taille, j'ai glissé mes mains sous sa veste, et j'ai aplati mes paumes contre sa blouse tiède. Mais j'ai senti les abdominaux les plus tendus du monde, alors je ne me suis pas collé contre elle.

Un moment donné, je lui ai dit, dans l'oreille :

– Tu t'en sors rudement bien, Gallen !

Mais même ça, ça l'a fait sursauter ; elle a tourné la tête en disant : « Quoi ? » et elle a failli nous envoyer dans le fossé.

Quand nous avons ralenti pour traverser des villages, je suis arrivé à lui parler plus facilement. J'ai dit :

– Il commence à être tard. On pourrait trouver un coin pour camper.

Mais elle était persuadée qu'il nous fallait rouler toute la nuit pour quitter les environs de Waidhofen et s'engager assez loin dans les montagnes, au sud-est. Comme ça, s'ils voulaient absolument nous chercher, ils ne nous trouveraient pas de sitôt.

Mais je crois surtout qu'elle ne tenait pas à dormir avec moi cette nuit-là. J'en arrivais même à me demander si elle n'allait pas imaginer une feuille de route qui ne nous fasse jamais dormir la nuit. Je voyais déjà que tant que nous serions ensemble, nous roulerions nerveusement toutes les nuits, jusqu'à l'aube ; et même si nous trouvions un endroit qui nous plaisait assez pour nous arrêter, il faudrait tourner en rond jusqu'aux premières lueurs.

C'est alors qu'elle m'a bien étonné. Peu avant minuit, elle s'est arrêtée dans la plus grande ville que nous ayons traversée jusque-là. C'était Mariazell, presque une vraie ville, oui, tout ce qu'il y a de touristique, une station de ski qui aurait mis ses habits d'été. La boîte la plus bruyante encore ouverte accueillait une foule de danseurs habillés à la dernière mode, tandis que de la musique rock réduisait en bouillie les fleurs des jardinières.

Ma Gallen nous a fait passer au ralenti un moment devant la boîte. Bouche bée, elle regardait dans l'encadrement des fenêtres ouvertes, et dévisageait les couples venus fumer sur les marches. Eux aussi nous ont toisés.

C'est là que je me suis rendu compte que Gallen von Sankt-Leonhard n'était jamais sortie de Waidhofen ; pour elle, Mariazell, c'était la ville, avec son aura dangereuse. Fascinée, qu'elle était.

Qu'elle ait eu un tel appétit de mondanité, elle, j'en aurais vraiment ri, si ça n'avait pas été aussi un peu décourageant.

Quand nous avons repris la route, je me suis enhardi jusqu'à palper son ventre, du bout des doigts. Il me semblait que ses muscles étaient moins contractés. Alors je l'ai embrassée maladroitement, par les trous d'aération du casque, et elle s'est un peu laissée aller contre moi.

A la sortie de la ville, elle a pris un virage sur la corde pour frimer ; elle m'a fait si peur que j'ai enfoncé les doigts dans son ventre ; elle l'a bien senti, et elle a compris que l'espace d'un instant elle avait eu barre sur moi. J'ai senti son petit ventre glousser.

Mais elle refusait toujours de s'arrêter. Nous avions mis le cap sur le sud, et les villages étaient de plus en plus noirs. Elle a même pris goût à la vitesse. Toute la nuit s'est déroulée sans la moindre anicroche, comme si nous étions sortis de la tourmente mondiale, comme aurait dit le vieux héros tchetnik de Siggy, comme si nous avancions dans les limbes et n'allions nulle part.

Quelque part dans ma tête, il y avait l'image de la table de cuisine inutile et émoussée par les coudes, pendant que Siggy fonçait bille en tête à l'horizontale. Mais j'ai passé la plus grande partie de la nuit sans les voir vraiment. C'est seulement quand nous sommes arrivés dans le Sud-Est, à la traversée de Stübming, que ma paix a été troublée.

Encore un enfrotté d'ivrogne qui pissait dans une fontaine, comme si quelqu'un s'était débrouillé pour que ce soit toujours moi qui les coince en flagrant délit ! En plus, celui-là n'a même pas bondi pour se planquer ; peut-être que Gallen ne conduisait pas tout à fait à tombeau ouvert, comme Siggy. Ce poivrot-là s'est contenté de nous regarder, les yeux ronds, son machin froid toujours à la main. On l'a ébloui avec notre phare, et puis on est passés en coup de vent ; j'ai senti le petit ventre de Gallen se contracter un peu.

Le souvenir a suffi à me gâcher ma dernière heure de voyage nocturne. Jusqu'à l'aube, ça a été mon tour d'avoir des visions, comme la nuit où Siggy avait parlé du black-out, et où on voyait des choses s'approcher le long de la route pour nous regarder.

Une fois, j'ai cru voir un vieil oryx mâle immobile au cœur des vignes, les cornes moussues. Une autre fois, et c'était encore plus saisissant, un aigle en cotte de mailles-moules à tarte, planté là comme s'il y avait poussé, ou comme s'il était tombé du ciel sans ses ailes pour prendre racine, des années auparavant.

Nous avons franchi la Murz à Krieglach ; le jour s'est mis à taper, et un grand vent s'est brusquement levé des rives, déportant la moto. Il a fallu que Gallen se penche dans l'autre sens pour que nous revenions sur notre axe, et puis le vent est tombé dans notre dos.

La voilà, cette salfotrerie de tourmente mondiale, je me suis dit. Quand elle souffle pas contre nous, elle nous pousse tellement fort qu'on va plus vite qu'on voudrait. Qui sait si ce n'est pas elle qui nous mène, d'ailleurs.

Mais j'ai gardé ça pour moi. J'ai laissé Gallen croire que c'était elle, le pilote.

## Gallen passe enfin à l'acte

Elle s'est arrêtée tout le temps qu'il a fallu pour nous permettre de dévorer un brunch substantiel, en haut du col de Semmering. Elle avait réussi à nous conduire vers le sud, l'est, le nord enfin, si bien que nous étions au sud-est de Waidhofen, mais assez à l'est pour nous trouver presque immédiatement au sud de Vienne, et juste au nord de l'Italie et de la Yougoslavie, quoique nous n'ayons pas fait le projet de quitter le pays ; en tout cas, elle n'en avait pas pensé si long, et pour ma part, quand nous avions compté nos sous, je ne lui avais pas caché que je n'avais rien imaginé du tout. Nous avions peut-être de quoi tenir deux semaines, à condition de continuer à voyager à la dure. Ça, oui, j'arrivais à me le représenter. En n'achetant à manger qu'une fois par jour, en restant dans la campagne pour pouvoir se nourrir de pêche, en dormant à la belle étoile sans jamais prendre de chambre d'hôtel, on tiendrait deux semaines, essence et nourriture comprises, après quoi il faudrait chercher du travail.

Pour chercher du travail, il fallait rester en Autriche ; autrement se poserait le problème de la carte de travail pour les étrangers que nous deviendrions en passant la frontière.

C'était distrayant d'en parler. Ça m'aurait bien changé les idées si nous ne nous étions pas trouvés en haut du col à midi, alors que toutes les cloches de la vallée de Semmering se mettaient à carillonner solennellement qu'il était midi.

Heure à laquelle Siggy arrivait à Kaprun, où toute sa famille avait plus ou moins fini par se retirer, à un moment ou un autre. Et je voyais le vieux Watzek-Trummer, avec cette boîte rudimentaire et raide.

– Tu veux pas une autre bière, Graff ? m'a demandé Gallen.

– Il y est, à cette heure-ci. Et moi, je devrais bien y être aussi.

– Oh, allez, Graff !

Mais moi, je ne pouvais pas m'empêcher de me dire que le vieux Watzek-Trummer avait vu trop d'enterrements pour affronter celui-là tout seul. Et c'était vraiment une idée trop larmoyante pour le motel-restaurant du col de Semmering, où on nous susurrait de la musique du Vieux Continent, histoire de nous assaisonner le potage de trémolos.

Gallen a suggéré que j'apprenne à conduire la moto parce qu'il valait mieux qu'on sache tous deux. Elle m'a entraîné dehors et nous a conduits vers le nord-ouest, en descendant vers la vallée. Ensuite nous sommes remontés plus haut que le col de Semmering, vers Vois, où j'ai acheté deux bouteilles de vin blanc et un demi-quart de beurre.

A la sortie du minuscule village de Singerin, nous avons trouvé une berge couverte d'aiguilles de pin le long de la noire Schwarza au cours rapide. Il y avait de la place pour apprendre à conduire, de l'eau courante pour mettre le vin au frais, et des poissons en perspective pour la poêle de Freina Gippel ; et comme nous étions bien à l'écart de la route, la nuit s'annonçait tranquille.

J'ai monté la moto, Gallen en croupe, et j'ai commencé à longer la rive. « D'après Keff, c'est le passage des vitesses qui vient en premier », disait Gallen. Mais je ne l'écoutais pas. Subitement, je chevauchais le vaste Todor Slivnica pendant que Bijelo, qui avait vu le monde, me disait : « Virage sec à gauche, Vratno, mon garçon. » Je dégringolais les cahots de la rive, Gallen essayant timidement de me dire quelque chose, mais j'entendais Gottlob Wut me dicter ma conduite fort et clair : « Tu vois ? Comme ça, là ! » Je me retrouvais en train de monter un escalier de marbre, Siegfried Schmidt le traqué, envoyé spécial, écumeur des ruelles de la Vieille Ville. Là-dessus, j'ai heurté une racine qui m'a projeté sur le réservoir pendant que la pauvre Gallen glissait contre moi. Il a fallu que je tende les pointes de pied pour récupérer le levier de vitesse. J'ai revu cascader la route des vergers, Siggy commentant : « C'est de la première, ça, Graff. Faut que tu l'enclenches. »

Je sentais mes genoux remonter sous le guidon, m'arrimant définitivement à la Bête, j'avais un essaim d'abeilles gluantes de miel couronnant ma tête en feu — j'étais en train de foncer sur l'emplacement de notre bivouac, j'étais déjà passé au-dessus du barda.

— Hé là, Graff, tu perds un peu les pédales, a dit Gallen.

Mais quand elle est descendue pour passer devant moi, elle a dû se demander pourquoi je n'avais pas coupé le moteur, et en voyant que j'avais les yeux dans le vague, elle m'a rappelé à l'ordre :

— Ah, non, Graff. Allez, ça suffit comme ça, maintenant.

Moi, je poussais le ralenti comme un fou au lieu de lui répondre ; la machine était en train de virer hystérique ; Gallen a tapoté l'allumage et elle a coupé les gaz ; le bruit a décru, puis cessé.

— Fais-moi un peu voir comment tu attrapes les poissons, Graff.

Le courant était trop fort, il n'y avait pas de vraie berge pour prendre appui, mais je me suis exécuté quand même. Au début je les ferrais, mes truites, et puis je les perdais, mais j'ai fini par en aligner trois petites, assez légères pour sauter jusqu'au bord.

— Bon, j'ai dit, il faut toujours se coucher avec encore un peu faim.

— Et pourquoi ?

— Et avec deux bouteilles de vin, aussi, j'ai ajouté avec un fin sourire.

Mais elle s'est détournée de moi avec une moue, voilà que je l'avais encore effarouchée.

Les truites étaient bonnes, malgré tout ; elles ont fait éternuer Gallen — un petit éternuement de rien du tout qu'elle a étouffé dans sa main, et que j'ai ponctué d'un « ha, ha ! »

— Quoi, ha, ha ?

— Je te rappelle qu'éternuer un bon coup est une action spontanée et naturelle, qui fait un peu peur à certaines personnes.

Je m'en suis tenu là de ma citation pour voir comment elle allait réagir.

Elle a dit « Graff ! » et elle a renversé son vin.

— Il y en a d'autre au frais ; j'ai mis la deuxième bouteille dans la rivière.

— T'as vraiment pensé à tout, elle m'a dit ; mais sans se fâcher.

Si bien que j'en ai même pensé un peu plus long, à ma façon, genre plan à court terme. Siggy avait acheté les deux sacs de couchage en même temps et au même endroit. Leurs fermetures Éclair permettaient de les réunir en un duvet conjugal.

T'as droit au conjugal, Gallen, je me suis dit. Mais il ne faisait même pas encore nuit, et il nous restait une bouteille de vin au frais.

— Gallen, va nous chercher la deuxième, moi je vais faire le feu ; ça éloigne les moustiques, tu sais.

Il n'y avait d'ailleurs pas de moustiques, Dieu merci, nous étions trop haut et il faisait trop froid.

Il allait faire plus froid encore à la nuit. Rien qu'à voir la rivière je m'en doutais : jusqu'en été elle conservait cette allure hivernale ; on avait du mal à se l'imaginer sans ses franges de glaçons rejetés vers les berges, les biches frissonnantes descendant vers l'eau pour y donner un coup de langue, levant haut les sabots et secouant leurs pattes, comme si elles pouvaient avoir froid aux pieds ! Quoique.

Tout est possible, a dit Siggy quelque part. Et en me penchant vers le feu, j'ai eu comme un vertige.

Si tout est possible, Siggy a pu se perdre dans le train ; ils l'ont peut-être expédié sur Munich ou Paris. Je le voyais entreposé tout debout dans un hangar parisien.

Ou alors, il a pu se produire des calamités dans le petit trois-pièces de Watzek-Trummer. Il a certainement installé Siggy dans la chambre de la moto ; évidemment, il y a des cierges. Un cierge brûlait trop près de la moto du Grand Prix. On avait sûrement laissé de l'essence dans le réservoir, pour ne pas qu'il rouille. Je voyais la *Gasthof Enns* soufflée par l'explosion.

Mais ces visions ne me causaient aucune émotion, parce qu'elles me venaient le temps qu'une particule de cendre s'élève du feu, le temps que Gallen aille chercher le vin. J'étais trop engourdi pour réagir, même devant les cendres que je faisais danser au-dessus du feu. Elles restaient comme en suspension : il n'y avait pas un souffle de vent.

Alors comme ça, la tourmente mondiale s'apaise, la nuit. Et qu'est-ce que ça peut faire ? Je m'étais engourdi à force de penser à des choses avec et sans rapport entre elles.

Tout ça s'était produit le temps de soulever des cendres, le temps que Gallen apporte la bouteille ; c'était du moins ce qu'il me semblait ; mais il faisait nuit avant que je me rende compte qu'elle l'avait rapportée, et même qu'elle en avait déjà bu la moitié. Il faisait nuit quand j'ai dit :

– Il est temps de sortir le sac de couchage.

*Le* sac, j'ai dit – puisque je me faisais le scénario conjugal.

– C'est fait, a dit Gallen.

Elle n'avait pas corrigé mon singulier. Je me suis aperçu qu'elle les avait effectivement réunis. Peut-être pour me faciliter les choses. Peut-être par pitié, mais j'espérais bien que non.

Je suis descendu jusqu'à la rive pour me rincer la bouche des résidus de poisson, et puis j'ai rampé vers le sac que Gallen me réchauffait. Mais elle était restée habillée. Enfin, elle avait gardé son pantalon de velours et sa blouse, mais elle avait quand même retiré son soutien-gorge ; je l'ai vu dépasser de sa veste en cuir, sous laquelle elle essayait de le cacher, juste à côté du sac.

Les petits détails qui changent tout, ça ; j'en suis sûr.

Mais quand je me suis glissé contre elle, elle m'a dit « Bonne nuit, Graff », avant même que mes pieds touchent le fond du sac. Moi qui avais eu la délicatesse de garder mon minable caleçon distendu !

La rivière était si rapide qu'elle menait grand bruit. Et les notes des grenouilles s'élevaient sur l'autre rive. Il y a toujours un marécage là où on s'y attend le moins.

Voilà ce que je me disais ; les petites maximes philosophiques spontanées. Gallen me tournait le dos, roulée en boule, les genoux sous le menton.

— Eh ben, tu dois être fatiguée, j'ai dit, alerte, plein d'entrain.

— Oui, très. Bonne nuit, elle a répondu en contrefaisant une voix pâteuse, comme si elle allait s'endormir dans la minute qui suivait.

Je me suis avancé vers elle, l'épaule contre son dos tiède. Elle s'est raidie, et d'un ton accusateur :

— Tu as retiré tous tes vêtements !

— J'ai gardé mon flagada.

— Ton quoi ?

— Mon flagada, mon caleçon.

L'espace d'un instant j'ai cru qu'elle allait réclamer de la lumière pour voir mon minable flagada. J'en serais mort de honte. Mais elle s'est assise dans le duvet.

— Quelle belle nuit, Graff !

— Oh oui, j'ai répondu, blotti dans mon coin.

J'attendais qu'elle se recouche.

— Elle en fait un bruit, la rivière !

— Oh oui, j'ai répondu sur le même ton vague.

J'étais tapi dans mon coin du sac à attendre mon heure ; je regardais le vent faire bouffer son corsage.

Je me souviens d'avoir attendu longtemps, et d'avoir fini par sombrer dans un demi-sommeil. Je me disais : Elle va sûrement remettre son soutien-gorge.

Alors j'ai laissé la noire rivière hivernale m'emporter dans son courant. La dérive en rêvant ; je me réveillais par à-coups, pour nager à contre-courant, mais toujours en douceur, sans lutter ; enjôlé par le chant de la rivière, je la laissais me porter. Et j'ai dépassé des villes illuminées ; j'ai barboté devant une scierie typique, où des troncs d'arbres s'entassaient le long de la rive dans une odeur de poix ; j'ai dépassé des jeunes filles qui lavaient leur lingerie transparente. J'ai suivi mon cours silencieux entre des rives abruptes couvertes de neige ; il faisait presque nuit, ou presque jour, et les biches descendaient boire. Il y avait un grand cerf avec son harem qui le suivait docilement. Je dois dire qu'il ressemblait un peu à l'oryx. Il n'hésitait pas à marcher sur les fines franges de glaçons ; il déplaçait sa lourde masse ; il avançait un sabot pointu, puis l'autre, d'un pas léger et mesuré. Les biches de la harde se pressaient pour se tenir chaud. J'ai cessé de flotter, je faisais du sur place, des battements de pieds.

Les biches se pressaient les unes contre les autres trop bruyamment. C'était Gallen, toujours assise au-dessus de moi — sûrement en train de remettre son soutien-gorge. Sauf que ses jambes s'agitaient bêtement près de moi dans le sac. Quoi, elle pédale à présent, je me suis dit ? Et quoi encore ? Elle va enfiler sa cotte de mailles et sa ceinture de chasteté. Elle prend pas de risques, cette petite.

Mais elle s'est glissée dans le sac, et j'ai senti son genou remonter et effleurer ma main.

Elle s'était déshabillée ! J'ai fait semblant de dormir.

— Graff ? a dit Gallen.

Ses pieds battaient comme des mains autour de ma cheville.

Je me suis tortillé vers elle, toujours dans mon sommeil. Comme il se doit.

— Toi, alors ! Réveille-toi, s'il te plaît.

Mais, même si nos pieds se touchaient, elle repoussait mon ventre de ses mains. Elle s'est déplacée, nous ne nous touchions plus du tout. Et puis elle s'est couchée sur moi ; c'est sa chevelure dénouée éparse que j'ai d'abord sentie. Le contact de notre peau était glacé ou brûlant ; nous étions collés l'un à l'autre. J'ai senti la glace se détacher de la berge et entraîner le grand cerf à la dérive.

Gallen disait :

– Allez, réveille-toi, s'il te plaît !

Et elle se serrait si fort contre moi que je ne pouvais plus bouger.

– Je suis réveillé, j'ai dit, du fond de ma gorge.

Mais ce n'était qu'un timide gargouillis et j'ai tenté de dégager mon cou de sa clavicule, pour être sûr qu'elle m'entende.

Mais, avant que j'aie pu coasser une deuxième fois, elle s'est mise à plat ventre sur moi et m'a embrassé les lèvres. Nouveau gargouillis. Son visage était trempé contre le mien ; elle pleurait sur moi. Ça alors !

Je dois avouer que je ne savais plus où j'en étais. J'ai dit :

– Ne va pas me faire des faveurs, c'est juste parce que tu as de la peine pour moi.

– Risque pas ! elle a rétorqué, avec véhémence, pour elle.

– Ah, non ? j'ai répondu, blessé, en la tenant à bout de bras.

Ses cheveux recouvraient son visage et le mien. Elle m'a enfoncé ses genoux dans l'estomac et je me suis recroquevillé contre elle, là où son corps semblait me prévoir ; elle m'a pris aux épaules et intervertissant nos positions, m'a fait rouler sur elle.

A présent, elle pleurait à chaudes larmes, je l'ai embrassée sur la bouche pour l'arrêter. Nous nous roulions dans le sac pour avoir un peu de place.

Comme je me sentais obligé, j'ai dit :

– Je t'aime, Gallen, pour de bon.

Et elle m'a répondu la même chose.

C'est le seul moment qui ait été un peu forcé ; on aurait dit le souvenir d'un manuel de préliminaires que nous n'aurions pas eu l'habitude de suivre.

Elle a enroulé mon cou dans ses cheveux, m'a attaché la tête à sa poitrine haut perchée, si menue, si fragile que j'ai cru passer au travers et tomber dans sa cage thoracique. J'ai fermé un œil contre sa gorge qui palpitait ; son pouls était léger et rapide.

Comme la rivière hivernale qui emportait le cerf audacieux sur son bloc de glace en train de fondre, ses biches se maintenant à sa hauteur sur la terre ferme de la berge.

Et Gallen a dit :

— C'est quoi ton truc, comment tu l'appelles ?

— Un flagada, j'ai dit tout bas.

Pour rien au monde je n'aurais voulu troubler son pouls.

— Eh ben le mien, c'est un rikikini. » L'os de son bassin s'enfonçait dans mon flanc, elle se retournait sous moi. Elle ne pleurait plus, mais elle avait l'air de caler. « Enlève-le, elle a dit.

Et moi, je me disais : Si seulement on pouvait y voir clair dans ce sac de malheur.

Mais quand j'ai regardé, j'ai vu le cerf par-dessus le marché ! Son bloc de glace avait presque fondu sous lui.

Gallen avait la taille si menue qu'il me semblait pouvoir en faire le tour avec mes mains, pouces au-dessus de son nombril, majeurs réunis contre son dos. Alors je l'ai soulevée.

Elle babillait comme au fil de la rivière hivernale :

— Oh là là ! Graff, où tu l'as mis mon rikikini ? Je l'ai acheté tout exprès pour le voyage.

Elle s'est mise à se soulever quand je la soulevais. Les biches couraient du même pas.

Elle a dit : « Toi alors ! » et quelque chose a crié étouffé dans sa gorge, juste au-dessous de son pouls qui s'accélérait.

Le dur sabot antérieur du cerf a crevé la glace ; sa poitrine est tombée la première, en fendant en deux la dentelle de glace. Il a descendu le courant ; dépassé des villes illuminées, des scieries à la forte odeur de poix — et la rivière était sombre et glauque de l'écorce des arbres. Il a émergé entre des rives de neige immaculée, et il a vu qu'il manquait à ses biches, sur la berge. Il a fait une ou deux brasses puissantes, sans se presser, son encolure repoussant les franges de glaçons dardées vers le courant.

De nouveau, je ne savais plus où j'en étais. Je retenais ma respiration parce que j'avais coulé depuis longtemps, pour avoir cessé mes battements. J'ai atterri au fond de la rivière, qui était doux comme une couverture ; comme je donnais un coup de pied pour remonter, le cerf a regagné la rive.

Et alors, devinez, j'ai éternué ! J'avais refait surface.

Gallen avait sorti ses mains de ce sac qui sentait la poix et, en les appliquant contre mes oreilles, elle me sonnait. Le cerf a gravi la berge en titubant, groggy. Gallen m'a embrassé sur la bouche ; mes idées se sont éclaircies. Le cerf avait regagné la terre ferme, il se dirigeait vers la tiédeur de ses biches.

Gallen a libéré mes oreilles en douceur, mon pouls s'est calmé, et seuls les bruits réels me sont parvenus.

Le grondement de la rivière. Et les notes des grenouilles venues d'un marais qu'on ne se serait jamais attendu à trouver là.

## Gallen passe de nouveau à l'acte

Je me suis réveillé de bonne heure, plein de remords d'avoir dormi, si peu que ce soit : je savais bien qu'Ernst Watzek-Trummer avait passé la nuit accoudé à sa table de cuisine, bien après que les plongeurs eux-mêmes avaient quitté la *Gasthof Enns*.

Gallen était déjà réveillée ; elle essayait d'attraper son soutien-gorge et son rikikini sans que je la voie, avec des ruses de Sioux. Dieu merci, elle a pris mon air coupable pour elle et elle m'a dit :

– Je vais bien, Graff, tu sais, ça va.

Elle affichait une belle gaieté, mais ses yeux brillants évitaient timidement les miens.

Alors j'ai dit :

– Comme ça tu vas bien, tu dis ? pour qu'elle continue à penser que je pensais à elle. Et je me suis mis à penser à elle pour de bon ; je l'ai embrassée et j'ai commencé à m'extraire du sac, en pleine forme.

– Attends, il est juste là, ton flagada !

Elle a tourné le dos pour que je n'aie pas à me contorsionner dans ce duvet qui sentait une douceâtre odeur de poix.

— Ça lui ferait pas de mal d'être aéré, à ce sac, j'ai dit.

— C'est ma faute, je sens ça, moi aussi ?

— Euh..., j'ai dit.

Et nous avons tous deux regardé ailleurs. J'espérais qu'un petit animal insolite ou un oiseau au plumage fabuleux apparaîtrait, pour pouvoir dire : « Oh, dis donc, Gallen, regarde ! », ce qui aurait fait une diversion radicale. Mais il n'y avait que la moto couverte de rosée, et la rivière noyée sous le brouillard. L'air du matin était froid.

— On pique une tête, j'ai dit bravement.

Mais elle ne voulait pas sortir du sac avant que je lui aie récupéré son soutien-gorge, et comme elle n'osait pas me demander de le faire, je suis sorti d'un bond ; je l'ai attrapé à tâtons et je l'ai brandi comme un drapeau en disant :

— Oh, c'est quoi cet article bizarroïde ?

— Ça va bien, hein, amène, elle m'a demandé, les cheveux dans les yeux.

Alors je suis descendu jusqu'à la rivière, et je l'ai attendue.

Hou, l'eau était redoutable ! Mes dents s'entrechoquaient comme des verres et j'ai cru que le courant allait m'arracher mon minable flagada. Gallen ne nageait pas, elle faisait des plongeons de canard. Ses cheveux plaqués sur son crâne, on voyait comme sa tête était fine. Elle avait des oreilles marrantes, trop longues, et même un peu pointues. Son menton grelottait. Quand elle est remontée sur la berge, son soutien-gorge était plein d'eau. Elle entourait sa poitrine de ses bras de la façon la plus charmante, elle a pressé ses seins l'un contre l'autre pour exprimer l'eau de son soutien-gorge. Et puis elle a vu que je la regardais, et elle s'est mise à danser sur la rive en me tournant le dos, embarrassée par l'exiguïté de son rikikini.

J'ai remonté la berge à mon tour ; ma salfotrerie de flagada qui me dégringolait presque jusqu'aux genoux me donnait la démarche du gorille. Quand elle a vu ma dégaine, elle s'est mise à rire de ma pauvre carcasse :

— A mon avis, il te faut la taille au-dessous !

J'ai fait un bond vers elle, j'étais salement embarrassé de

moi-même ; je me suis mis à danser autour d'elle en la montrant du doigt :

– Regarde, t'as deux schillings dans ton soutien-gorge !

On aurait vraiment dit deux schillings, ses tétons, même taille et même teinte, un cuivre pâle délicat, une splendeur. C'est ça, deux schillings.

Elle s'est regardée avec stupeur, et puis elle a filé. Je me disais : Mais ris un peu, Gallen, même de toi. C'est nécessaire, un brin d'humour, c'est vrai.

– T'as pas une chemise à me prêter? elle m'a demandé, sérieusement inquiète. Là, je vais mouiller ma blouse et j'ai pas pensé à emporter des serviettes.

Et quand je lui ai rapporté mon fabuleux maillot de foot à rayures rouges et blanches, elle cachait ses schillings dans ses mains, mais elle avait un large sourire ; une mèche de ses cheveux était coincée, humide, à la commissure de ses lèvres ; elle l'a repoussée avec sa langue.

– Qu'est-ce que tu dirais d'un petit déj ? Si tu sais faire du feu, je file à Singerin chercher des œufs et du café.

– Oui, je sais faire du feu, elle a répondu en riant pardevers elle, si tu m'aides d'abord à me débarrasser de ça.

Je suis passé derrière elle pour l'aider à dégrafer son soutien-gorge sous le maillot de foot. Elle se tortillait pour faire descendre le chiffon mouillé jusqu'à sa taille ; derrière elle, j'ai tendu les mains un instant, pour sentir ses seins mouillés, froids et durs. On aurait dit une statue que l'on vient d'inaugurer.

– Laisse-moi me brosser les cheveux, elle a dit.

Mais elle n'essayait pas de se dégager, elle se renversait contre moi.

La rivière est montée ; on aurait dit qu'elle allait nous submerger. Mais ce n'était que le vent qui se levait et qui rabattait vers nous le brouillard. J'ai vu les biches dans la forêt, dociles comme des moutons. Sauf que la forêt était prisonnière de quelque chose. Peut-être que des rivières l'encerclaient de toutes parts ; peut-être même qu'il y avait une clôture. Et, debout auprès des biches, comme un berger mais sans bâton, Siggy disait : « Soyez bien sages, mes biches. Je vais vous tirer de là, ne vous en faites pas. »

– Tu me fais mal, Graff, a dit Gallen, un petit peu, quoi.

J'avais fait une trace toute rouge avec la marque de mes dents sur sa nuque, à travers une mèche de cheveux. Comme elle me trouvait de nouveau un air coupable, elle s'est dit que c'était parce que je l'avais mordue.

– Mais je vais bien, Graff. Je suis quand même pas en sucre.

J'ai marché, je ne l'ai pas détrompée. Au fil de sa brosse, le roux revenait dans sa chevelure que l'eau avait foncée. Je me suis glissé dans les arbres pour me débarrasser de mon impossible flagada mouillé.

Ensuite je suis allé à Singerin chercher les œufs et le café, et quand je suis rentré, elle avait mis le feu en route, avec trop de bois pour faire la cuisine. Mais elle avait aussi ouvert le duvet, qu'elle avait traîné dans les arbres, bien au-dessus du niveau de l'eau. J'ai constaté avec embarras qu'elle avait accroché mon flagada à un piquet : un pieu était fiché dans le sol, mon flagada en bannière, comme si leur propriétaire dormait son dernier sommeil sous cette sépulture primitive.

Nous avons mangé comme quatre. J'avais trouvé une très vieille miche de pain oubliée au fond du sac depuis environ une semaine. Une fois frite dans la poêle de Freina, elle était fameuse. Parce que je mets un point d'honneur à ne jamais laver la poêle. Comme ça on se souvient des bons repas qu'elle a donnés.

Gallen continuait à se sécher les cheveux. Elle les brossait en avant, et puis elle soufflait sur une mèche, en découvrant seulement son nez et sa bouche. Sa chevelure était vivante, elle dansait toute seule ; elle jouait avec, en face de moi. Moi, j'ai poussé quelques faux gémissements et j'ai rampé vers les arbres, pour sauter sur le duvet. Il était plus vaste que n'importe quel couvre-lit, plus tendu qu'une nappe sous les pins, avec des monticules d'aiguilles dessous. Doux comme de l'eau ; on y sombrait.

Mais Gallen continuait à asticoter le feu, à se laver les mains dans la rivière. Elle avait remis son pantalon de velours et n'avait pas eu l'audace de hisser son rikikini comme elle l'avait fait de mon flagada pour m'immortaliser.

J'ai contrefait des grognements d'épuisement sur mon grand lit du bois et puis je lui ai crié :

— T'as pas sommeil, toi ? Moi, je pourrais dormir toute la journée.

— Mais non, tu pourrais pas, si je venais te rejoindre.

Une prétention pareille, ça demandait une réponse résolue. Je suis sorti du bois et je me suis mis à la pourchasser sur la berge. Elle s'est précipitée dans le pré. Mais j'ai jamais connu une fille qui sache courir. C'est morphologique, j'en suis sûr. Elles ont le bassin plus large, minces ou rondes, et c'est d'être bâties comme ça qui fait que leurs jambes tournent de côté quand elles courent.

En plus, moi, au sprint, je suis imbattable. Je l'ai attrapée au moment où elle fonçait se cacher dans le bois. Elle était hors d'haleine ; elle s'est mise à dire, comme si elle n'avait pensé qu'à ça depuis longtemps :

— Où tu crois qu'on devrait aller, après ? Où tu veux aller, toi ?

Je n'allais pas me laisser distraire aussi facilement. Je l'ai emportée jusqu'au duvet ; de nouveau, elle m'a fait prisonnier de sa chevelure, avant même que je la pose par terre. Mais quand j'ai roulé sur elle, elle a fait une vraie grimace de douleur.

— T'as mal, Gallen ?

Elle évitait mon regard, bien sûr.

— Euh, un peu. C'est pas anormal, dis ?

— Oh non, excuse-moi.

— C'est pas grand-chose, tu sais.

Ça devait être vrai, parce qu'elle ne libérait pas mon cou de sa chevelure.

Oh là là, en plein jour, je me disais, embarrassé moi-même. Mais elle m'a surpris.

— T'as pas ton flagada.

— J'en ai qu'un, j'ai dit, tout honteux.

— Tu sais, tu peux prendre mon rikikini, il est extensible.

— Il est bleu !

— Oui, mais j'en ai un vert, un bleu et un rouge.

En revanche, elle n'avait qu'un seul soutien-gorge, je le savais pour avoir assisté à une partie des bagages.

— Je te donne mon maillot de foot, alors.

En le voyant près de notre duvet, je me suis rappelé un bouffon qui faisait partie de mon équipe, au lycée. Le foot, il détestait ça autant que moi, j'en suis sûr ; mais il avait un truc à lui dans cette situation ignoble où il faut courir pour shooter alors que le joueur de l'équipe adverse court lui aussi vers la balle. On sait pas qui va arriver à shooter le premier, mais si c'est l'autre, il va vous shooter dans la gueule, ou bien vous allez vous choper ses doigts de pied en pleine gorge. Mais ce bouffon de mon lycée, quand il se trouvait dans cette situation, il se mettait toujours à brailler. Il se dégonflait pas, mais en fonçant comme un boulet de canon sur la balle, il braillait : « Yaiii ! Yaii ! » Il vous gueulait à la figure. Il arrivait à terrifier tout le monde rien qu'en montrant à quel point il avait peur.

C'était un bon joueur à cause de ça. A la balle, il battait tout le monde. Ça coupait les pattes de l'entendre beugler comme ça ; on aurait dit qu'il chargeait un nid de mitrailleurs.

Et je me disais : C'est vrai. On devrait tous hurler bien fort quand on a peur — pour que personne confonde le bouffon et le héros. C'est le bouffon qui fait rire en se faisant passer pour fou, mais l'idiot, c'est le héros avec ses platitudes, ses idées vagues ; il s'en fiche, au fond, d'avoir la balle avant l'autre. Et tenez, moi, par exemple, je suis le bouffon, je me disais.

— Graff ? a demandé Gallen.

Que je ne sois pas en train de la regarder alors qu'elle s'y était préparée, ça devait l'embarrasser.

Ce n'était pas une statue ; elle était douce, malgré ses osselets. Une voix a crié, au-dessus de la rivière :

*Bénie soit la tige verte avant la fleur !*

Ce devait être Siggy, qui parlait à l'horizontale, sa voix s'élevant au milieu des cierges, près de la moto du Grand Prix.

— Pourquoi t'as des poils là ? a demandé Gallen.

Il y a toujours un marécage là où on s'y attendrait le moins. Aussitôt j'ai posé ma tête entre ses petits seins haut perchés. Cette fois-ci, je ne voulais pas me laisser distraire. Pas de biches le long de la rivière hivernale, ou aux bons soins du berger Siggy. J'ai pensé, et bizarrement c'était la première fois que je le pensais, que j'étais peut-être en train de devenir fou. Ou seulement un peu fêlé.

Ça me faisait tellement peur que je n'osais pas fermer les yeux. Je regardais la longue taille de Gallen ; je voyais son pelvis bouger – si c'était bien son pelvis. J'ai levé les yeux vers son cou, et j'ai vu battre son pouls sous sa peau fine, mais je n'ai pas osé le toucher. Sa bouche s'ouvrait, ses yeux me regardaient — elle n'en revenait pas de la répartition de mes poils.

Et puis je me suis retrouvé sur sa bouche, et si près de ses yeux que j'aurais pu compter ses cils ; je l'ai vue répandre un peu d'eau en fermant les paupières, mais ce n'étaient pas de vraies larmes.

Et je n'ai pas eu de visions intempestives ; je n'ai vu que son visage et le flot de sa chevelure. Ces mains qui me touchaient étaient bien celles de Gallen von Sankt-Leonhard ; pas de sollicitations extérieures. Pas de bande-son décalée non plus : rien que la respiration de Gallen.

Elle a fermé les yeux ; j'ai lapé une larme sur sa joue. Elle a couvert mes oreilles à sa façon. Ma tête bourdonnait, mais cette fois, je savais pourquoi.

Je venais d'éternuer. Et cette fois, elle aussi. Elle a ouvert de grands yeux effarés en disant : « Graff ? » Je me disais : Mais non, c'est normal, tout va bien. Mais elle m'a demandé :

— Graff, t'as senti ? Je me suis fait mal ?

— Mais non, t'as éternué, j'ai dit, sans dramatiser. C'est excellent, au contraire.

Un vrai toubib. Mais cette fois, j'entendais chaque mot, chaque souffle ; je savais que je n'avais pas quitté le sac. Je n'étais pas fou. Je savais que Gallen et moi étions seuls tous les deux, et que tous les autres et tout le reste étaient morts ou ailleurs. Pour l'instant.

— Il y a quelque chose qui s'est échappé de moi, quand même, tu sais ?

— T'as éternué, c'est tout. Et ce qui a pu s'échapper va revenir.

Je me disais : De l'humour, Gallen, c'est fondamental, c'est tellement important. Un petit sourire, s'il te plaît.

Mais Gallen a dit — toujours nerveuse, moi toujours en elle :

— Graff, ça t'arrive de penser à autre chose en faisant ça, dis ?

— Moi ? Penses-tu !

Je n'osais pas détacher mes yeux d'elle, ni les fermer : je savais que les bois alentour étaient pleins de biches, d'oryx et de bergers prêts à m'envahir la tête. Salfotrerie !

Gallen a souri ; elle a même ri un peu, sous moi, et elle a dit :

— Moi non plus, je pense à rien d'autre ; là, tout de suite, j'arrive même pas à penser à quoi que ce soit.

Eh, tu es une fille saine, toi, j'ai pensé. Mais gaffe à Graff, l'as du déphasage.

## L'arche de Noé

Un peu plus tard dans l'après-midi, Gallen m'a demandé .

— Tu crois que ça va revenir ? j'ai pas l'impression que c'est revenu.

— Mais quoi ?

Comme elle parlait, j'ai osé fermer les yeux.

— Ce qui s'est échappé de moi, là, tu sais.

Je trouvais qu'elle prenait ça un peu trop au tragique.

— Écoute, il y a des filles qui n'éternuent pas une seule fois dans toute leur vie. Tu as de la chance.

— Ça m'arrivera encore ? C'est ça que je me demande.

— Bien sûr que oui.

— Et quand ? elle a demandé, plus gaiement, et même sur un ton badin.

Son unique soutien-gorge en train de sécher, on peut dire qu'elle faisait danser mon maillot à chacun de ses gestes.

— Hannes Graff a besoin de récupérer, j'ai dit.

C'est vrai, d'ailleurs, j'ai pensé sans ouvrir les yeux. Rien qu'en déplaçant ma tête, je pouvais prendre le soleil dans la figure, et mes ténèbres passaient du noir au rouge, et retour, avec une bordure rouge à rayures blanches comme mon maillot de foot.

Continue à me parler, Gallen, je t'en prie.

Mais elle devait essayer de se représenter les stades de ma récupération – ce prodige silencieux, qui m'a souvent surpris moi-même.

Sans ouvrir les yeux, je déplaçais ma tête, du noir au rouge, du rouge au noir, un truc simple, mais avec des effets d'éclairage fantastiques. Le fond de mes ténèbres s'ouvrait comme le diaphragme d'un appareil photo. En fait, c'était prémédité ; il m'aurait suffi d'ouvrir grands les yeux et de parler très vite à Gallen pour arrêter le phénomène. Mais j'ai fait un compromis, pour me mettre à l'épreuve. Sans ouvrir les yeux, j'ai dit :

– Oui, alors, pour la direction à prendre, tu y as réfléchi, toi ?

– Euh, oui…

Mais mon diaphragme s'ouvrait plus grand à présent, sur la rivière hivernale. C'était comme le début d'un film, le cadrage du décor, mais sans titre, sans personnages. Eh ben, pour l'amour du ciel, pense à haute voix, Gallen. Mais elle n'a pas dit un mot, ou alors il était trop tard, j'étais déjà parti dans un travelling trop rapide.

Cette rivière allait partout ; elle courait le monde entier. Mais moi, je n'étais que l'œil de la caméra, je n'étais pas dans le film. Par endroits, il y avait des foules sur les berges, chacun sa valise. Et puis il y avait des animaux ; sur l'arche. Oui, parce que j'ai oublié de dire qu'il y avait un radeau bricolé cahin-caha. Quelqu'un assurait un service de ramassage ; il portait un costume d'aigle, et c'est lui qui avait la responsabilité de l'embarcation ; en tout cas il courait dans tous les sens ; il mettait fin aux querelles à bord, il lançait une rame entre les fauves et les wombats, il séparait les ours et les oiseaux qui piaillaient. Il y avait même des gens qui arrivaient à la nage pour monter à l'abordage de l'arche. Ils essayaient de maintenir leurs valises au-dessus de l'eau ; leurs enfants coulaient.

Arche et rivière traversaient une ville. L'homme au costume d'aigle accueillait d'étranges animaux à bord. Des vaches s'étaient glissées parmi eux, échappées de l'abattoir. Un taxi entrait dans la rivière.

Siggy disait aux vaches : « Je suis vraiment désolé, mais on a déjà un couple de bovins. C'est très arbitraire, je sais. »

Le taxi flottait toujours. Un nombre invraisemblable de passagers en descendaient, en faisant du sur place dans l'eau. Quelqu'un donnait un pourboire au taxi ; il coulait avec sa voiture.

Et puis, moi aussi, je regardais ; je m'avançais dans l'eau en tenant ma valise au-dessus de ma tête ; mes compagnons de course bavardaient.

L'un d'entre eux disait : « Il n'y a aucune preuve que le chauffeur ait été Zahn Glanz. – Zahn Glanz ou un autre, vous lui avez donné un pourboire qui l'a chaviré ! » disait une femme, et tout le monde riait.

Quand j'arrivais au niveau de l'arche, Siggy me disait : « Désolé, on a déjà un couple d'humains. » Et moi : « Allez, Sig, bon sang, un peu d'humour ! – Si tu es vraiment avec moi et les animaux, tu peux monter à bord. » Mais comme un ours oriental féroce protestait, il ajoutait : « Je parle sérieusement. On peut pas abandonner le bateau. »

A ce moment-là, Gallen a passé son bras autour de ma taille, et elle m'a entraîné au fond.

– J'ai réfléchi où on pourrait aller, Graff, disait-elle.

– Ça va, je suis avec toi ! j'ai crié en sortant du sac comme un diable de sa boîte pour me blottir dans ses bras et dans le maillot de foot qui balançait.

– Graff ? Graff, je viens de te dire que j'ai réfléchi où on pourrait aller.

– Eh ben, moi aussi, je lui ai répondu en m'accrochant à elle.

J'avais les yeux écarquillés. Je comptais les rayures du maillot. C'était de larges rayures ; il y en avait deux blanches et une rouge depuis le col jusqu'à la naissance de ses seins, qui dérangeaient les horizontales ; et cinq rouges et quatre blanches depuis ses seins jusqu'à l'ourlet, en haut de sa cuisse. J'y ai posé ma tête.

Ces rayures, pour s'endormir, c'était mieux que des moutons.

« Ou bien des morses, Graff, disait Siggy, quelque part. Des morses qui batifolent, qui se roulent dans l'eau. – Ça va, ça suffit. Je suis avec toi ! »

– Ben, évidemment, Graff, a dit Gallen.

## Des projets

Juste avant la tombée de la nuit, j'ai retrouvé la forme et j'ai marché longtemps vers l'amont à la recherche d'un bon coin pour pêcher ; un coin où je pourrais m'enfoncer assez avant pour lancer mon fil dans les trous d'eau entre les rochers de l'autre rive. Là, j'arrivais facilement à récupérer mes prises. Pendant ce temps, Gallen allait à Singerin chercher de la bière.

Avant même son retour, j'avais mis le feu en route, et j'avais six truites toutes prêtes pour la poêle de Freina et ses mille parfums d'hier.

J'avais les idées claires : rien de tel que de tirer des plans sur la comète pour trouver de l'argent ; ça dispense d'autres plans, plus vagues...

On avait parlé du prochain cap ; Gallen pensait qu'il valait mieux choisir Vienne, parce que je connaissais les coins où on pourrait trouver du boulot – cela dit, à mon avis, c'était surtout parce que depuis son aperçu de Mariazell, elle rêvait de vivre à la ville. J'avais peur que ça la rende collante, mais il fallait bien reconnaître que Vienne semblait être le meilleur endroit pour trouver du boulot. Ce qui ne m'a pas empêché de lui faire ressortir que c'était aussi l'endroit où chercher ce fameux boulot à la gomme nous reviendrait le plus cher. Et la somme qui nous aurait fait deux semaines à la campagne nous suffirait tout juste pour cinq ou six jours à Vienne, si on avait l'intention de se loger et de manger. On pouvait toujours sortir de la ville le soir, et camper dans les vignobles – à condition que les chiens de garde nous bouffent pas. Mais pour ce qui était de la pêche à la truite, à Vienne, c'était râpé.

Mais enfin, d'un autre côté, dans la nature, comme ici, il y avait trop de cachettes pour ces choses, là, qui me sautaient à la figure. On rêvasse moins en ville, c'est certain ; et ça, c'était toujours autant de gagné pour Hannes Graff.

Et donc, dimanche soir, après dîner, on en a reparlé en buvant nos bières.

– J'ai réfléchi, a dit Gallen.

Ça, ça peut pas te faire de mal, je me disais ; surtout si tu t'en tiens aux détails pratiques. Et puis ces préoccupations immédiates semblaient l'avoir distraite de son premier éternuement. Et, à mon avis, personne n'a intérêt à s'appesantir sur ce genre de questions.

– L'ennui, Graff, elle a dit avec componction, si toutefois j'ai bien compris, c'est qu'il nous faudrait plus d'argent qu'on en a maintenant si on veut avoir le temps de trouver du boulot en ville. Il faudrait pouvoir tenir jusqu'à la première paie.

– Tout juste ; tu as mis le doigt dessus.

– Eh ben alors, il y a plus de problème.

Elle a ramené sa tresse auburn sur son épaule pour me la tendre comme un maraîcher qui vous fait voir ses fruits et légumes.

– Euh, oui, ils sont très beaux...

– Eh ben, je vais les vendre ! Ça rapporte un maximum de vendre ses cheveux pour faire des perruques.

– Les *vendre* ? j'ai dit.

Ça me paraissait être une forme de prostitution particulièrement perverse.

– Il suffira de se trouver un grand coiffeur dans une banlieue chic.

– Comment tu as entendu parler des perruquiers ?

– C'est Keff qui m'en a parlé.

– Keff ? Ah, l'enfrotté ! Mais qu'est-ce qu'il en sait, lui ?

– Il était à Paris pendant la guerre. Il m'a dit que ça marchait très fort, même à l'époque, les femmes qui vendaient leurs cheveux.

– Pendant la guerre, à Paris ? J'aurais plutôt cru qu'ils les arrachaient, les cheveux !

– Certains, peut-être, mais en tout cas à présent c'est un commerce très chic. Et c'est avec du cheveu naturel qu'on fait les plus belles perruques.

– Keff t'a dit qu'il avait vécu à Paris ?

– Oui, c'est venu un jour qu'on parlait de mes cheveux.

– Tiens donc !

J'essayais de me figurer Keff à Paris. Ça n'était pas joli à voir ; je me le représentais comme un jeune malabar qui la ramenait. Dans le commerce des cheveux de femme, d'un façon ou d'une autre. En dehors de ses heures de service.

– Oui, enfin, on parlait d'argent aussi, c'est comme ça qu'il a été question de mes cheveux.

– Il voulait les acheter, lui ?

– Mais non. Il a seulement dit que j'en tirerais un bon prix si on était dans le besoin.

Et elle a passé sa main dans ses cheveux comme elle aurait caressé un chat.

– Mais je les adore, moi, tes cheveux.

– Tu m'aimerais plus si je les avais pas ?

Elle les a ramenés sur son crâne, ce qui lui dégageait les oreilles et la longueur de la nuque. Ça lui faisait un plus petit visage, des épaules plus menues ; elle paraissait plus fragile encore. Je me suis dit : Hannes Graff, espèce d'enfrotté, elle couperait ses cheveux pour toi, cette petite.

– Moi ? Je t'aimerais la boule à zéro, j'ai dit, bien persuadé du contraire.

Je la voyais chauve, le crâne luisant ; elle avait son casque, elle aussi, tacheté d'insectes cueillis par la vitesse, piqueté comme un noyau de pêche. J'ai pris sa tresse dans mes mains.

La voix de Siggy s'est élevée du feu, coupante : « Allez, fini de rigoler, la totale, je vous prie. » J'ai laissé tomber la tresse.

Gallen a bien dû remarquer que j'avais les yeux dans le vague ; elle m'a dit :

— Graff ? C'est pas que tu veux pas aller à Vienne, hein ? Non, parce que si tu préfères aller dans un endroit que tu as jamais vu — enfin si tu veux pas revoir tous ces coins qui te rappellent des souvenirs, ou qui pourraient t'en rappeler, moi, ça m'est égal, hein. Moi, je me disais seulement que ce serait mieux pour gagner de l'argent, à long terme.

A long terme, comment ça à long terme...?

— Tu comprends, ça nous suffirait tout juste pour nous trouver un toit. Peut-être seulement une chambre, au début.

Au début, comment ça, au début... ? Oh, misère de moi, elle, elle a des projets d'avenir !

— T'aimerais pas avoir une chambre avec un grand-grand lit dedans ? elle m'a demandé en rougissant.

Moi, les projets de cette petite, je les trouvais dangereux. Le flou, le long terme, ça marche jamais. Il fallait surtout pas trop prévoir à l'avance, j'en étais sûr.

— Bon, écoute, allons déjà à Vienne, et trouvons du boulot, l'un ou l'autre ou tous deux. Après on pourra peut-être faire ce qui nous plaira. On aura peut-être envie d'aller en Italie, j'ai dit, plein d'espoir.

— Bon, mais moi j'aurais cru que ça te plairait d'avoir une chambre avec un lit.

— Bah, on verra bien. Qu'est-ce que tu as, tu aimes plus notre duvet ?

— Mais si, bien sûr, mais on peut pas dormir à la belle étoile toute la vie, tu sais.

Parle pour toi. Et puis il a jamais été question de toute la vie pour quoi que ce soit.

— C'est vrai, c'est juste une question de sens pratique » — en disant ça elle me rappelait trop sa Tratt de tante — « dans quelques mois, ce sera le retour du froid ; on peut pas dormir à la belle étoile et faire de la moto dans la neige.

Là, j'ai été frappé par la vérité de ce qu'elle disait. Quelques mois ? Mais c'était *avant* les premières neiges qu'il fallait que je m'en aille vers le sud. Subitement, voilà que le temps entrait en compte dans tous les projets envisageables, et les autres. Par exemple, demain, on serait le lundi 12 juin 1967. Une sacrée date. Ça ferait une semaine que Siggy avait quitté Waidhofen sous la pluie, laissant derrière lui le cheval et la carriole du laitier, pour filer droit sur le zoo de Hietzing. On était dimanche, il se trouvait à Kaprun avec le vieux Trummer ; l'un à l'horizontale, l'autre assis, au-dessus des dîneurs de la *Gasthof Enns*.

– Écoute, on part pour Vienne demain matin à la première heure, j'ai dit.

Et je pensais : Peut-être qu'il va pleuvoir, comme il y a une semaine.

– Tu connais les banlieues résidentielles où on pourrait trouver un coiffeur chic ?

– Je connais qu'une seule banlieue. Ça s'appelle Hietzing.

– C'est dur à trouver ?

– C'est sur le chemin du centre-ville.

– Bon, alors c'est facile.

– C'est là que se trouve le zoo.

Gallen n'a plus rien dit.

« C'est le destin qui nous guide », a lancé Siggy depuis le feu de camp.

Marre de ce mythe ! C'est moi qui décide.

– Allez, Graff, a dit Gallen sans me prendre au sérieux, arrête un peu. On est pas obligés d'aller au zoo.

– Mais ce serait dommage d'aller à Vienne sans voir les effets du printemps sur le zoo.

Et quoique les animaux n'aient eu que la première garde pour dormir, je les ai tous vus tendre leurs oreilles variées à mes paroles.

Non, là, les animaux, il y a maldonne. Inutile d'entretenir de faux espoirs. Je viens seulement pour regarder. Rien à faire, ils étaient tous réveillés, les yeux écarquillés derrière leurs barreaux, accusateurs. J'ai crié tout fort :

– On se rendort !

– Quoi ? Graff, qu'est-ce que tu as, tu veux avoir toute ta tête pour réfléchir ? Je vais aller dans le bois, si tu veux être tout seul, si tu veux pas me parler ou quoi.

Mais moi, je me suis dit : Tu vas sacrifier tes cheveux pour moi, alors pour l'amour du ciel, ça suffit largement ! Alors je l'ai attrapée comme elle essayait de se relever pour s'en aller. J'ai enfoui ma tête sur ses genoux, et elle a soulevé le maillot de foot pour me mettre à l'abri, joue contre son petit estomac tiède entre ses côtes. Elle me serrait contre elle ; elle était vivante ; des petites pulsations ténues partout.

Graff le déphasé, je me suis dit, tu es prié de revisser tes boulons. Cette petite si vivante va pas tenir le coup si tout la lâche.

## Encore des projets

A la sortie de Hütteldorf-Hacking, aux environs de Hietzing, on a trouvé un coiffeur de luxe, nommé Orestic Szirtes, gréco-hongrois, ou bien ougro-grec. Son père, nous a-t-il dit, s'appelait Zoltan Szirtes ; sa mère, Nitsa Papadatou avait été une beauté dans son jeune temps. Elle trônait dans le meilleur fauteuil du salon et nous considérait.

— Mon père nous a quittés, a dit Orestic.

Pas pour aller déjeuner, à en juger par la façon dont Nitsa née Papadatou secouait sa crinière d'un noir lustré dans un tintement de bijoux sur sa longue robe noire ; son décolleté audacieux offrait une plongée vertigineuse sur ses seins encore fermes, gros comme des fesses. Oui, ça avait dû être une beauté.

— Vous achetez les cheveux ? a demandé Gallen.

— Et pour quoi faire ? C'est pas ce qui manque. On en a plein le plancher, a dit la mère Nitsa.

Il n'en était rien, en fait. L'endroit était très classe. En passant la porte, on distinguait un parfum discret et luxueux, même s'il se faisait plus musqué aux abords de Nitsa. Les seuls cheveux du plancher se trouvaient sous son fauteuil, comme s'il avait été interdit de balayer sous elle quand elle trônait au salon.

— Cette jeune fille veut dire pour faire des perruques, maman, a dit Orestic. Bien sûr que nous achetons les cheveux. »

Il a touché la tresse de Gallen et lui a donné une sorte de

pichenette, comme pour voir comment elle allait réagir. « Ah oui, ils sont magnifiques, a-t-il conclu.

– C'est bien mon avis, j'ai dit.

– Le cheveu jeune, c'est ce qu'il y a de plus beau, il a ajouté.

– Eh bien, vous êtes servi.

– Mais ils sont roux, s'est écriée Nitsa, choquée.

– D'autant plus recherchés, j'ai affirmé tandis qu'Orestic caressait la tresse.

– Combien ? a demandé Gallen, femme d'affaires affranchie, une vraie requine d'eau douce.

Orestic considérait sa tresse. Ses cheveux à lui étaient lisses et brillants comme les joncs noirs d'un marais. Je suis allé faire un tour du côté des têtes coupées de la vitrine ; toutes portaient perruque et collier ; leurs nez retroussés n'avaient pas de narines.

– Deux cents schillings, a dit Orestic. Pour ce prix-là, en plus, je lui retouche sa coupe, je la coiffe comme elle veut.

– Trois cent cinquante, j'ai proposé. Dans votre vitrine, le premier prix c'est sept cents schillings.

– Peut-être, mais si vous croyez que c'est une petite affaire de fabriquer une perruque. Il n'y a pas de quoi en faire beaucoup plus d'une avec ses cheveux à elle.

En disant ça, il chassait la natte de Gallen.

– Trois cents, alors ? j'ai répété.

– Deux cent cinquante et je lui perce les oreilles, a offert Nitsa.

– Lui percer les oreilles ?

– Maman perce les oreilles. Tu en es à combien, maman ?

Elle doit les serrer dans sa commode, je me suis dit.

– Oh, il y a longtemps que j'ai cessé de compter », a répliqué la vieille Nitsa. Puis à Gallen : « Alors, qu'est-ce que vous en dites ? Deux cent cinquante avec les oreilles ?

– Graff, j'ai toujours voulu me les faire percer et encore plus maintenant, à la ville… !

– Pour l'amour du ciel, je lui ai dit tout bas, ici, ils vont te les couper carrément. » Et à Orestic : « Trois cents, sans les oreilles.

— Et vous me coifferez après ? D'accord ?

Gallen faisait danser sa tresse sur son épaule ; elle fascinait le pauvre Orestic comme un serpent : le charmeur charmé.

— D'accord.

Mais Nitsa, née Papadatou, a craché sur le sol.

— Tu n'es qu'un faible, comme ton misérable de père ! Tu n'as aucune tenue.

Elle s'est redressée dans son fauteuil royal et s'est tapoté la colonne vertébrale. Elle, elle avait de la tenue, en tout cas. Elle bombait l'avant-scène en signe de dédain ; son prodigieux décolleté s'ouvrit et se referma à plusieurs reprises, sous l'effet de l'indignation.

— Maman, je t'en prie, a imploré Orestic.

Mais lorsqu'il a fait passer ma Gallen dans le fauteuil vacant, qui était plus modeste, j'ai été bien content de trouver Nitsa pour me distraire les yeux. Je souffrais de voir Orestic dénouer fébrilement la tresse de Gallen, brosser sa chevelure, la faire bouffer, l'étaler dans un bruissement de soie sur le dos du fauteuil, presque jusqu'au siège. Ensuite, il l'a ramassée sur son crâne, et, d'un geste sûr et puissant, il l'a brossée en avant pour tirer dessus, comme s'il lui demandait de pousser encore de quelques centimètres avant de la faire sienne. J'étais assis juste derrière Gallen, de sorte que, Dieu merci, je ne pouvais pas voir son visage dans la glace. J'ai été soulagé de ne pas voir son regard quand Orestic a ramassé ses cheveux en queue de cheval pour les couper à ras, ou peu s'en faut. Je regardais la glace de biais pour y saisir le panorama du décolleté nitséen.

Orestic a fait sauter la queue de cheval auburn ; soudain j'ai eu le frisson, comme si je venais d'assister à une décollation ; Gallen avait porté les deux mains à son cuir chevelu. Orestic le preste a posé la chevelure sur un coussin dans la vitrine, et il est revenu danser autour de Gallen ; son rasoir faisait *tsik tsik* au-dessus de ses oreilles et de sa longue nuque nue.

— Et maintenant qu'est-ce qu'on fait ? On laisse une frange ou pas ?

— Non, pas de frange, a dit Gallen.

Il a coupé un peu, mais laissé assez de cheveu pour brosser en avant ; il dégageait le front, couvrait seulement la pointe de l'oreille et laissait l'épaisseur dans la nuque tout en ramenant un peu le volume. Il faut dire qu'à la racine le roux était encore plus flamboyant.

– On va pas les désépaissir. On va leur laisser tout leur volume. » Il en a pris une poignée, comme pour l'arracher. « Ah, qu'ils sont drus ! Ça c'est une toison !

Il jubilait. Mais Gallen fixait son nouveau front ; de temps à autre elle glissait un regard sur ses joues, là où ses oreilles ressortaient à présent.

C'était de la voir tourner dans ce fauteuil à vis qui m'avait déconcerté, je pense. Je me disais maintenant que ce n'était pas si mal, en fait ; la belle architecture de son visage, la délicatesse de son cou la sauvaient de la disgrâce. Orestic a commencé à la faire tourner dans le fauteuil pour les dernières retouches.

– Vous voyez ? m'a-t-il dit avec fierté. Quelle régularité, partout ?

Et il s'est mis à la faire tourner un peu plus vite ; son visage apparaissait par éclairs dans le miroir qui me le renvoyait, des deux côtés du fauteuil, comme si nous étions soudain dans un salon de barbier plein de clients tous en train de tourner jusqu'au vertige et de barbiers fous, menés à la baguette par la vieille pythonisse sur son trône. C'était bizarre ; j'ai laissé flotter mes yeux.

Mais alors il lui a fait un shampooing, et avant que j'aie calculé depuis combien de temps je regardais les clients tourner à s'arracher les cheveux, il l'a fourrée sous un grand séchoir chromé. Il lui a tiré un peu la tête en arrière, elle me tournait le dos, je regardais luire le dôme bourdonnant.

« J'avais seulement demandé la barbe, a dit quelqu'un. Vous appelez ça une coupe, vous ? » Je ne sais comment, le décolleté de Nitsa s'étalait partout, reflété par la coupole du casque de Gallen.

– Et vous, vous ne voulez pas vous faire percer les oreilles ? m'a demandé Nitsa. Enfin, je sais bien qu'en général les hommes n'en percent qu'une.

– Mais pas en Autriche, voyons, maman, a dit Orestic.

Et le petit Hugel Furtwängler, brandissant son fanion du syndicat des coiffeurs, s'est mis à reluquer entre les perruques de la vitrine. « C'est un fou, criait-il, c'est lui qui a voulu ! »

Allons bon, je décolle, je me suis dit. C'est à cause de la chaleur du séchoir ; c'est malsain.

Nitsa Szirtes tirait un peu sur sa robe pour dégager ses seins, et soufflait discrètement dans le sillon.

Ensuite, j'ai demandé à Orestic :

– Vous êtes ici depuis longtemps ou seulement depuis la guerre ?

– On est venus avant la guerre, on est venus après guerre. Son père, Zoltan, nous a fait faire la navette entre ici et la Hongrie, a expliqué la mère Nitsa, un triste pays, croyez-moi.

– Mon père nous a quittés, a rappelé Orestic.

– C'était un crasseux plein de poils, a dit Nitsa.

– Maman, je t'en prie !

– Je n'aurais jamais dû quitter la Grèce, a dit l'ex-miss Papadatou.

– Oh oui, nous sommes ici depuis un moment, a poursuivi Orestic, en tirant du dôme luisant la tête sèche et réduite de Gallen.

Il lui a demandé de la garder en arrière pendant qu'il brossait furieusement sa chevelure. J'étais situé bizarrement par rapport au dossier incliné du fauteuil de Gallen ; tout ce que je voyais de son visage, c'était l'arête aiguë de son nez. Plus ce que je voyais dans le reflet déformant du séchoir : son oreille agrandie.

Qui a rougi lorsqu'elle m'a entendu demander à Orestic :

– Vous étiez là quand ce fameux type est entré dans le zoo pour libérer les animaux ?

– Ha ! Il s'est fait bouffer ! a dit Nitsa.

– C'est exact, j'ai confirmé.

– Mais nous n'étions pas ici, maman, a glissé Orestic.

– Ah non ?

– Nous étions en Hongrie.

– Mais vous en avez entendu parler, manifestement.

– Nous étions en Hongrie au moment de tous ces événements.

– Quels autres événements, par exemple ?

– Comment voulez-vous que je le sache, nous étions en Hongrie.

– Alors nous avons dû être bien malheureux, a dit Mama Nitsa, avec ce crasseux plein de poils.

– Et voilà, a dit Orestic.

Gallen s'est touché nerveusement le haut de la tête.

– Eh bien, ça nous fait deux cent cinquante, a dit Mama Nitsa.

– Trois cents, j'ai rectifié.

– Trois cents, maman, sois honnête.

– Tu n'es qu'un faible ! elle a craché avec dédain.

Un faible comme le malheureux crasseux plein de poils, sûrement. Le pauvre Zoltan Szirtes devait se retourner dans sa tombe à l'entendre ainsi salir sa mémoire – s'il avait une tombe, s'il l'occupait, et si on peut vraiment se retourner dans une tombe.

« Tout est possible », a lancé Siggy par le dôme luisant du séchoir, ou par la boîte de Keff dressée le long de la moto du Grand Prix.

J'ai consulté ma montre. De nouveau, le temps faisait partie intégrante de ma vie. Il était presque l'heure du déjeuner, en ce lundi 12 juin 1967. Nous pourrions donc être parfaitement à l'heure si nous partions tout de suite, garions la moto au niveau de la place dans la Maxing Strasse, pour aller ensuite au café du serveur des Balkans et nous retrouver au zoo cet après-midi.

Nous étions sûrs de retrouver les conditions mêmes qui étaient décrites dans les carnets une semaine auparavant.

– J'aime bien tes cheveux, Gallen, j'ai dit.

Elle était un peu honteuse, mais elle faisait la fière. Sa nouvelle chevelure lui enserrait la tête, comme un bob.

Et pour faire la dégagée, sans réfléchir aux mots qu'elle employait, elle m'a demandé avec enjouement :

– Tu as des projets pour tout de suite ?

Ce qui a forcé ma cervelle encombrée à reconnaître que j'en avais bien au moins un.

## Mon retour n'échappe pas aux radars des animaux

J'ai descendu la Maxing Strasse pour me garer en face du parc Maxing.

— C'est le zoo, ça ?

— Non, il est à une ou deux rues après la place.

— Pourquoi on se gare si loin, alors ?

— Ça nous fera une promenade.

Pendant qu'elle tripotait sa nouvelle coupe dans le rétroviseur en appuyant les mains sur ses oreilles pour essayer de les aplatir, j'ai défait notre sac et notre duvet, et j'ai réuni toutes nos affaires en une grosse boule, avec les deux casques au sommet. Puis je me suis glissé dans les profonds fourrés du parc pour y cacher tout notre bazar.

— Pourquoi tu défais les affaires, Graff ?

— Tu voudrais pas qu'on nous les pique ?

— Mais on en a pas pour bien longtemps, si ?

— Oh, par les temps qui courent, on se fait voler comme au coin d'un bois ! j'ai répondu en glissant subrepticement les carnets dans ma chemise.

Simple question de bon sens ; s'il existe un manuel qui explique le boulot qu'on va faire, il faut pas l'oublier en route.

— Oh, c'est joli, par ici ! s'est exclamée Gallen.

Nous sommes passés devant le Tiroler Garten, et j'ai dit :

— Il y a pas loin de deux kilomètres de mousse et de fougères là-dedans, on peut marcher pieds nus.

— Ben alors c'est comme à la campagne », elle a dit, déçue. Elle a été bien plus impressionnée par l'entrelacs des fils du tram, au-dessus de nos têtes, quand nous sommes arrivés sur Maxing Platz. « C'est ça, le café dont tu parles ?

Et comment, c'était ça ; mais nous étions côté zoo, et je ne pouvais donc pas distinguer le serveur des Balkans au milieu des autres vestes blanches qui vaquaient à la terrasse.

Nous étions sur le point de traverser quand j'ai entendu un grand félin dans notre dos, donner le signal des rugissements.

– C'est quoi ? a demandé Gallen.

– Un lion. Ou un tigre, un léopard, un puma, un cougar, un jaguar, un guépard ou une panthère.

– Oh là là, tu peux pas dire un fauve, comme tout le monde !

Mais, tout d'un coup, mon impatience a été trop grande pour que je me soucie de cet enfrotté de serveur. En plus, malin comme il était, il aurait été fichu de me faire vendre la mèche. Alors j'ai dit :

– Il y a une meilleure terrasse à l'intérieur du zoo. C'est un *Biergarten,* autre chose que ce café.

Peut-être que je l'ai fait tourner un peu trop vite, peut-être que je me suis mis à aller au pas de charge. Toujours est-il qu'elle m'a demandé :

– Tu es sûr que ça va, Graff, hein ? Tu penses vraiment que tu fais bien de revenir ici ?

Pour toute réponse je l'ai tirée par la main ; j'aurais été incapable de la regarder. Je pense que je l'aurais vue sans défense, et j'étais persuadé de trouver un meilleur moment pour lui annoncer mon projet.

– Ben voyons, le zoo de Hietzing !

Il était toujours derrière son enceinte de pierre. C'était toujours un type avec une visière de joueur professionnel qui donnait les tickets dans sa guérite au-dessus de laquelle se profilait la girafe au long cou.

– Oh, regarde-la, Graff, qu'est-ce qu'elle est belle !

– Oui, eh ben, regarde son menton, il est tout râpé à force de frotter contre la palissade.

– Oh, regarde comment elle se déplace ! » Gallen ne voyait même pas que la captivité abîmait le menton de la pauvre girafe. « Oh, qu'est-ce qu'il y a là-dedans, elle a dit en courant vers le bassin du morse.

Oui, hein, qu'est-ce qu'il y a ? je me disais. Elle était trop gaie ; je ne supportais pas de la voir se balader si heureuse au bord du trou d'eau visqueuse de ce mégaroteur.

— Il parle ? m'a demandé Gallen, sa nouvelle frimousse radieuse. Tu parles, dis ? elle a demandé en se tournant vers le morse : Grrromf ?

Et le morse, qui n'est jamais en reste quand il s'agit de faire des faveurs pour gagner du poisson, lui a accordé un beau rot.

— *Borp !* il a fait.

— Il a parlé ! s'est écriée Gallen.

Il a même été plus loquace que moi, je me disais.

Le carnet devenait moite contre mon ventre ; il me grattait quand je bougeais. Les pages des quarts me rentraient dans le corps. Je me faisais l'effet d'avoir avalé un magazine dont les feuilles en lambeaux bouchaient mes intestins.

— Oh ! s'écriait Gallen à tout hasard en guettant le pensionnaire suivant.

Moi, je me disais : Hannes Graff, tu serais bien inspiré de te débarrasser de tes embarras gastriques. Ce zoo est un endroit où l'on vient pour se faire plaisir, un point c'est tout.

A moins de trois mètres de moi, il y avait justement une poubelle de fer. J'ai tambouriné des jointures sur mon ventre et je me suis dirigé vers elle d'un pas léger — pour la première fois. C'est alors qu'il s'est produit quelque chose du côté de la girafe.

Elle a pris un petit galop ; elle s'est ramenée, son cou géant promenant sa tête par-dessus la palissade, comme une antenne vivante, un genre de radar.

Oh, bon Dieu ! elle me reconnaît, j'ai pensé.

— Qu'est-ce qu'il y a ? a demandé Gallen.

La girafe caracolait, tout excitée. Le morse levait la tête au-dessus de son bassin ; l'espace d'une seconde, il s'est dressé tout droit, et il a écarquillé ses yeux. Des crissements de pattes se sont fait entendre dans tous les enclos et les cages avoisinants. Ma présence ainsi que le pas que j'avais fait en direction de la poubelle passaient dans le bouche à oreille du zoo. Tout là-bas, en plein centre, l'Ours noir d'Asie ébranlait sa cage.

— Mais qu'est-ce qu'il y a ? a répété Gallen.

— Il doit y avoir quelque chose qui a fait peur à l'un d'entre eux, j'ai répondu, vaincu.

— *Borp*, a fait le morse en se dressant de nouveau.

Eh, *borp* toi-même, je me disais.

— *Borp*, il a répété.

Son cou palpitait, il se poussait du col pour me tenir à l'œil. Et pendant ce temps-là, la girafe s'offrait un gros plan sur moi avec le zoom de son cou.

— Il est où ton *Biergarten* ? a demandé Gallen.

Elle mourait d'envie de le voir, cette bécasse !

Et là-bas, près de ce *Biergarten* qu'elle tenait tellement à voir, l'Ours noir d'Asie a assourdi le zoo.

— Oh, mon Dieu ! et ça, c'est quoi ?

— *Borp*, a répondu la machine à roter. Ça, c'est notre terreur de chef à tous !

Le cou de la girafe m'hypnotisait.

— Comment tu as pu faire une chose pareille, ou même y songer ! demandait son radar.

— *Borp*, a fait le morse, qui commençait à me soûler, et O. Schrutt, alors, tu l'oublies ?

— Allez, viens, Graff, m'a dit Gallen en me tirant par le bras.

Je n'y voyais même plus clair et, en titubant jusqu'au *Biergarten*, j'ai eu devant les yeux mon cinglé de footballeur. Le Célèbre Ours noir d'Asie, qui ne tenait pas à ce qu'on oublie O. Schrutt, surveillait la trajectoire de la balle, il la précédait, il fonçait bille en tête ; il semblait bien avoir une longueur d'avance sur moi ; il allait l'intercepter avant moi.

Il fallait longer le Complexe des singes, puisque c'était comme ça ; la vitesse à laquelle cet enfrotté d'Ours courait me brouillait la vue. Des profondeurs de ma gorge, le cri est monté, tout doucement d'abord, « aii, aii », et puis il s'est mué en hurlement :

— Aii, Aiii !

— Graff, qu'est-ce qui t'arrive ?

— Aiiii, Aiii ! ont fait un singe ou deux, champions de l'imitation.

Et Gallen s'est mise à rire ; toutes ses défenses étaient

tombées ; je la trouvais bien plus vulnérable encore que je l'aurais imaginée ; je n'en revenais pas.

— Je savais pas que tu savais parler aux singes, elle m'a dit en me prenant le bras.

Mais moi, je pensais : Non, erreur, c'est eux qui savent me parler ; pour me faire entrer dans leur bande.

## De Charybde en Scylla

Les Ours à lunettes, spécimens rares, se sont redressés, les yeux ronds, pour me regarder, confortablement assis dans le *Biergarten* avec une nouvelle partenaire. Gallen était auréolée d'un éclat lie-de-vin ; sa nouvelle nuque pâle lui piquait peut-être sous le soleil qui tombait d'aplomb. Elle était assise à l'extérieur du parasol Cinzano, elle s'était écartée de la table pour me voir de loin, atterrée qu'elle était.

— Tu es en train de me dire que tu as l'intention de le faire depuis le début ? Mais alors tu m'as piégée, en m'entraînant avec toi ?

— Non, pas tout à fait. Pas du tout, même. Je sais pas quand j'ai su que j'allais mettre son plan à exécution.

— Tu es en train de me dire que tu vas passer la nuit à crapahuter ici, que tu vas les lâcher, tous ? Quand je pense que c'est toi qui m'as dit que c'était une idée de dingue ! Non, parce que tu me l'as dit, Graff ! Tu étais bien d'accord pour dire qu'il fallait être dingue pour avoir une idée pareille.

— Non, pas tout à fait », j'ai dit, avec cette salfotrerie de carnet qui me remontait sous la chemise comme un gueuleton qui veut pas passer. « Non, pas du tout, même. Enfin, c'est-à-dire, oui, je pense que c'est une idée de cinglé, je pense qu'il a perdu la boule dans cette histoire. Mais n'empêche qu'on peut faire ça proprement. Et sur le fond, je trouve que c'est une idée qui tient debout.

— T'es dingue, toi aussi.

– Non, pas tout à fait. Non, non, pas du tout en fait. Je pense simplement qu'on peut s'y prendre d'une manière raisonnable. A mon avis, son erreur, c'était de se figurer qu'il pouvait les lâcher tous. Non, alors là, tu vois, c'est tout le problème. Il faut établir une sélection raisonnable. Mais bien sûr, je suis parfaitement d'accord, faudrait être fou pour vouloir les lâcher tous. Ça serait pas gérable, je suis bien d'accord.

– Graff, Graff, tu te mets même à parler comme lui, maintenant. C'est vrai, hein. De plus en plus, j'ai bien remarqué. Je crois l'entendre.

– Bon, écoute, moi j'ai pas fait attention. Et puis même ? C'est vrai, il allait trop loin, je suis le premier à le reconnaître. Mais on peut replacer les choses dans une perspective plus juste, à mon avis. Voilà, moi, ce que je pense, c'est qu'on peut voir la situation sous un nouveau jour. Ça peut être assez marrant, si c'est fait avec goût.

– Marrant, je te crois. Avec goût, et comment ! Toutes ces mignonnes bestioles qui vont se bouffer entre elles et bouffer le monde, oui, ça doit être marrant. Et ça manque pas de goût, tiens !

– Une sélection raisonnable, Gallen, j'ai répété.

Je n'allais pas me laisser distraire par une scène de ménage.

– Oh ! tu perds complètement la tête, Graff. Je vois que ça. Et moi, elle a ajouté en se levant, je reste pas une minute de plus ici.

– Tiens donc ! Et tu vas où, comme ça ?

– Oh, regarde. On en est déjà à se disputer !

Elle plaquait ses mains sur ses oreilles, elle ne risquait pas d'avoir oublié que j'étais cause de leur dénuement. J'ai fait le tour de la table et je me suis accroupi auprès d'elle. Elle, elle s'est recroquevillée, en reniflant dans sa main.

– S'il te plaît, Gallen, réfléchis-y, ne serait-ce qu'une minute.

– Moi, je sais pas, je voulais, je voulais aller faire les boutiques avec toi ; je l'ai jamais fait.

– Mais écoute, rien que quelques-uns, des tout doux. Rien que pour mettre un peu la trouille à O. Schrutt.

Elle a secoué la tête.

— Tu penses même pas à moi. Tu m'as prise, c'est tout, elle a murmuré comme au mélo. Tu m'as eue ! Tu m'as menée en bateau, elle m'a dit d'un ton accusateur, avec de ridicules moulinets des coudes.

— Eh, va te faire.

— T'es dingue ! T'es dingue et t'es vache !

— Eh ben d'accord, ça va. » Et moi aussi, j'y suis allé de mon couplet mélo : « Siggy est mort, Gallen, et je l'avais jamais pris au sérieux, on avait même jamais réussi à avoir une vraie discussion. » Mais ce n'était pas vraiment ce que je voulais dire. J'ai rectifié : « J'ai jamais vraiment su qui il était. C'est vrai, quoi, je l'ai jamais connu, ce qui s'appelle. » Mais là non plus, il n'y avait pas de suite logique. Alors j'ai dit : « Tout avait commencé joyeux, léger, facile ; on avait pas d'idée préconçue sur l'itinéraire. On a jamais été intimes, d'ailleurs, ni sérieux. Elles faisaient que commencer, nos aventures.

On ne pouvait pas dire que la conclusion s'imposait, là encore. Alors, je n'ai plus rien dit.

— Je vois vraiment pas qui aurait pu prendre Siggy au sérieux.

— Mais je l'aimais bien, moi, petite garce ! C'était son idée. Peut-être bien qu'elle était dingue. Et peut-être bien que moi aussi je suis dingue.

Mais, à ce moment-là, elle a pris ma main, et elle l'a glissée sous le maillot de foot, contre son petit ventre dur et chaud ; elle s'est adossée au fond de son fauteuil, en tenant ma main contre elle.

— Non, non, Graff, t'es pas dingue, va. Moi, je le crois pas. Je te demande pardon. Mais moi, je suis pas une petite garce non plus, dis ?

— Bien sûr que non, et c'est moi qui te demande pardon.

Elle a gardé ma main contre elle longtemps, comme si elle me disait la bonne aventure contre son ventre.

Tout est possible.

— Oui, mais qu'est-ce qu'on fera après, Graff ?

— Tout ce que je veux, c'est en finir avec ça.

— Oui, mais après ?

— Ce que tu voudras, j'ai dit, et je l'espérais sincèrement. On ira en Italie. T'as déjà vu la mer ?

— Non, jamais. N'empêche, pour de vrai, ce que je voudrai ?

— Tout ce que tu voudras. Je veux seulement en finir avec ce qui m'attend ici.

Elle était assise dans son fauteuil, une confiance ! ma main nichée dans son giron.

Et les Ours à lunettes se sont détendus, eux aussi ; ils se sont affalés à leur manière, l'un contre l'autre et contre leurs barreaux, comme si ce n'était pas tant l'issue de notre dispute qui les intéressait, mais plutôt qu'elle soit liquidée, même de manière simpliste.

Leurs soupirs semblaient dire : Oh, ne vous battez pas entre vous. Faites-nous confiance. C'est très mauvais quand on est à l'étroit. On découvre vite que l'autre, c'est tout. Ils s'étreignaient passivement.

Mais moi, je me disais : C'est bizarre. Il y a quelque chose qui cloche. On n'est pas dans les dispositions qu'il faudrait. Il faut rendre à cette entreprise joie et bonne humeur. Mais pour leur rendre justice, à l'un ou à l'autre, Siggy ou Gallen, je voyais trop d'alternatives.

Pour tenter le casse du zoo, je n'avais pas encore le moral. Je m'exécutais comme on en finit avec quelque chose, je l'avais même dit. Siggy aurait réprouvé ce ton misérabiliste : ça devenait un geste minable, un compromis.

Les fauves ont rugi. Mais j'ai pensé : Ah, non, désolé, les fauves, mais je suis pas venu pour vous sortir d'ici. Je sors que les peinards, les inoffensifs. D'ailleurs, les carnets l'indiquent :

*Le moment de la décision représente presque toujours une retombée de l'excitation.*

Et bizarrement, au bout du compte, c'est tout juste si l'aventure semblait en valoir la peine, en tout cas revu et corrigé par Hannes Graff, le sélectionneur raisonnable. Ça n'avait d'importance que si je regardais ma Gallen assise en face de moi : elle méritait bien un minimum de raison, quand même !

Passivement tristes, mais résignés à tout, les Ours à lunettes ont répété leurs soupirs : Au moins, restons unis.

Mais ils avaient trouvé quelqu'un pour les contredire : l'Ours noir d'Asie. Ce n'était pas l'ours du compromis.

Je me suis dit, avec une surprise considérable : Mais c'est vrai qu'ils sont tous différents, ces animaux. C'est comme les hommes, dont la triste histoire montre bien que les différences sont irréductibles. Différents, et même pas égaux, et même pas nés égaux.

Les carnets vous le diront :

*Quelle incomplétude ! Quelle bizarrerie ! Quelle simplicité ! Et puis, aussi, quel dommage !*

Je me suis levé de table ; sur le panneau inférieur du comptoir, le personnel du *Biergarten* avait accroché un vieux miroir de fête foraine, récupéré quelque part ; quand on en avait assez de voir des animaux, on pouvait regarder sous les jupes des morceaux de panties et de cuisses non identifiés. Remarquable. Je m'y suis aperçu, ou plutôt j'y ai aperçu une partie de moi-même, curieusement éclatée, et des parties d'autres gens et d'autres choses. Des pieds de chaises disparates, des chaussures dépareillées. Dans ce miroir étrange, j'étais de bric et de broc, moi ; en vrac sans rapport.

Tandis que le carnet tout moite sur mon ventre, lui, il faisait un tout — une masse compacte de folie garantie sur facture.

— Oh, regarde, j'ai dit à Gallen, ou à la cantonade, rien va avec rien.

Et elle s'est levée pour se voir dans le miroir avec moi ; ses parties tout aussi éclatées que les miennes, mais plus faciles à repérer, au milieu des chaises et des autres éclats de gens. Parce que toutes les parties de son corps étaient belles, fragment miré de sa longue bouche à la lèvre fine, interminable nuque duveteuse, pli du vaste maillot de foot au milieu d'un sein et d'une moitié de l'autre. Elle a ri, pas moi. Elle a dit :

— Par quoi on commence ? » Voilà que, subitement, elle parlait tout bas, dans son enthousiasme et sa confiance en moi ! « On les lâche dans le noir ? Et qu'est-ce qu'on fait du gardien ? » Et pendant que je continuais à regarder mon moi explosé dans le miroir, elle a dit d'un air de conspirateur : « Inutile de nous faire remarquer comme ça, Graff. Tu crois pas qu'il vaudrait mieux nous éclipser pour discuter du plan ?

J'ai regardé le reflet de sa bouche, qui parlait toute seule. Je ne savais même pas si elle me faisait marcher ou si elle était sérieuse. J'ai louché. Dans cette salfotrerie de miroir, j'avais perdu la tête et pas moyen de la retrouver.

## Où nous suivons les instructions

Ça a été facile. Nous avons tourné-viré jusqu'en fin d'après-midi, et puis nous avons effectué des missions de reconnaissance dans la haie en passant le long de l'enclos des Divers Animaux de la savane. Siggy n'avait pas exagéré, la haie était tout à fait douillette. Un moment avant que nous nous cachions derrière pour entendre les balayeurs rappeler les retardataires à l'ordre, j'ai fait voir le Pavillon des petits mammifères à Gallen, non sans remarquer pour ma gouverne une porte close qui devait être celle de l'antre du veilleur de nuit. En somme, nous avons eu le temps de tout repérer avant de nous planquer derrière la haie.

Ma seule déception, c'est que l'oryx s'était retiré dans ses appartements, pour s'y établir un circuit-découverte, peut-être, de sorte que Gallen l'a raté, lui et ses redoutables ballons.

Mais, pour se faufiler en douce, ça a été un jeu d'enfant ; au point qu'on s'amusait bien, allongés contre la clôture, à regarder par les trous hexagonaux les allées et venues des Antilopes assorties et de leur parentèle diverse et variée. Enfin, j'avoue quand même qu'il m'a fallu attendre la nuit close pour me détendre tout à fait.

Vers les huit heures et demie, il faisait noir, et les animaux s'endormaient. Leur respiration s'est faite plus régulière, ils poussaient des petits soupirs d'aise dans leur demi-sommeil. Une patte a fait floc dans une écuelle, il y a eu une brève plainte. Le zoo s'était assoupi.

Mais je savais que le gardien devait faire une autre ronde à neuf heures moins le quart, et je voulais que nous fassions exactement comme Siggy, que nous nous trouvions sur le bord des étangs des Divers Oiseaux aquatiques quand il se mettrait en route.

On n'a eu aucun mal, là non plus. Je trempais mes doigts dans les étangs ; des canards endormis venaient flotter jusqu'au bord, tête sous l'aile, pieds palmés à la dérive. De temps en temps, une palme faisait un battement dans son sommeil. Le canard tournait comme une barque que mène une seule rame et il venait se cogner au rebord ; il se réveillait en sursaut, invectivait le ciment, s'éloignait dans un grand froissement d'ailes et de pattes, s'engourdissait, esquissait un dernier battement et se rendormait. Oh, ils étaient jolis, les rythmes de cette première partie de la nuit.

Je sentais le cœur de Gallen battre dans ma paume, ténu, comme si un elfe glissé dans sa poitrine avait soufflé doucement sur la peau pâle de son sein.

— Comme c'est calme ! Quand est-ce qu'il arrive Schupp ?

— Schrutt, j'ai rectifié en réveillant un canard qui a coassé comme une grenouille.

— Bon, mais quand est-ce qu'il arrive ?

— Il y en a encore pour un moment.

Je regardais le premier gardien du soir, s'étirer et bâiller avec naturel dans la bénigne lumière blanche qui venait de la porte du pavillon.

— C'est le gentil, lui ?

— Oui.

Aussitôt que j'ai répondu, je me suis senti un élan d'affection envers lui — je le voyais se balader dans le zoo, faire des petits claquements de langue à ses meilleurs amis, l'Australien boxeur, et sa horde de zèbres bien-aimés.

— C'est celui qui branche pas le rouge ?

— L'infrarouge. Oui, c'est bien celui-là.

Il est passé par le Pavillon des pachydermes sans faire de bruit pour ne déranger personne, et nous, nous sommes retournés dans notre haie et nous nous sommes blottis contre la palissade, jambes mêlées, les coudes de l'un servant d'oreiller à l'autre, sur les racines.

— Bon alors, ce gardien, il fait une autre ronde à onze heures ?

— Moins le quart, j'ai rectifié.

— Oh bon, ça va, elle a dit en me mordillant la joue. Onze heures ou onze heures moins le quart, qu'est-ce que ça peut faire ?

— Simple détail, mais tout est question de détail.

J'étais bien placé pour savoir que ce sont les détails qui font le plan valable, et non moins bien placé pour connaître la nécessité d'un plan valable.

J'étais en train d'en mettre un au point ; comme pour tout bon plan, je commençais par le commencement, et le commencement, c'était O. Schrutt — estourbissement et mise à gauche du susnommé. Après quoi j'avoue que mes réflexions demeuraient malheureusement un peu générales. Mais sous la haie, j'avais retrouvé mon calme, et Gallen partageait si bien cette retombée de l'excitation, que, du moins, ma mauvaise conscience envers elle diminuait.

Pour tout dire, après la ronde de onze heures moins le quart, alors que le zoo dormait d'un sommeil lourd autour de nous, j'ai commencé à nicher ma tête dans l'épaisseur de sa chevelure drue, je me suis mis à lui donner de petites tapes sur le derrière, autant d'agaceries préliminaires : je trouvais que notre haie était trop douillette pour ne pas en profiter au maximum.

Mais elle s'est détournée de moi et elle a désigné du doigt les trous hexagonaux du grillage où l'on voyait dormir une montagne d'Animaux de la savane, pêle-mêle au centre de l'enclos.

— Pas ici, Graff, on est pas tout seuls, elle a dit.

Alors là, j'ai pensé : Bon, ça commence à bien faire cette histoire de bestioles.

Je me suis senti idiot, même, mais ça m'est passé. Tout à coup, c'est Gallen qui s'est allongée sur moi, avec ses agaceries à elle, et j'ai cru qu'elle avait changé d'avis. Mais elle m'a susurré :

— Graff, tu vois pas comme c'est bien ici ? Qu'est-ce que tu peux bien vouloir changer ?

Elle s'est mise à me grignoter le menton avec une douceur parfaitement abjecte. Si elle croyait m'avoir aussi facilement !

J'avoue que j'ai peut-être eu une attitude hyperdéfensive, je me suis replié au fin fond de la haie. Elle me suivait en chuchotant : « Graff », mais je continuais mon repli stratégique à quatre pattes, le long de la palissade, enfoui dans les broussailles au point qu'elle ne pouvait plus me voir. Alors elle a crié un peu trop fort : « Graff ! »

Dans le Complexe des singes on a entendu comme une volée de coups de bâtons, et puis un animal aux lourds sabots s'est mis à marcher de long en large. Un ou deux fauves se sont éclairci la gorge et Gallen a dit :

— Ça va, Graff, c'était une idée en l'air.

— Une idée dans l'air, oui, depuis le début, j'ai rétorqué en haussant la tête des profondeurs de la haie. C'est uniquement pour me dissuader que tu es restée avec moi.

— Oh, Graff !

Ceux du troupeau de la savane qui étaient encore debout se sont redressés pour détaler vers la palissade d'en face.

— Tais-toi, Gallen, j'ai chuchoté, tout enroué.

— Oh, Graff ! », elle a chuchoté en retour. Je l'ai entendue respirer par saccades, prélude à une bonne crise de larmes : « Écoute, je comprends même pas où tu veux en venir. C'est vrai, pourquoi, tout ça ?

Eh bien, moi non plus, d'ailleurs, je me suis dit. C'est difficile de prendre des décisions, quand on est comme moi, raisonnable. Mais pour les prendre, il y a des petites choses qui aident, comme des marécages là où on s'y attendrait le moins, par exemple.

J'ai tout à coup pris conscience que le zoo était réveillé — et pas à cause des appels étourdis de Gallen. Non, il était bien réveillé. Tout autour de nous, des créatures étaient figées tapies, en équilibre sur trois pattes, anxieusement suspendues à des trapèzes qui crissaient dans le Complexe des singes. En jetant un coup d'œil à ma montre, j'ai réalisé que j'en avais pris à mon aise. Il était passé minuit et je n'avais pas entendu la sonnerie de la relève de la garde, mais, pourtant, le premier gardien était bel et bien parti. Le zoo était aux aguets. J'ai entendu des pas approcher le long de notre haie, j'ai vu ses rangers et ses bas de pantalon rentrés dedans. Et la matraque dans sa gaine si minutieusement cousue à sa chaussure gauche.

Il était trop tard pour avertir Gallen, mais je voyais sa silhouette dressée contre la clôture, ses mains sur ses oreilles ; j'ai vu son profil entrouvrir les lèvres. Dieu merci, elle l'avait vu aussi, O. Schrutt.

Et quand il est passé à notre hauteur en faisant un ou deux moulinets avec sa lampe, déhanché au point que son trousseau de clefs cliquetait sous son aisselle, j'ai risqué un coup d'œil sur l'allée, au ras des buissons : il avançait, martial comme un robot, sa tête et ses épaulettes au-dessus de l'horizon des haies contre la nuit. Il a tourné le coin comme lors d'un défilé ; j'ai attendu ; ses clefs ont tinté dans le *Biergarten* désert.

– Graff ? a dit Gallen en retrouvant sa voix de conjurée, c'était Schupp, lui ?

– Schrutt, je te dis.

Et j'ai pensé : Alors ce fantôme soudain, c'était lui.

La nouvelle de sa réception s'est aussitôt répandue dans tout le zoo comme la pierre ricoche sur l'étang : c'était l'Ours noir d'Asie qui entrait dans sa rage quotidienne. Gallen s'est précipitée vers moi et, lors de la deuxième phase du quart, je l'ai tenue dans mes bras, une semaine jour pour jour après les conclusions déraisonnables du malheureux Siggy. Sous le grand chapiteau du zoo de Hietzing où chacun faisait son numéro à lui, un solo asocial, où je prenais des décisions, il y avait trois possibilités, pas trente-six : le pétard mouillé de ma solution raisonnable, le black-out complet ou le bouquet final, déraisonnable, mais incontestablement concluant qu'exigeait le Célèbre Ours noir d'Asie.

## Commençons par le commencement

Lorsque O. Schrutt a fini sa première ronde, il est retourné au Pavillon des petits mammifères et il a branché l'infrarouge.

— Sortons d'ici, Graff, je t'en prie ! a dit Gallen, et je l'ai gardée dans mes bras derrière la haie.

Depuis l'extrémité de la clôture, une lueur pourpre passait au pied des buissons pour se refléter sur les hexagones du grillage.

Lorsque les premières plaintes étouffées nous sont parvenues, Gallen a dit :

— Appelons la police, Graff, je t'en prie !

Et l'espace d'un instant, je me suis dit : Et pourquoi pas ? Ce serait tellement facile !

Mais j'ai répondu :

— Et comment on leur expliquera notre présence ?

— Ils comprendraient, va !

C'était bien possible, d'ailleurs, mais je n'ai pas voulu envisager la question. Mes propres variations sur le thème cassaient déjà bien assez l'excitation.

D'ailleurs, s'il fallait ne serait-ce que se rapprocher un peu de la foi absolue de Siggy, l'idée de libérer le zoo remontait avant la rencontre avec O. Schrutt.

O. Schrutt n'était qu'un détail en prime. Qui se trouvait occuper la case numéro un dans n'importe quel plan d'ensemble.

— O. Schrutt avant tout, j'ai répondu à Gallen, et en repensant au plan une fois de plus, je l'ai envoyée de son côté vers le Complexe des singes pendant que je le longeais pour me mettre à mon poste derrière la fontaine des enfants.

Le babouin gelada ne m'a pas vu. Ce soir, contrairement à celui de la visite de Siggy, le babouin n'était pas sur ses gardes. J'ai fait un signe de la main en direction de Gallen, qui se trouvait au coin du complexe, et elle a commencé sa mission dans les fourrés, devant la terrasse aux trapèzes. Je l'ai entendue battre les buissons et pousser des petits cris de fille, des petits cris érotiques saugrenus. Mais peut-être pas si saugrenus que ça pour le vieux mâle gelada, avec sa poitrine rouge feu, qu'on a subitement vue, éclatante entre les barreaux noirs, accrochant la lueur sanguine du Pavillon des petits mammifères.

Je ne le voyais pas, le vieux primate, mais je l'entendais ahaner et se balancer sur la série de trapèzes dont il se servait pour passer d'un bout à l'autre de la longue terrasse. C'est Gallen qui ne devait pas être rassurée : elle devait se dire qu'il allait se balancer entre les barreaux pour l'attraper.

Les trapèzes se sont pris l'un dans l'autre en cognant contre le mur. Le babouin a ululé sa frustration ; il aboyait, il croassait – dans les cris de cet enfrotté de babouin, il passait tous les animaux de la création.

Et comme de juste le zoo n'a pas tardé à reprendre à l'unisson. Gallen est sortie subrepticement de ses buissons ; je l'ai aperçue, réduite à un éclair de ses jolies jambes dans la lueur rouge sang du centre de recherches de O. Schrutt.

Et puis O. Schrutt est apparu en personne, sa cicatrice étirée sur son visage comme une tache élimée sur un ballon. Et quand il est passé en bêlant à quelques pas de moi, torche braquée sur le coin du babouin, je me suis planqué derrière lui, et j'ai couru dans l'autre sens vers le Pavillon des petits mammifères, où j'ai rasé les murs pour me cacher derrière la porte de son bureau.

J'ai observé ce qui m'entourait, l'espèce de gaffe avec son grappin, la perche électrifiée, et le registre du zoo, ouvert sur le bureau.

Le binturong avait toujours sa maladie rare ; l'ocelot n'avait pas encore mis bas ; le hylochère souffrait toujours d'une défense incarnée, mais il n'y avait plus trace du péramèle mourant – soit il était mort, soit il allait mieux.

Il risque plutôt d'être mort, je me suis dit en entendant O. Schrutt incendier le babouin gelada, d'une voix aussi aiguë que celle des singes hurleurs, son trousseau résonnant contre les barreaux comme un gong.

J'ai pris la perche électrifiée et j'ai guetté son pas maussade dans les avenues du labyrinthe.

Lorsqu'il est arrivé dans son bureau, je me suis posté derrière lui, et j'ai arraché son revolver qui dépassait du holster ; il s'est retourné pour attraper sa matraque, et je lui ai mis un bon coup de perche dans les naseaux. Il est tombé à la renverse, temporairement aveuglé. Il m'a lancé sa torche électrique, qui m'a atteint à la poitrine. Mais avant qu'il ait pu tenter un nouveau geste vers sa matraque, je lui ai envoyé une giclée de perche sur sa bouche écumante. Il a eu l'air bien sonné ; il a fait un tour sur lui-même et puis il est parti au tapis ; il était là, assis par terre, la tête dans ses bras ; il faisait un petit bruit de friture, comme s'il essayait de cracher le jus qu'il s'était pris dans les gencives.

— O. Schrutt, j'ai dit, si tu ouvres les yeux, je te nettoie les orbites au courant, et je te dégomme les coudes avec ton flingue.

Pour qu'il sache bien que je l'avais en main, je faisais joujou avec la sécurité.

— Qui êtes-vous ? il a balbutié d'une voix pâteuse.

— O. Schrutt, j'ai répondu contrefaisant une voix plus grave et plus âgée que la mienne – une voix venue du passé, lente et sentencieuse –, je te retrouve enfin, O. Schrutt.

— Mais qui êtes-vous ?

Il a tenté de retirer ses mains de devant ses yeux ; je me suis contenté de lui balader la perche sur les doigts ; il a hurlé ; puis il a retenu sa respiration et moi aussi. La pièce était muette comme une tombe ; dans le labyrinthe, même les petits mammifères se taisaient.

— Ça fait si longtemps, O. Schrutt, j'ai dit de ma voix cassée.

— Qui c'est ? il a demandé dans un souffle, Zeiker ?

Il appuyait tellement sur ses paupières que ses jointures rougeâtres blanchissaient.

J'ai ri tout bas, d'un rire grinçant.

— Non, Beinberg ?

Je retenais ma respiration ; il a crié :

— Qui êtes-vous ?

— Ton juste salaire, j'ai répondu grandiloquent, ta justice finale.

— Finale ?

— Debout ! » j'ai ordonné, et il s'est exécuté. Je lui ai arraché la matraque de sa botte et je la lui ai collée sous le menton. « N'ouvre pas les yeux, O. Schrutt, je vais te guider avec ce bâton, et fais bien attention à marcher droit, sinon je te roue de coups. Comme au bon vieux temps, j'ai ajouté à tout hasard, espérant qu'à lui, du moins, ça lui dirait quelque chose, ou qu'il s'imaginerait le bon vieux temps tout seul.

— Zeiker ! C'est bien toi, Zeiker ? » Je me suis contenté de le pousser dehors, dans le dédale des allés. « Zeiker ?

Je lui ai donné un petit coup sur la tête.

— Tu te tais, j'ai dit, en lui tapotant l'oreille avec la matraque.

— Zeiker, c'est de l'histoire ancienne, tout ça.

Je n'ai rien répondu ; je lui ai fait prendre les allées ; je cherchais une cage.

Elle était vide, la plus grande des cages de verre, celle des fourmiliers géants ! Il avait envoyé ses occupants en mission terroriste. Je suis passé par-derrière, j'ai trouvé la trappe, je l'ai ouverte et j'y ai fourré mon vieil ami.

— Qu'est-ce que vous faites ? Ils sont pas tous inoffensifs, ces animaux ! il a dit en glissant les mains le long du boyau.

Mais j'ai continué à l'enfourner dans la cage jusqu'à ce que je lise les mots « Fourmilier géant, couple », sur l'abattant du panneau. Et puis il a fallu le faire tenir dans la fosse ; il se roulait dans la sciure, se protégeant les yeux et la gorge. Quand il a vu que rien ne lui sautait à la gorge, il s'est assis et j'ai pu le ligoter avec sa bande de cartouches pour fusil-mitrailleur ; je lui ai croisé les bras et les jambes dans le dos, et je vous l'ai bridé en boule comme une volaille, face dans la sciure.

— Défense d'ouvrir les yeux, Schrutt.

— Je regrette tout ça, Zeiker, crois-moi. C'était des moments très durs pour tout le monde, tu sais. » Comme je ne disais toujours rien, il a demandé : « Dis, Zeiker, c'est toi ?

Il répétait sa question quand j'ai remonté le boyau et que je suis sorti en fermant la trappe derrière moi. Il pouvait bien s'égosiller toute la nuit, tant que le panneau de verre ne coulisserait pas, personne ne l'entendrait. Ses cris seraient tout aussi étouffés que ceux de ses victimes, dont il partageait maintenant le sort.

Quand je me suis retrouvé dans l'allée, je me suis arrêté pour le regarder sous l'infrarouge. Il avait les yeux fixés sur la vitre opaque ; il devait se douter que j'étais là à l'épier. Sa cicatrice palpitait deux fois plus vite et, en cet instant, j'aurais pu avoir pitié. Mais de l'autre côté de l'allée, j'ai aperçu une nouvelle misère. La mère ocelot tenait à l'œil son compagnon forcé, qui n'en menait pas large lui-même, le wombat *Vombatus hirsutus,* petite créature qui ressemble à un ours doté d'un museau de rongeur, ou à un très gros hamster ; on dirait un nounours dentu.

Toujours commencer par le commencement : j'ai foncé dans l'allée qui menait à la porte du pavillon.

J'ai crié : « Gallen ! » et tout le zoo m'a répondu par des piétinements et des cris plus hardis que les miens. J'ai crié : « La voie est libre ! » et les singes m'ont imité. J'avais presque l'impression que les fauves ronronnaient.

Quand j'ai dit à Gallen que l'ocelot allait mettre bas, elle n'a pas eu peur, et elle n'a pas ménagé sa peine pour séparer les infortunés protégés d'O. Schrutt. Elle s'est même arrêtée devant sa cage pour le contempler, avec une expression d'horreur qui, pour elle, pouvait tenir lieu de haine. Et mon vieil ami se retournait nerveusement dans la sciure : il attendait du monde.

Mais Gallen a retrouvé sa prudence lorsque la mère ocelot a été couchée toute seule, son calme un peu revenu sur sa couche de paille.

— Écoute, Graff, tu trouves ça logique de les séparer maintenant parce qu'ils se font peur ou parce qu'ils se font mal, alors que tu vas tous les lâcher n'importe comment tout à l'heure, et là tu peux être sûr qu'il va y avoir du dégât ?

— Je t'ai déjà dit que je les lâcherais pas tous ! j'ai répondu. Mais son rappel à la raison m'a un peu douché l'enthousiasme.

Alors, peut-être pour faire un geste, après que Gallen a été partie en reconnaissance dans les allées du zoo pour s'assurer que notre raffut n'avait attiré personne, je me suis dit que je ne pouvais pas laisser O. Schrutt comme ça tout seul. Et comme de toute façon je ne voyais pas où caser les fourmiliers géants, puisque je les avais respectivement tirés de la cage du ratel et de celle de la civette, j'ai fait savoir à O. Schrutt, avant même que la trappe s'ouvre, qu'ils rentraient au bercail.

Du bout du nez au bout de la queue, le fourmilier géant mesure deux mètres. Comptez deux cinquièmes de queue, deux cinquièmes de nez, un cinquième de poils, il reste pas grand-chose pour le corps.

O. Schrutt les a certainement reconnus à leurs grognements spécifiques, et à la façon dont ils envoient leur long nez au rapport dans la cage, avant même qu'ils me laissent les pousser d'une bourrade dans leur domicile légitime, présentement violé par lui, qu'ils considéraient avec dégoût depuis le bout de la cage. Voyant, je suppose, qu'il n'avait pas sa gaffe ni sa perche, qu'il était bridé comme une volaille, ils n'ont pas eu peur de lui. Ils ont même commencé à fouiller la sciure de leurs griffes et à grogner dans sa direction ; ils se sont mis à décrire des cercles autour de lui. Cela dit, le fourmilier n'est nullement carnassier, la chair humaine ne l'intéresse pas, il préfère les cafards. N'empêche que mon vieil ami leur disait :

— Non, c'est pas moi qui ai voulu venir ici. Je vais vous laisser tranquilles. Ne vous sentez surtout pas menacés, mais alors pas du tout ! » Et puis, il leur a susurré sur un autre ton : « Mais, dites-moi, c'est que vous êtes rudement bien installés ici, non ? Moi, je trouve.

Mais ils continuaient à décrire des cercles autour de lui en traînant les pattes, et de temps en temps leur longue langue jaillissait pour lui toucher la joue, pour avoir le goût de sa peur.

Quand je suis parti, il était peut-être en train de dire : « Alors, alors, ça s'est bien passé chez le ratel et chez la civette ? Enfin, c'est pour s'amuser tout ça, vous le savez bien, j'espère, et puis pour faire un peu d'exercice, vous en avez bien besoin. Et puis ça fait de mal à personne, hein ? » Mais je me persuadais que les fourmiliers n'allaient pas le dévorer, ni même lui donner de trop méchants coups avec leur queue plombée. Ni le transpercer de leurs griffes, ces griffes qui transpercent si bien les troncs d'arbre ou, du moins, des racines grosses comme des cuisses.

J'aurais pu le laisser avec le lynx pêcheur de Chine, je me disais. Et tiens, si tu n'es pas sage, O. Schrutt, je le fais.

Là-dessus j'ai quitté le Pavillon des petits mammifères, en repassant dans ma tête la liste des animaux que je pensais pouvoir lâcher sans dommage. Mais, devant la porte, Gallen semblait apeurée, et quand j'ai replongé dans la vraie nuit, j'ai entendu le raffut du zoo. Les fauves crachotaient comme des péniches sur le Danube, les singes valsaient et cognaient leurs barreaux, les oiseaux chantaient mes louanges ; et au-dessus du tintamarre, la voix monotone du Célèbre Ours noir d'Asie.

Ils m'ont tous ovationné lorsque je suis sorti pour prendre possession de ce zoo. Tous. Tous différents, mais tous suspendus à la décision de Hannes Graff, les enfrottés.

## Mes retrouvailles avec le réel déraisonnable

« Ça va s'entendre », commente Gallen. Et je me demande si le zoo connaît des nuits plus bruyantes que d'autres, et si les banlieusards de Hietzing, bien conditionnés, vont seulement se retourner dans leur sommeil en maugréant : les animaux sont agités cette nuit. Mais je n'arrive pas à me convaincre qu'il y a jamais eu pareil vacarme. Ils piétinent le sol, ébranlent les barreaux de leur cage et braillent comme des fous. Et les pires, ce sont mes co-primates.

J'avais laissé l'infrarouge ; je ne tenais pas à ce qu'ils se rendorment. Je voulais que tout le monde soit prêt ; et puis je préférais qu'O. Schrutt reste dans le cirage, lui, en somme. Si bien que je reste un instant dans le large rayon de lumière pourpre du pavillon, pour essayer de déchiffrer les étiquettes sur le trousseau. Je trouve la clef du Complexe des singes, et je fais le tour de la terrasse où des visages sauvages et parcheminés m'accueillent avec des gémissements. Je n'ose pas allumer une lampe en hauteur, de peur qu'un passant ne remarque quelque chose d'insolite et n'aille le signaler. Je fais toutes les cages, muni de la torche d'O. Schrutt, distinguant au passage des rangées entières de mains noires et coriaces accrochées aux barreaux. Je prends mes précautions : je lis le nom de chaque animal.

Singes : hurleur, à queue de lion, à trompe, rhésus, araignée, écureuil et velu ; tous des petits, je les lâche.

Viennent ensuite les babouins : les hamadryas souriants au pelage neigeux, les geladas à tête de chien, et mon mâle à la poitrine rouge, qui en oublie ses griefs. Et puis les babouins chacmas, qui sont les plus gros ; élargir ce gros mâle de cinquante kilos, c'est peut-être pas ce que j'ai fait de mieux d'ailleurs.

Va pour les gibbons, toute une horde. Et les chimpanzés, tous les six – il y en a un avec un ventre de propriétaire qui bouscule les autres et qui mord la queue d'un singe-araignée. Mais à ma grande honte, je n'ai fait que passer devant l'orang-outan mâle (quatre-vingt-dix kilos) et le gorille du golfe de Guinée (un quart de tonne). Ils n'en reviennent pas ; ils me laissent aller presque jusqu'à la porte, et puis ils se mettent à brailler de rage et d'envie. L'orang-outan en arrache de la corde le pneu qui lui sert de balançoire, et il le comprime entre les barreaux pour le réduire au format chambre à air. Le gorille de Guinée en plie son écuelle en quatre, comme une enveloppe.

En plus, les primates que j'ai délivrés ne se tiennent pas tranquilles, ces enfrottés d'ingrats ; je les entends écrabouiller les cendriers sur les tables du *Biergarten*.

– Graff, dit Gallen, il faut absolument que tu les calmes ou que tu nous sortes de là.

– Attends, les antilopes qui sont là, ça risque rien et ça va peut-être faire diversion.

Là-dessus, je fonce vers les enclos qui s'étendent depuis le Complexe des singes jusqu'à la petite colonie australienne, et j'élargis : l'aoudad, l'anoa et l'addax ; je laisse sortir : le gerenuk, le gemsbok et le gaur. Là, j'ai été léger, parce que cet enfrotté de gaur, c'est le plus grand des buffles du monde ; seulement, je m'étais contenté de lire les noms, je l'avais pas vu tapi dans l'ombre. Un mètre quatre-vingt-dix au garrot : et moi qui croyais que le gaur était une chèvre naine ! Lorsqu'il sort en tempête de l'enclos, Gallen hurle :

— C'est quoi, ça, Graff ? » La Bête nous laisse sur place, elle piétine les haies, aveuglée par la peur. Et Gallen, clouée au sol au milieu des zèbres en attente : « Qu'est-ce que c'était, Graff ? Oh, Graff ! tu avais promis...

— J'ai eu tort ! Fais sortir ces zèbres à présent.

Pendant ce temps-là, moi je libère l'impala au poil luisant, le bouquetin de Sibérie et sa bosse, puis tous les Australiens et la suite de la sélection.

Mais le zoo ne se calme pas pour autant. Les éléphants soufflent dans leurs trompes de cuivre et leurs notes se répandent sur les mares des oiseaux querelleurs.

Quel mal ça pourrait faire, un éléphant ? Rien qu'un, bien sûr. Sans compter que j'en trouverai bien un qui soit particulièrement docile.

Me voilà donc parti, dispersant dans la foulée une conspiration de gibbons mussés près du Pavillon des fauves feulants et près du creux mystérieusement silencieux de l'hippopotame, où il faut bien croire que lui-même s'est immergé loin du monde et de sa rumeur. Ce n'est d'ailleurs pas plus mal, quand on pense à sa gueule aux relents de marécage.

A l'intérieur du Pavillon des pachydermes, les éléphants tanguent, soulevant leurs entraves et poussant leur trompe contre les flancs de leurs voisins. J'ai choisi un grand vieil Africain aux oreilles en dentelle, et je plonge ma clef dans ses fers. Il est d'une douceur ! Il faut que je le conduise par la trompe, il passe tout juste par la porte du pavillon, devant laquelle sa présence disperse les gibbons larrons en foire. Mais il faut croire qu'il est dur d'oreille ; et s'il m'avait semblé si docile, c'est parce qu'il n'avait pas entendu le tohu-bohu. En revanche, sitôt dehors, il dégage sa trompe d'une secousse et il part au petit trot, pour prendre de la vitesse ensuite, piétiner les fourrés et passer sur les arceaux de fer qui bordent les allées comme un rouleau compresseur.

Oh, mon Dieu, faites que Gallen ne le voie pas ! Et du

*Biergarten* me parvient le bruit de nouveaux cendriers écrabouillés : les singes magouilleurs ont encore frappé.

Puis je passe devant les hautes ruines grillagées où perchent les oiseaux de proie géants. Vous, pas question, vous iriez croquer les petits singes. Quoique. Au moins, ça les neutraliserait.

Mais je retourne au Pavillon des petits mammifères, pour rassembler mes idées, et histoire de voir si O. Schrutt entretient de bons rapports avec les fourmiliers. Je trouve Gallen sur les marches, tapie dans la lumière pourpre.

– J'ai vu un éléphant, Graff, je veux m'en aller tout de suite.

– Oh, rien qu'un, je dis en fonçant à l'intérieur pour lorgner O. Schrutt recroquevillé dans un coin, ses yeux embués dans la sciure.

Les fourmiliers géants sont assis au milieu de la cage, la mine réjouie ; la langue en spirale sur leurs longs museaux, ils veillent O. Schrutt calmement.

Ça ne va pas du tout, cette histoire. Il faut maintenir O. Schrutt sur des charbons ardents. Je retourne dans la cage à plat ventre, pour en faire sortir bien gentiment les fourmiliers – et, avant de refermer la trappe, je dis à O. Schrutt que si je le surprends à me regarder, il est bon pour le lynx pêcheur de Chine.

Je n'en pense pas un mot, bien sûr. Je troque les fourmiliers contre le ratel – boule de poils et de griffes teigneuse qui ressemble au blaireau et qui a un long contentieux avec O. Schrutt, j'en suis sûr. Mais le ratel est trop petit pour prendre l'initiative d'un assaut en règle, même avec un O. Schrutt ficelé comme un rôti.

Je me contente d'ouvrir la porte de la trappe en disant « Et voilà le ratel », et je pousse mon petit gros teigneux dans la cage. Je les regarde derrière la vitre opaque, chacun tient l'autre en respect dans son coin ; et puis le ratel comprend la situation d'O. Schrutt, et il commence à parader au centre de la cage.

Mais quand je me mets à faire coulisser des panneaux dans le reste du labyrinthe, de nouveau il me faut compter avec Gallen.

– Tu vas laisser la mère ocelot tranquille, quand même ?

— Mais bien sûr, voyons, je réponds en faisant étalage de mon bon sens.

Je libère dûment le paresseux indifférent et le wombat, mais tout aussi dûment j'ignore le maigre jaguarundi jaune.

C'est vrai qu'ils sont bien gênants, les fourmiliers, à bloquer le passage au milieu de l'allée, assis sur leur derrière à regarder le ratel et l'O. Schrutt.

Gallen : — Graff, s'il te plaît, allons-nous-en, d'accord ?

Et moi : — Il faut absolument les regrouper à une porte ou à l'autre.

Sur quoi je dis ouste à la mangouste, ce qui me vaut la réprobation de Gallen, et je libère le loris lymphatique contre son gré, et le lémur catta ; je me sens vraiment de plus en plus raisonnable.

Et même, pour montrer à quel point je le suis, je ne lâche pas le malheureux binturong de Bornéo : pas question que les autres animaux attrapent sa maladie rare.

Et je m'incline en silence devant la cage vide du péramèle qui a déjà quitté ce monde, lui.

Mais lorsque je réussis à échapper à Gallen et à ses remontrances, pour émerger sur le seuil, je suis accueilli par les animaux que je n'ai pas choisis. Et ils ne m'ovationnent plus cette fois. Ils sont tyranniques ; ils laissent libre cours à leur rage et leur envie. Les éternels gibbons sont assis sur la première marche ; ils crachent en haussant les épaules. Quand j'atteins l'allée, ils se mettent à jacasser leurs accusations ; ils me jettent des pierres ; je leur en renvoie une partie. Je menace l'un d'entre eux de mon trousseau de clefs, mais il danse jusqu'à la barrière et il se jette dans les fourrés. Alors on me bombarde de mottes d'herbe, de brindilles et de terre ordinaire.

— Vous êtes libres, je leur crie, qu'est-ce que vous attendez pour partir ? Faut pas demander la lune, non plus !

Pour toute réponse retentit un charivari qui semble annoncer l'anéantissement final du *Biergarten*. Je m'y catapulte dans la poussière crissante des miettes de cendriers. C'est la signature du primate, pas de doute : un vandalisme à visage salement humain. Ils ont pulvérisé l'ancien miroir de fête foraine ; ses fragments jonchent la terrasse. Je n'arrive pas à détacher les yeux de mon propre puzzle, silhouette dressée sur mon reflet.

Encore un et basta, je me dis en me dirigeant vers la cage puante des Ours à lunettes, qui se cachent derrière leur flaque buvette-trempette ; je leur ouvre et il me faut leur gueuler dessus pour les faire sortir. Ils s'avancent côte à côte, tête baissée comme des dieux qu'on fouette. L'un contre l'autre, ils courent en rond dans les décombres du *Biergarten*, se cognant aux parasols et aux singes siffleurs.

Ça suffit, oui. Largement, même. Je zigzague entre les cages des autres ours qui rugissent quand j'entends hurler Gallen. O. Schrutt est sorti ! Mais en scrutant l'obscurité à chaque coin de cage et dans l'allée qui mène au Pavillon des petits mammifères, je vois une silhouette humanoïde qui se trimbale plus ou moins à quatre pattes tourner le coin du Complexe des singes — suivie d'une autre qui lui ressemble comme une sœur, en moins balaise : l'orang-outan et le gorille de Guinée sont en cheville.

Salfotrerie de salfotrerie, comment ils ont pu sortir, ces deux-là ? Ah, je vois... je vois, au petit galop derrière eux, la masse vague et colossale de l'éléphant d'Afrique qui porte un pan de cage dans sa trompe, un grand rectangle de barreaux tordus dans tous les sens.

Quand il le laisse tomber sur le ciment, il résonne — on dirait que la cloche de Saint-Étienne vient de se détacher du clocher et de tomber de son poids pour fracasser les grandes orgues derrière le maître-autel.

Alors toutes les formes qui couraient s'immobilisent ; j'essaie de retenir ma respiration. On se tait comme dans une église : un nouvel espoir, ça porte au silence. Et puis, lentement, je remonte l'allée des ours polaires, des ours bruns et du grizzly américain ; je tourne le coin du Célèbre Ours noir d'Asie ; il est dressé dans sa cage, une tête d'assassin. Mais il me faut pourtant sauter par-delà la sécurité pour aller m'écraser contre les énormes barreaux, et m'y ratatiner : la masse de l'éléphant déboule et charge tout près de moi. Il file dans le *Biergarten,* en écrabouillant les parasols et en atomisant les débris du miroir sous ses pattes de mammouth. Moi, je me suis relevé, je vais repartir quand l'Ours d'Asie m'attrape sous les bras pour me coller contre sa cage. J'inspire un bon coup ; je lui tourne le dos et je sens son haleine fétide soulever mes cheveux. Je pense sans panique : quand il va s'apercevoir qu'il peut pas passer sa grosse tête par les barreaux pour me bouffer, il va me lacérer le ventre de ses griffes, comme ça il pourra commencer par me gober les boyaux. Mais pas du tout ; il me retourne face à lui ; sa tête semble grosse comme celle d'un buffle. Mais quand je trouve le cran de le regarder dans les yeux, je vois qu'il zieute le trousseau de clefs passé sur mon épaule.

– Ah non », je lui dis. Il me serre très fort ; nous sommes au corps à corps ; les barreaux me scient les côtes ; je sens ses griffes me palper l'échine. « Oh tu peux toujours m'écrabouiller, je lui grogne, c'est pas la peine de lorgner le trousseau de clefs, tu sortiras pas. » Il me rugit dans la figure, me beugle dans les bronches, tellement fort que je crois étouffer. « Jamais, je couine, y a des limites à tout. »

Mais Gallen hurle de nouveau. Cet enfrotté d'éléphant a libéré O. Schrutt ! Ou alors c'est le supermâle orang-outan qui a chopé ma Gallen ; faut dire que des comme ça, il en aura pas tous les jours.

Je fais un geste pour attraper les clefs ; l'Ours d'Asie a desserré son étreinte d'un cran. Je tâtonne ; j'essaie de lire dans le noir l'étiquette qui porte certainement l'inscription : Usage formellement interdit ; mais non, elle dit seulement : Ours d'Asie ; alors là, comme euphémisme ! Enfin, j'ajuste la clef à la serrure. L'ours ne m'a pas lâché, incrédule. Je sens la porte s'enfoncer devant moi ; l'ours et moi, nous sommes balancés sur le battant. Pendant un instant, il continue à me serrer, il n'arrive pas à croire qu'il est libre. Et puis il me laisse tomber, et nous dégringolons tous deux à quatre pattes.

Bon, maintenant il va faire le tour de la porte et il va me bouffer tout cru. Seulement on entend tous deux les fauves ; leur cri s'est élevé sensiblement plus fort, comme si, au minimum, c'était la porte de leur pavillon qui avait été ouverte. Et puis je les entends ronronner tout près, ces terreurs ! Ils sont dans la nature, les fauves, sur le sentier de la guerre ! Je sors de la cage à reculons. Mais l'ours s'en fiche ; curieusement il s'est couché bien tranquille ; il lève le nez de temps en temps, il salive, et les longs poils rêches de ses flancs frémissent.

Le Célèbre Ours noir d'Asie réfléchit. Ou bien mijote quelque chose.

Je n'attends pas plus longtemps qu'il mette ses noirs desseins à exécution. Je calte par la porte ouverte, et je fonce *via* les étangs jusqu'au Pavillon des petits mammifères. J'y trouve ma pauvre Gallen, blottie dans l'allée principale, le regard posé sur le faisceau sanguinolent où un tigre, ses rayures grenat et noires dans l'infrarouge, est assis à dévorer une grande antilope couleur feu avec des cornes en spirale et les tripes à l'air ; son sabot de derrière est replié ou remonté sous sa cuisse, par-dessus laquelle s'étalent, uniques, familiers, ses ballons de volley.

– Oh, Siggy, c'est l'oryx !

– C'est un tigre, dit Gallen, plus froide que la rivière hivernale, et moi je m'appelle pas Siggy.

– Tu as crié ? je dis sur le même ton.

– Tiens, tu as entendu ? elle répond avec un éclat de folie dans la voix. Eh ben, je m'en suis sortie sans toi, tu vois.

– Où sont partis les grands singes ? je demande.

Mais comme elle ne desserre pas les dents, visage de bois, je préfère ne pas insister.

Dans le labyrinthe, une voix étouffée énumère des noms. Je vais voir : O. Schrutt s'est redressé contre la paroi de verre ; le ratel semble japper pour jouer ; il tient le centre de la cage, il la ramène. Et O. Schrutt énumère des noms, comme à tout hasard :

– Zeiker ? Beinberg ? Muffel ? Brandeis ? Schmerling ? Frieden ?

De nom en nom, O. Schrutt largue les amarres de la raison.

Alors je retourne auprès de Gallen, juste à temps pour entendre le tonnerre final, c'est-à-dire le rugissement décisif du Célèbre Ours noir d'Asie. Il a fini par revenir de sa surprise et par se faire à l'idée d'être libre, il s'est décidé. Le niveau sonore de la clameur a atteint l'hystérie ; on dirait que l'Ours est une bête mythique et que les animaux craignent plus sa légende que sa réalité – aussi bien, tout le monde sait ce qu'il pense de Hinley Gouch, après toutes ces années, et à quel point ça lui a dérangé le cerveau.

– Et cet ours-là aussi, tu l'as laissé sortir ?

– Non ! Enfin, j'ai pas eu le choix. Il m'avait attrapé, il voulait plus me lâcher, j'ai bien dû négocier.

Mais elle me regarde fixement, comme si elle ne me connaissait pas mieux que l'oryx tombé à terre, qu'elle n'a jamais vu du temps de sa splendeur verticale.

– Oh, Graff ! dit Gallen dans un souffle, et son regard devient vague.

Je regarde par la porte du pavillon : l'Ours noir d'Asie monte les marches quatre à quatre. Gallen est sonnée ; elle ne frémit même pas quand il passe devant nous comme un bolide, ébranlant les profondeurs du labyrinthe. Mais il s'arrête pile en silence quand il voit O. Schrutt, qui dévide :

– Weinstrüm ? Bottweiler ? Schnuller ? Steingarten ? Frankl ? Petit Frisch ?

Et moi, je pense : Pourquoi pas Wut ? Javotnik ? Marter ? Trummer ? Ou même encore Hannes Graff le déphasé ?

L'Ours noir d'Asie a trouvé ce qu'il cherchait. Assis devant la paroi de verre, perplexe, il tambourine une ou deux fois, la griffe en bec de pivert – il faut espérer que le verre fait trente centimètres d'épaisseur. O. Schrutt interrompt ses litanies :

– Qui est là ? Je sais bien que c'est Zeiker !

Mais l'Ours noir d'Asie n'est pas du genre à se laisser engueuler. Il recule et se précipite à coups furieux sur la paroi, puis il prend son élan, recogne et se rassied, médusé.

Et O. Schrutt :

– Allez, qui êtes-vous ? Je sais que vous êtes là derrière.

L'Ours noir d'Asie se met à rugir. Sa voix s'amplifie en se répercutant dans le labyrinthe. O. Schrutt tombe à la renverse dans la sciure, il va rouler contre le ratel qui recule lui-même en claquant des mâchoires ; contre la porte de la trappe, tous deux claquent des dents au bruit du rugissement familier aux pensionnaires du zoo, et qui retentit si proche.

O. Schrutt :

— NOOON ! pas ça ! Ne le laissez pas entrer ! Pas lui ! Surtout pas ! Zeiker ? Beinberg ? Je vous en supplie ! Frankl ? Schnuller ? Schmerling ? Petit Frisch ? Je vous en supplie !

Je précipite Gallen dehors ; d'ailleurs on dirait que le rugissement nous expulse par sa seule violence ; dehors, nous trouvons un zoo en cavale au bruit de cette rage qu'aucun des animaux n'oserait défier, ni les fauves, non, ni l'éléphant, ni les gorilles qui courent quelque part, en direction de la porte principale, semble-t-il. Dans le flot général, parce qu'ils s'organisent, tous ; le zoo se rassemble : l'Ours noir d'Asie est dehors, personne ne tient à sa compagnie déraisonnable.

Mais lorsque Gallen est moi arrivons à la guérite aux tickets, je vois une marée de phares en rangs serrés et j'entends le grondement indistinct de la foule, toute humaine celle-là, qui attend. Je vois un flot ininterrompu d'animaux foncer à toutes pattes, tous sabots, toutes griffes, éclaboussant la nuit qui s'envole dans les étangs des Divers Oiseaux aquatiques. Tous se dirigent vers la porte de derrière qui s'ouvre sur le Tiroler Garten. Où un lit de mousse et de fougère mène tout droit au parc Maxing.

Ça bouchonne à la porte, mais l'éléphant a eu l'obligeance de dégager un trou où tout le monde peut passer sauf lui. Il a réussi à faire sauter le gond du haut, mais celui du bas tient bon, et la porte est toute de guingois.

Gallen et moi nous glissons le long de la masse de l'éléphant prisonnier de son erreur, et nous plongeons au milieu de petites équipes de singes en train de se constituer.

Mais, dans le Tiroler Garten, il y a foule aussi ; c'est une armée de citoyens des petites heures plus que de policiers, des banlieusards en pyjama qui font clignoter des torches électriques. Dans ce capharnaüm, nous passons inaperçus, en petites foulées, croisant de braves ménagères qui piaillent plus fort que les singes.

C'est seulement lorsque nous avons gagné les fourrés plus vastes et plus sombres du parc Maxing que je saisis, au cœur du chaos, l'imminence de la fin. Je les vois, cachés dans les fourrés, ces quidams et leurs armes ancestrales, tridents de cheminée, pioches, scies luisantes ; fourches, maillets et faucilles en croissant de lune. Et maintenant les voix, les voix des gens, noient le vacarme de l'Ours noir d'Asie, là-bas, derrière nous.

J'ai entraîné Gallen aussi loin que j'ai pu, et je m'agenouille au-dessus d'elle, effondrée en larmes sur un banc de pierre du parc. Et alors je découvre que les hommes qui se dissimulent semblent vieux et faméliques ; on dirait qu'ils portent des uniformes, armée de carnassiers jusqu'au-boutistes, qui n'aurait jamais quitté les parcs environnant le zoo depuis toutes ces années nocturnes, depuis que Zahn Glanz, ou son équivalent, s'est fait dévorer.

J'entends un coup de feu ou deux ; les oiseaux et les singes ébranlent les arbres. A nos côtés, sur le banc de pierre, un gibbon est confortablement assis à manger un papier de sucette.

— Tu me promets de rester ici avec ce gibbon ? je demande à Gallen.

Son visage est aussi calme, ou aussi abruti que celui du gibbon goulu.

Je fonce vers la Maxing Strasse en longeant le bord du trottoir pour trouver la moto, et je repère l'endroit ou notre sac à dos est caché.

Il fait encore nuit, mais toutes les maisons de la rue sont éclairées, et des voitures passent en trombe, tous phares allumés. Des taxis déposent des clients qui portent des objets hétéroclites, bâtons, balais, balais-brosses et brochettes. Des hommes se plongent dans le fracas des armes ; un chahut pareil, ça fait des années qu'on n'en a pas entendu.

Je balance le sac sur la moto, et je descends la Maxing Strasse en hurlant le nom de Gallen. Je ne sais pas si on peut m'entendre au-dessus de la clameur, avec les sirènes des Volkswagen vertes de la police derrière moi, Maxing Platz, leurs faisceaux bleus clignotant au-dessus des arbres du Tiroler Garten. Il y a une marée humaine qui se déverse dans le parc Maxing, et une marée animale en sens inverse.

Je vois Gallen sur le bord du trottoir, debout, là, comme si elle attendait un bus qu'elle prendrait tous les jours à cette heure-ci, dans cette circulation ordinaire. Au moment où elle monte derrière moi, toute groggy, un bouquetin de Sibérie vient la heurter légèrement ; il titube, chèvre aveugle sur le trottoir, un morceau de son cuir déchiré pendant sur son encolure ; la plaie a plus ou moins une forme de pioche.

Et j'ai beau tendre l'oreille pour l'entendre, l'Ours noir d'Asie, dans un ultime rugissement de désespoir ou de triomphe, pas moyen : les humains font trop de boucan, même pour lui.

Gallen est assise derrière moi comme un pantin ; je nous ai lancés dans la circulation de la Maxing Strasse. A présent la police quadrille le parc Maxing ; je vois tressauter les phares et le blanc perle du carénage de leurs BMW qui louvoient entre les fourrés pour mettre la populace en déroute. Au milieu d'un cercle de phares qui se rétrécit, le Grand Boxeur Gris est en train de cogner un homme qui a lâché son sécateur ; on le voit briller dans l'herbe, sous la griffe de chasseur de l'animal.

Il nous faut dépasser cinq carrefours de banlieue pour semer la foule. Dans une porte cochère de la Wattmanngasse, je vois le léopard des neiges hors d'haleine se lécher la patte. Place Sarajevo, un groupe de cinq chasseurs chanceux tente de passer sous le rayon de mon phare en me prenant pour un motard de la police. Derrière eux, ils essaient de dissimuler le corps sanglant et abandonné du gaur. Qui, du temps qu'il était sur ses quatre pattes, mesurait un mètre quatre-vingt-dix au garrot.

Le troupeau de zèbres vigoureux a déferlé sur les pelouses, vague silencieuse ; insaisissables, ils ont réussi à échapper à un trio de chasseurs armés d'un filet et d'une scie de long. Quand ils arrivent sur le trottoir, sabots étincelants sur les pavés, le fracas de leur propres pattes leur fait peur ; voilà qu'ils donnent de la bande, ils zigzaguent entre les voitures à l'arrêt ; ils traversent vers la minuscule Woltergasse, mais là, un front de phares les cueille, si bien qu'ils retraversent la Maxing Strasse pour être refoulés dans le parc.

Puis nous nous retrouvons dans les faubourgs de Lainz, quartier fantomatique des hôpitaux. Nous passons successivement devant l'asile de vieillards, l'hospice des invalides et l'hôpital de la ville, leurs pelouses éclairées *a giorno* et leur stuc beigeâtre et nu. Aux balcons, des rangées entières de fauteuils à roulettes étincellent ; sur les pelouses, aux fenêtres, des cigarettes et des pipes rougeoient. Les vieillards et les malades, les infirmes aussi écoutent le zoo en clameur, comme des gens de la campagne regardent une ville s'embraser sous les bombes.

Pendant un moment je roule au ralenti, guettant avec eux – des fois qu'un animal doué, un seul, aurait remporté cette course d'obstacles. Un superbe gibbon, peut-être ; il arriverait, bondissant en appui sur les mains dans le parc de l'hôpital ; des infirmières l'entoureraient ; une averse de fauteuils à roulettes dégringolerait des balcons ; on finirait par le coincer dans des tubes à oxygène et l'étrangler avec un stéthoscope. Une capture pareille, le personnel médical et les malades n'en seraient pas peu fiers.

Mais aucun des animaux n'est parvenu jusque-là. Gallen s'est affalée un peu plus contre moi ; je la sens se mettre à hoqueter contre mon cou. Alors je laisse derrière nous les hôpitaux à l'affût, et je bifurque vers l'ouest pour gagner la campagne. Sa joue trempée glisse contre la mienne, ses doigts s'enfoncent dans ma chemise, ses dents dans mon épaule ; elle me mord férocement.

Mais ça m'est bien égal ; au contraire, je donnerais n'importe quoi pour qu'elle me morde plus fort et qu'elle me fasse plus mal. Tantôt je roule vite, tantôt au ralenti ; vite pour que le vacarme s'éteigne derrière moi ; au ralenti pour que des animaux qui auraient réussi à s'échapper puissent me rattraper et trottinent devant moi dans le rayon du phare ; ce sont des guides à qui je serais bien heureux de faire confiance, ils me mettraient du baume au cœur.

Mais aucun ne m'a rattrapé. Dans mon sens, il n'y a pas la moindre circulation ; elle va tout entière en sens inverse. Voitures familiales, charrettes de fermiers, bourrées d'armes et d'outils bringuebalants, dans les ténèbres du petit matin, le peuple se déverse allégrement vers la zone sinistrée.

A chaque phare rencontré, je me retrouve sur mon terrain de foot. Et jamais le premier à la marque.

## Nouveaux projets

L'aube naissante nous a trouvés hors de la ville, dans la campagne qui surplombe le Danube, au sud de Klosterneuburg. Là où il y a encore des moines.

Je ne sais pas depuis combien de temps j'étais arrêté au bord de la route, assis dans le fossé, quand j'ai remarqué les paysans qui rentraient ; ils étaient las, après la formidable attraction quasi citadine du zoo de Hietzing. Ils rentraient par camions, par charrettes ; des jeunes culs-terreux ont sifflé Gallen, qui s'était roulée en boule de l'autre côté de la route.

Nous n'avions pas échangé un mot, alors je me disais : Il serait pas prudent de la laisser réfléchir toute seule comme ça si longtemps. Mais comme je n'avais rien à dire, je laissais la route entre nos hostilités. Seulement, voilà que les fermiers rentraient.

Je me suis dit : On fait louche. D'accord, O. Schrutt nous a jamais vus, et il y a peu de danger qu'il reprenne ses esprits ; mais il reste quand même le serveur des Balkans, et le petit Hugel Furtwängler ; ils pourraient en dire des choses sur une grosse moto en triste état et un fou qui parlait que de zoo.

Enfin, on aurait trouvé O. Schrutt avec son insigne et ses épaulettes au carré ; c'était déjà quelque chose.

Mais ça suffisait pas, c'est sûr. La dernière des camionnettes est passée ; elle n'était pas bredouille ; à l'arrière, sous une bâche, pendant sur les feux arrière, j'ai vu un bout de patte avec un sabot et j'ai reconnu les rayures marron cuivré et crème. Le ciel protège le bongo, la plus jolie des antilopes, qui allait finir dans la marmite d'une humble demeure paysanne, sa tête en trophée au-dessus de la cheminée, pour que des générations de chasseurs à venir demandent : « On en trouvait autrefois des comme ça, en Autriche ? – Voui, voui ; c'est un bateau de négriers qui a apporté les premiers. – Mais y en a plus de nos jours ? – Non, non. Y faisaient des dégâts, dans les jardins ; et puis ils encornaient les chiens. – Ah bon ? – Voui, voui. – Mais il a l'air si doux, avec sa petite tête. – Voui, voui, mais figurez-vous qu'il était gros et gras. Et fameux. – Celui-là ? – Voui, voui. »

Et quand la queue de la caravane a disparu, je me suis dit qu'il fallait que je parte à la rescousse de Gallen. Elle était assise de l'autre côté de la route ; elle regardait par-dessus mon épaule, ou à travers moi. Mais je n'avais pas le courage de l'affronter ; en baissant les yeux sur mon pantalon, je me suis aperçu que j'avais une petite boule de poils accrochée à ma chaussette.

Si tu savais comme je regrette ce gâchis, Siggy, je me disais. Mais c'était pas seulement un manque de logique chez toi. Tu t'es trompé sur toute la ligne.

Gallen a traversé la route ; elle est restée plantée un moment devant notre sac à dos bourré, et puis elle a commencé à en retirer ses affaires.

Alors là, elle avait vraiment trop réfléchi.

Et comme je ne trouvais rien à dire, j'ai lancé :

– Bon, qu'est-ce que tu veux faire maintenant ? » Elle s'est contentée de me regarder bouche bée. Alors j'ai repris : « On fait ce que tu veux.

Mais elle n'en a sorti ses affaires que plus vite ; elle s'est fait un sac avec sa veste en cuir ; je l'ai vue fourrer sa petite culotte de soie bleue dans une manche et ça m'a fait de la peine.

Je me suis dit : Elle va me rendre mon maillot de foot. Mais elle ne faisait pas mine de le retirer ; au moins, elle m'épargnait les petits gestes.

– Où tu vas, comme ça ?

– A Vienne. Tu veux bien me rendre l'argent de mes cheveux, s'il te plaît ?

– A Vienne ?

– Tu meurs pas d'envie de rentrer lire toute l'histoire dans les journaux ? Tu veux pas savoir ce qui s'est vraiment passé ? Les détails, Graff, ça t'intéresse plus ?

Elle n'allait pas réussir à m'énerver : j'étais trop abattu. Et c'est vrai que le nombre des victimes ne m'intéressait pas du tout. Après l'oryx, plus la peine de tenir registre de la catastrophe.

— Non, mais, sérieusement, pourquoi Vienne ?

— Parce que là, au moins, je sais que tu viendras pas avec moi.

Et là, subitement, j'ai trouvé de quoi nourrir mon énervement et je lui ai dit :

— Tu éternueras plus, tu sais, tu t'en rends compte au moins ? » Elle m'a jeté un regard noir. « Non, non, j'ai continué, avec personne.

— Écoute, c'étaient mes cheveux, alors rends-moi l'argent, maintenant, tu veux ?

Alors je le lui ai donné et elle l'a pris comme si elle avait peur, comme si elle pensait que c'était un truc pour l'attraper.

— Et toi, Graff, tu vas où ? elle a dit d'une voix froide et claire comme le ciel.

Mais je n'allais pas me laisser prendre à son jeu. J'ai répondu sérieusement :

— A Kaprun. » Elle a détourné les yeux. « Quand je reviendrai, j'ai dit, comment je ferai pour te retrouver ?

— Si tu reviens, c'est-à-dire, elle a répondu sans me regarder.

— Oui, je reviendrai. Et où tu seras ?

— Oh, moi ? J'adore les zoos », elle a répondu de sa voix glaciale. « Je suis sûre que j'irai très souvent. Tu pourras m'y trouver, le jour où tu tenteras le coup — avec un nouveau plan.

Mais je ne voulais pas qu'on se sépare comme ça.

— Je vais passer un moment à Kaprun, et je sais que je voudrai te revoir.

— Quand tu iras mieux ? » elle a demandé, avec une douceur ironique. « Quand tu en auras fini avec tout ça ?

Mais je savais que cette attitude ne valait rien, et que ce n'était pas la manière de me prendre. Il y a des choses qu'il ne faut pas brusquer. Sur ce point, même les carnets sont clairs :

*Les chiffres font toujours le même total, quel que soit l'ordre de l'addition.*

Sentencieux, comme toujours ; et à moitié vrai seulement, comme de juste.

— Gallen, je te demande pardon, et je vais pas t'oublier.

— Eh bien, viens avec moi à Vienne, alors, elle a répondu.

J'aurais été incapable de dire quelle nuance avait sa voix.

— Il faut que j'aille à Kaprun.

— Et comment tu vas faire pour me retrouver ?

Elle me retournait ma question initiale, mais elle avait repris sa voix naturelle, ordinaire et dénuée d'angles coupants : c'était une vraie question.

— Il y a un endroit qui s'appelle Kahlenberg ; tu en entendras parler, en ville. Tu prends n'importe quel tram pour Grinzing, et puis un bus pour traverser la Forêt viennoise. Vas-y les mercredis soir. Il y a une vue magnifique sur le Danube, et sur tout Vienne.

— Et alors, comme ça, un de ces mercredis, tu viendras ?

— Sois-y tous les mercredis, j'ai dit.

Mais c'était la pousser trop loin, la faire trop dévier de ses positions de départ.

— Peut-être, elle a dit avec une pointe de fraîcheur matinale dans la voix.

— Je vais te conduire à l'arrêt du car de Klosterneuburg ; le premier arrêt de tram, c'est Josefdorf.

— Je veux pas monter avec toi ; je vais marcher.

Comme je voyais que je reperdais du terrain, j'ai dit :

— Bon, très bien, tu as de bonnes jambes, hein, ça te fera pas de mal.

— Les jeudis, tu dis ?

— Les mercredis ! j'ai rectifié immédiatement. Un mercredi soir.

— Et tu viendras ?

— Sûr ! » Et comme elle se mettait en route, j'ai répété : « Un mercredi.

— Peut-être, elle a répondu, et ses jolies jambes ont pris le large.

Pour essayer de prendre tout ça à la légère, j'ai lancé :

— Je vais regarder ton mignon petit derrière jusqu'à ce que je puisse plus le voir.

Mais quand elle s'est retournée, elle ne souriait pas précisément :

– C'est pas un long regard d'adieu, hein ? Si ?

– Mais non, j'ai répondu avec un tel empressement que sa bouche a esquissé un sourire.

Elle continuait à s'éloigner de moi ; je l'ai regardée presque jusqu'au tournant, et puis j'ai crié :

– Le mercredi !

– Peut-être, elle a répondu d'une voix indéchiffrable, sans se retourner.

– Sûr, j'ai braillé.

Elle avait disparu.

Je suis resté dans mon fossé pour lui laisser le temps d'arriver à Klosterneuburg. Je ne voulais pas passer devant elle en moto.

Autour de moi, le matin prenait de la vigueur. Vie domestique des champs clos aux haies sagement taillées ; frontières entre les vaches et le maïs ; limites des propriétés nettes et distinctes sous le soleil. Toutes les vaches portaient des cloches, tous les moutons une marque à l'oreille.

Tous les hommes ont des noms, et des endroits bien à eux, où il leur est permis de se rendre.

Un vent s'est levé ; il me rabattait la poussière de la route dans la figure. J'ai regardé la moto s'arc-bouter contre le grain ; elle frissonnait sur sa béquille. J'ai vu le rétroviseur du guidon qui reflétait un rectangle quelconque de gravillons maculés d'asphalte, et un fragment de pétale de fleur qui avait poussé trop près de la route. Mais quand j'ai regardé derrière la moto, j'aurais été bien incapable de dire quelle fleur avait prêté son concours au reflet, ni quel coin de gravillon bitumé.

Les choses ne se mettaient toujours pas mieux en place.

Et il n'y avait pas là de quoi me surprendre. Je le savais bien. Il faut tous les chiffres de la colonne pour faire le total, mais ça ne veut pas dire qu'il existe le moindre lien entre eux. Ils représentent seulement les articles qu'il a fallu payer. Ils n'ont pas plus de rapport qu'un tube de dentifrice et la première fois qu'on a touché un sein tiède et ferme.

Gallen était à Klosterneuburg, où on trouvait encore des monastères et des moines vignerons.

Et Gallen, qui m'attendrait peut-être un de ces mercredis à Kahlenberg, était maintenant de la même nature que la crème anglaise de Todor Slivnica : il fallait l'interpréter là où elle avait giclé.

## Félicitations aux survivants !

Hannes Graff, je me disais, il est bien trop compliqué, bien trop déphasé pour se sortir de ce fossé un jour et quitter l'ordre trompeur de cette campagne en enfourchant sa bestiasse de moto.

Et elles seraient l'ordre même, elles aussi, les villes que je laisserais derrière moi, je le savais. Encore fallait-il démarrer.

C'était un plan facile. Après Klosterneuburg, Königstetten, Judenau et Mitterndorf, je passerais par Hankenfeld ou Asperhofen, Perschling, Pottenbrunn et le tout petit Saint-Hain ; direction la grande ville d'Amstetten, et trois heures à l'ouest sur l'autoroute – où l'on pouvait sans effort rouler plus vite que cette salfotrerie de vent. Il resterait encore une heure au sud de Salzbourg, en passant par la chaîne des Lofer ; je connaissais un endroit où dîner à Furth. Et, après dîner, j'irais prendre le café à Kaprun, sur la table de cuisine émoussée – j'apporterais mes propres coudes et mes histoires. Là, au moins, il y aurait quelque chose à dire. Quelque chose d'assez gratuit et d'assez fou pour retenir l'attention du preux Watzek-Trummer, parce que, avec son expérience des plans foireux, il ne pouvait que compatir.

Mais, en même temps, je me disais que je n'allais pas m'extraire du fossé tout de suite. Et quand bien même j'y arriverais, je n'étais pas si pressé d'arriver à Kaprun.

Il fallait que l'herbe pousse un peu sur la tombe, comme je dis toujours. C'est joli, l'herbe, Siggy, ça ne peut pas te faire de mal.

Donc je me dirigerais bien en gros vers Kaprun, bien sûr, mais j'irais à une allure de tortue, quoi. Je me familiariserais avec ces salfotreries de mémoires que j'allais livrer à Watzek-Trummer.

Mais ce qui me bloquait dans le fossé, c'est qu'aucune de mes idées n'était bien enthousiasmante, et que d'ailleurs, pour ce voyage-ci, les plans excitants ne semblaient pas de mise.

Il me faudrait m'y faire. Comment l'inertie vint à Hannes Graff. Quel sentiment d'échec pire que de se rendre compte qu'il aurait bien mieux valu ne rien faire du tout ? Que les petits mammifères se seraient mieux portés si on ne s'était pas mêlé d'améliorer leur sort, même bancal ?

Une fois de plus, j'ai parcouru du regard cette campagne inaltérable qui m'entourait, facile à nommer, facile à contrôler. Un pré au-dessous de la route, sa clôture blanche sur trois côtés et marron sur le quatrième ; dedans, neuf brebis, un bélier et un chien attentif. Un pré au-dessus de la route, avec un mur de pierre, une haie de ronces, un barbelé, et une forêt – qui en était la frontière du fond ; dedans un cheval, six vaches laitières noir et blanc et, selon toute probabilité, un vieux taureau dans les bois, derrière. Mais pas d'oryx, bien sûr.

De l'autre côté de la route, il y avait une forêt dans laquelle le vent s'engouffrait en labourant les aiguilles de sapin.

Le chien vigilant s'est mis à aboyer en direction de la forêt. Tiens, il vient quelqu'un, je me suis dit. Je suis monté sur la moto : prêt ou pas, il valait mieux que je m'en aille, j'avais l'air crétin dans mon fossé.

Les aboiements du chien ont redoublé. Quelqu'un descendait sans doute ce sentier bien fréquenté d'une forêt bien entretenue ; et c'était probablement quelqu'un qui venait ici à cette heure-ci depuis des années, et à qui le chien, depuis des années, ne manquait jamais d'aboyer. Ça faisait partie de ses tâches domestiques, comme de remuer la queue – ce qu'il allait d'ailleurs faire d'un instant à l'autre, dès que la femme ou la fille du fermier sortirait de la forêt pour apparaître en haut de la route – où il valait mieux qu'elle ne me trouve pas assis là, bizarrement inerte.

Mais quand j'ai voulu pomper sur le kick, j'avais les jambes en coton ; le talon de ma botte n'arrivait pas à attraper le levier. Et j'ai oublié d'ouvrir l'arrivée d'essence. Je me suis penché et j'ai reniflé le carburateur, je me suis empli la tête d'idées fumeuses, fuel déferlant dans mon crâne. Il m'a fallu faire un effort surhumain pour tenir la moto ; je titubais.

Bon, je me suis dit, quel que soit le promeneur, il faudra bien qu'il me trouve comme je suis ; je serai une tache d'insolite sur la routine du paysage. Quelqu'un va me lancer le chien. A moins qu'il soit déjà en train d'aboyer après moi, en fait ; seulement il a cette habitude dingue, déformation professionnelle, il regarde pas dans la direction où il aboie.

Mais il aboyait furieusement, maintenant. Et moi, je me disais : Que ce soit à moi ou non qu'il en veuille, pourquoi ça le prend subitement, si c'est le genre de chien qui jappe pour un rien ?

Il était en train de virer forcené ; il allait claquer des mâchoires autour de son troupeau, il le rassemblait en un cercle étroit. Il a perdu la boule, je me suis dit : les symptômes, je commençais à connaître. Le chien de berger va bouffer ses moutons !

Je n'avais jamais vu un chien se conduire d'une manière aussi déraisonnable.

J'avais toujours les yeux fixés sur lui, et la tremblote sur ma moto, lorsque le couple d'Ours à lunettes a déboulé en haletant de la forêt pour traverser la route, côte à côte, comme toujours, à moins de vingt mètres de moi. Le chien s'est aplati, pattes de devant écartées, oreilles couchées sur la tête.

Mais les Ours à lunettes ne cherchaient pas les moutons, ni les chiens, ni les vaches du champ voisin, ni même un éventuel taureau dans les bois. Ils couraient à la même allure régulière ; ils sont descendus dans mon fossé, ils ont passé la clôture et sont entrés dans le champ du chien. Il a hurlé devant ses bêtes blotties les unes contre les autres, et les Ours ont poursuivi leur route, sans forcer l'allure, sans se presser vraiment, au fond. Ils allaient simplement vers les bois, au bout du champ, et ils continueraient vraisemblablement à courir une fois qu'ils y seraient. L'infatigable, le remarquable, le Rarissime Ours à lunettes retournait de ce pas à ses Andes et à son Équateur. Ou, tout au moins, il irait vers les Alpes.

Mais lorsqu'ils ont atteint le bout du champ, ils se sont arrêtés et ils ont tourné la tête vers moi. J'aurais voulu leur faire un signe de la main, mais je n'ai pas osé. Je tenais à ce qu'ils aillent de l'avant. Si jamais ils m'avaient répondu d'un signe de la main, eux aussi, ou s'ils m'avaient dit « Salut » ou « Merci » ou « Enfrotté ! » je n'aurais plus pu croire qu'ils étaient là pour de bon. Mais ils n'ont fait qu'une petite pause, et ils sont repartis ; ils couraient côte à côte, ils ont disparu dans le bois.

J'étais tellement heureux que leur fugue n'ait pas eu le caractère anglo-crémeux de tant d'autres...

Et puis, tout à coup, je n'ai plus osé rester là. Des fois qu'ils soient suivis par l'Ours noir d'Asie. Ou même par des gibbons. Ou bien par Siggy chevauchant l'oryx – ce qu'il restait des vivants et des spectres du zoo de Hietzing. Ça m'aurait gâché le petit souvenir que les Ours à lunettes venaient de me laisser. Et, là non plus, je n'aurais plus pu y croire.

Alors cette fois, je me suis acharné sur mon kick. Le ralenti a crachoté une plainte. J'avais encore la tremblote. Mais même dans cet état je ne pouvais pas rester là : les Ours à lunettes pourraient repasser, suivis cette fois d'autres rescapés temporaires. Vratno Javotnik, sur la moto du Grand Prix, laissant derrière lui Gottlob Wut, ainsi qu'un choix d'autres mammifères.

J'ai jeté un coup d'œil inquiet du côté des bois, derrière le champ, et j'ai constaté avec bonheur que les Ours à lunettes avaient disparu, mais qu'ils n'avaient pas laissé les champs tout à fait comme je les avais trouvés, en tout cas pas pour l'instant. Les vaches s'agitaient ; les moutons continuaient d'obéir au chien, langue pendante. Un petit quelque chose avait été dérangé, de la façon la plus bénigne. Je ne voudrais surtout pas dire que ça me faisait voir cette salfotrerie de vie en rose, mais, simplement, ça me permettait d'imaginer en toute bonne foi qu'un de ces mercredis je repasserais par ici. Et je rencontrerais quelqu'un du coin qui me dirait : « Nous on a des ours à Klosterneuburg. – Ah bon ? – Voui, voui, des ours, parfaitement. – Mais ils ont pas fait de dégâts ? – Non, non, pas ceux-là. Ils sont très spéciaux. – C'est des Ours à lunettes, spécimens rares ? – Ça, je pourrais pas vous dire. – Mais ils se reproduisent ? – Je pourrais pas vous dire non plus, mais tout ce que je sais, c'est qu'ils ont l'air de très bien s'entendre, tous les deux. – Ah oui, ça, je le sais aussi. »

Et c'était bon à savoir, tout de même. Il n'en fallait pas plus pour faire tourner le moteur sous moi. Je tendais l'oreille pour entendre si mon ralenti se faisait plus régulier ; il ratatouillait encore un peu, bien sûr. Mais j'ai planté mes pieds ferme de chaque côté de ma vieille bête, et elle a tenu droit ; c'était elle qui m'attendait, à présent. Alors j'ai identifié toutes ses pièces dans ma tête ; ça donne une certaine confiance de mettre un nom sur les choses. J'ai appelé ma main droite arrivée des gaz et je l'ai tournée vers le haut. J'ai appelé ma main gauche embrayage, et je l'ai tirée. Même mon pied droit réagissait au levier de vitesses : il a trouvé la première – et c'est un pied droit tout à fait modèle courant.

Ce que je veux dire, c'est que tout marchait. Bien sûr, pendant quelque temps, il faudrait ouvrir l'œil et le bon sur les mécanismes des choses. Mais pour l'instant, en tout cas, tout fonctionnait. Mes yeux aussi : je ne voyais plus d'ours, mais je voyais l'herbe qu'ils avaient couchée sur leur passage à travers champ. Demain l'herbe se serait redressée, et seul le chien vigilant pourrait se souvenir des ours avec moi. Et il oublierait sûrement avant moi.

Pour ce qui est des victimes du zoo de Hietzing, y compris la raison de mon vieil ami O. Schrutt, qui s'était fait la malle au fil des noms et des rugissements, j'admets que je suis coupable, et, croyez-moi, je vais me livrer à Ernst Watzek-Trummer. Il devrait faire un bon confesseur, cet historien hors pair, cet archiviste du détail. Sûr !

Alors j'ai tenu l'embrayage avec ma main gauche et j'ai contrôlé les gaz et le frein avant avec la droite. Je me suis mis en route, et j'avais un bon équilibre lorsque j'ai quitté les gravillons du bas-côté. Je tenais une allure régulière et je passais mes vitesses en douceur quand je me suis trouvé pris dans la force du vent. Mais je n'ai pas paniqué ; je me suis incliné dans les virages ; j'ai tenu le haut de la route, j'allais de plus en plus vite. Vrai, je filais plus vite que le vent. Dans l'immédiat, en tout cas, pas question qu'une tourmente quelconque vienne m'éjecter de ce monde, sûr !

Sûr, Siggy, il faudra que l'herbe pousse un peu sur ta tombe.

Sûr, Gallen, je vais venir te dire bonjour, un de ces mercredis.

Et j'espère entendre parler des exploits des Ours à lunettes. Sûr !

# Table

PREMIÈRE PARTIE

## Siggy

DEUXIÈME PARTIE

## Les carnets

TROISIÈME PARTIE

## Liberté !

IMP. SEPC À SAINT-AMAND (CHER).
DÉPÔT LÉGAL : MAI 1991. N° 12756. (951-631).